今天 TODAY

366 天，每天打開一道門

國家圖書館出版品預行編目 (CIP) 資料

今天 : 366 天 , 每天打開一道門 . / 郝廣才文 .
-- 初版 . -- 臺北市 : 格林文化 , 2014.10
544 面 ; 14.8×21.5 公分
ISBN 978-986-189-541-3(精裝)

855 103017097

今天

366 天，每天打開一道門

作者 / 郝廣才

責任編輯 / 賴映竹、賴芳如、王彥筑、李咨誼
美術編輯 / 李燕玉、林蔚婷

出版發行 / 格林文化事業股份有限公司
地址 / 台北市新生南路二段 2 號 3 樓
電話 / (02)2351-7251 傳眞 / (02)2351-7244
網址 / www.grimmpress.com.tw
讀者服務信箱 E-mail / grimm_service@grimmpress.com.tw
ISBN / 978-986-189-541-3
2014 年 10 月初版 1 刷
定價 / 990 元（兩冊不分售）

郝廣才

今天 TODAY

366 天，每天打開一道門

JAN.1 ～ JUN.30

格 林 文 化
www.grimmpress.com.tw

目錄

1月

January

2月

February

3月

March

4月

April

5月

May

6月

June

每天一個禮物

樹林與種子，我觀察樹林，關注種子。

一切取決於開始。以前某一個「今天」，造就現在的世界。

樹林是果，種子是因。
抓住因，才能了解爲什麼有這樣的果？
我們應該關注開端甚於結果。

《今天》寫的不是「歷史上的今天」，
而是要探究哪裡是創造歷史的開端，是改變世界的起點。

《今天》的故事，全是眞實的故事，
在眞實的每一天，發生在眞實的人身上。
眞實比虛構更迷人。
最好的虛構，其實來自眞實的人生。

366天，每一天眞實的故事，都能拍一部電影。
366天，每一天眞實的夢想，都能改變世界。

改變世界的，是人。不是事件。

亞馬遜河邊，一隻蝴蝶輕輕拍動翅膀，
可能造成亞洲大陸的風暴。
空間如此，時間也相像。

一個人的靈感、動念、偶然，會改變歷史的必然。

挫折也許是轉折，危機其實是轉機！

我們的每一步都可能是新的起點，
我們的腳步正走向我們選定的終點。

沒有人不喜歡故事。我把這本書看作禮物，
每天給自己一個眞實的故事當禮物吧！

就像在每個今天種下一顆種子，明天會長成繁茂的森林。

大人有了這個禮物，可以成就夢想，爲年輕人開門。
年輕人有了這個禮物，可以張開翅膀，爲自己開路！

1月

January

天鵝如果被企鵝養大，

牠也不知道自己會飛。

1.1 國王的毒衣

「國王沒有穿衣服！」高喊這句話的人是小孩，因爲他不知道說出眞相，會有什麼後果。如果某人，明明知道後果會如何，而且也在乎後果，但他還是勇敢說眞話。

一個不計後果講眞話的人，就是英雄！

1月1日，我們來問地球有多大年紀？現在知道是45.5億年。算出地球年齡的是卡萊爾．派特森（Clair Patterson），一位偉大的地質專家。怎麼算的？靠「鉛」。

地球誕生時有些鉛就已經存在。而其他物質，比如說「鈾」，鈾分鈾238、鈾235，它們是同一種元素，但因中子數不同，所以各自具有不同質量的原子，這叫「同位素」。鈾經過半衰期會形成鉛，而鈾的不同「同位素」會有不同的半衰期，也就形成鉛206和鉛207。所以從岩石中找出鉛的同位素比例，可以推測它的年齡。

問題是，去哪裡找與地球「同齡」的岩石？好像要在我們身上找到我們出生時的細胞，怎麼找得到？因爲身體一直在變化。地球上找不到，地球的外面呢？太陽系各行星是同時爆炸產生的，隕石是在太陽系炸開時，漂流在太空的「殘料」。所以只要測出隕石的年齡，就知道地球有多大年紀。

問題是，進入地球的隕石，接觸空氣時，鉛含量就改變了。所以，派特森先要建立無菌實驗室，並想出去除鉛的方法，找到可測試的隕石，努力七年終於讓他測算出地球的年齡。他在1953年公布是45億年。1956年再算是45.5萬億年。後來用月球取回的岩石標本來測，推算是44億～45.5億年之間形成，所以和派特森的結論一致。月球等於是一塊大殘料，它沒有火山運動，所以出生時就死了，因此月球表面的岩石就是它形成時的岩石。派特森揭開地球的奧秘，當時太過興奮，還以爲得了心臟病，要他媽媽打電話叫救護車。

接著，派特森有個更大的計畫，他想測出海底各地層之間，不同含鉛量的比例，進一步了解地球的變化。他的老師哈里森．布朗（Harrison Brown）替他向「美國石油基金會」要來研究經費，布朗告訴他們，派特森的研究可以幫忙推測海底蘊藏石油的地點，所以他們才出錢贊助。

派特森發現，深海的鉛含量比海洋表面來得低，相差四倍。這樣不對，應該是深海的鉛比較多才對。問題是海洋表面的鉛從哪兒來？只有大氣啊，這樣大氣中的鉛從哪兒來？派特森跑到格陵蘭島找解答，格陵蘭在38億年前形成，是地表最古老的島嶼。而且它長期冰封，所以它的地層如同樹的「年輪」。派特森仔細測量分析，發現一件驚人的事，就是在1923年以前，大氣中的鉛非常少，幾乎沒有。1923年起，大氣的鉛逐年上升，而且是「爆升」！所以要問那一年發生了什麼事？

那一年汽油加了鉛！過去汽車的引擎會產生「爆震」，小則讓引擎失去動力，大則引擎會燒壞。如果在一公升汽油中，加入一公克「四乙鉛」（tetraethyl lead），不但能解決爆震，還可以加大引擎的動力。想出這招的人叫小托馬斯．米奇利（Thomas Midgley, Jr.）。1923年，通用汽車、杜邦、美孚石油合資成立一家「四乙鉛汽油公司」。這等於賣汽油仙丹，市場不只是美國，而是全世界，當然賺死了，米奇利也跟著賺飽！

後來他們把公司改名「四乙公司」，把「鉛」拿掉。因爲鉛有毒，不想讓人有壞感覺。但油裡的鉛可沒拿掉，透過汽車產生的廢氣，大量的鉛就進入大氣。鉛中毒會重傷神經和消化系統，嚴重會死人。兒童最危險，很容易造成永久的智力損害。1924年四乙公司有十五名工人因鉛中毒死亡，其他的人都得了怪病，有三十五名工人終身殘廢。

米奇利當然知道有問題，他自己也鉛中毒過。但爲了錢，他昧著良心以學者的身分，大談「一點點」的鉛是對人無害的。四乙公司更利用媒體、研究單位揑造不實報告，花大錢宣傳鉛無害。

派特森確定大氣的鉛來自含鉛汽油的廢氣，他在1963年發表四十五頁的報告，投下震撼彈。可是因爲是科學專業報告，大眾一時還沒感覺，但四乙公司、石油公司、汽車公司當然知道厲害，而且他的研究還是石油基金會贊助的呢！

壓力來了，先是利誘，派特森不爲所動。再來是封殺，他們先中斷他所有的經費，連政府也加入迫害的行列，「美國公共健康中心」就是後來的環保署，拒絕發表他的資料。所有跟派特森接觸的媒體、機構，都受到壓力。他們還要他任教的加州理工學院開除他，幸好院長有良心、膽識，擋住威脅利誘。

其實派特森也不是第一次面對壓力，在他發表地球年齡時，就受到教會人士來丟石頭，他們說他褻瀆上帝，違背聖經教義。可是他這次面對的不只是又笨又勤快的白癡，而是又大又恐怖的黑心財團。他們的爪牙遍佈政府部門、學術界和媒體圈。他只是一個冷門科學的專家，沒有知名度，該怎麼辦？

派特森很像聖經裡的大衛，手中只有一個投石器，就是他的知識。但是他不像大衛只面對一個哥利亞巨人，他要面對的是哥利亞巨人大軍。但他還是揮舞他的知識投石器，把石頭一顆一顆投向巨人的腦門。

他找出更多的證據，投稿、演講、遊說。在 1970 年迫使國會訂定「潔淨空氣法案」，開始往無鉛汽油邁進第一步。他在 1978 年發表一份「少數派報告」，揭發生活中各種鉛汙染，包括罐頭、牙膏、自來水管、油漆……。派特森測出罐頭沙丁魚含鉛量是新鮮沙丁魚的五千倍，現代人骨骼內的含鉛量，是一千六百年前的一千二百倍。有力的證據，終於使美國在 1993 年禁止罐頭上使用焊鉛。

1996 年 1 月 1 日，美國所有的汽油終於完全無鉛，派特森的奮鬥終於成功，但他終究沒等到這一天，在 1995 年 12 月 5 日過世。但他死前已經知道因為他的奮戰，美國人血液中的鉛濃度下降了 80%。雖然比一百年前的人還是高出 625 倍。當然他拯救的不只美國人，還拯救了全世界！如果沒有他的孤軍奮戰，我們還在用有鉛汽油呢！

「我能夠看穿國王的新衣，只是因為我是一個有點孩子氣的人。」派特森說，

「最偉大的科學家，總是拋棄那舒適的生活。只為一絲照亮未來的光，去踐行那看似不可能的道路。是什麼使他們前行？因為在科學的處女地，能發掘人生的美麗和意義！於是他們甘心被它驅使，護衛著人類的命運！」

這段 1981 年 8 月 23 日的講話，是他一生英雄的寫照。

● 大膽說出國王給人民穿的是毒衣，為推動汽油無鉛化奮戰的地質學家派特森。

1.2 臥軌的國民英雄

天鵝如果被企鵝養大，即使牠有翅膀，牠也不知道自己會飛。反過來，企鵝如果被天鵝養大，牠只會恨自己的翅膀太小，不會知道自己是游泳的高手。

行爲是時間累積出來的，行爲變成習慣才能在最短的時間有反應。「英雄」的見義勇爲，其實是他們的習慣，就像天鵝會飛、企鵝游水，一樣自然。

2007 年 1 月 2 日在紐約市立大學的地鐵站，二十歲的大學生卡麥隆·何洛彼得（Cameron Hollopeter）在月台等車時，突然癲癇發作，一陣抽搐，眼看就要昏倒。雖然旁邊有人拉了他一把，但沒拉住，他便跌進鐵軌中。

這時有一列地鐵已經要進站，月台上的人都嚇傻了，連何洛彼得的爸爸也不知所措！就在這千鈞一髮的時刻，一個人影跳下月台，想要拉起何洛彼得，但他的腳正好卡在軌道的間距，動彈不得…… 列車轟轟隆隆已經來了，不可能刹車，眼看慘劇就要發生…… 那人迅速把何洛彼得的身子壓平，自己側頭貼近地面，車廂從軌道滑過，一節、兩節……五節，列車停了下來，月台上有人尖叫，所有人都屏住呼吸。

一個人緩緩站了起來，喊說：「我們沒事，我兩個女兒在上面，請誰告訴她們，爸爸沒事！」原來列車和鐵軌間的凹槽不到三十公分，那人急中生智把何洛彼得壓低，自己也伏貼凹槽，只差五公分不到，他們便會被列車活活輾過。駕駛當時發覺有人落軌，但想刹車已來不及。如果不是有人把何洛彼得壓住，他必死無疑。

月台上響起歡呼聲和掌聲，人們好像英雄電影的臨時演員，親身看見奇蹟在眼前發生。

這個英雄叫偉斯里．奧崔（Wesley Autrey），他是個建築工人，住在紐約哈林區。1月2日這天他帶著兩個女兒準備搭地鐵回家。神奇的是他不只見義勇爲立刻跳下月台去救人，他還先把兩個女兒託給身旁的路人照看。奧崔起身後，雖然滿身油汙，但毫髮無傷。而何洛彼得也只是撞傷瘀青，這是他跌落軌道時造成的。奧崔爬上月台，和兩個女兒緊緊擁抱。何洛彼得的爸爸激動得完全說不出話。奧崔拒絕去醫院檢查，他急著回家，弄乾淨就去布魯克林的工地上工。

奧崔成爲典型的「小人物，大英雄」，獲得紐約市長公開表揚，各大媒體都邀他上節目，何洛彼得就讀的紐約電影學院，在1月3日用紅地毯，像歡迎奧斯卡金像獎得主的陣仗，歡迎奧崔來學校。除了送他五千元美金，還宣布如果奧崔的女兒來讀書，全額免費！連唐納川普都送了一萬元給他。當天在月台有個目睹整件事的遊客，願意提供奧崔兩個女兒大學的教育基金。但奧崔保持一貫謙虛，他接受《紐約時報》訪問時，說：「有人需要幫助，我不過是幫了他一把！」

是的，奧崔的動作這麼敏捷，一定跟他是建築工人有關係，他習慣隨時注意工地上發生的危險。當然他可以快速出手救人，也可以躲得快！

所以善良是一種習慣。勇敢的行爲，其實是一種反應，一種不用思考就行善的反應！他一定是習慣行善，時時心存善念，見義立刻勇爲！

●奧崔奮不顧身跳軌救人，獲得公開表揚。

1.3 掙扎於命運和天命之間

命，有兩種。一個是「天命」；一個是「命運」。

天命是你前方的一道光，像塊大磁鐵吸引你去追求它。命運則是你個人意志外的力量，你身外的環境因素。它們從後面拉你、扯你，在側面推你、擠你。

天命源自內心，命運來自外在。相信天命的人，就會有與命運搏鬥的力量和抵抗命運的追尋！

1819 年，赫曼出生在紐約的上流家庭，父親是教養佳、遊歷廣的富商。他本來很好命，但後來父親破產，死前精神錯亂，自此家中一貧如洗。赫曼十五歲時只好離開學校，開始討生活。他做過銀行小職員、農夫、小學教師，但都幹不下去。

那個時代，如果你在家鄉一事無成，在城裡又混不出名堂，還有一條路可選擇，就是當水手出海去。說不定能在海外找到機會，至少能證明自己是男子漢。

1841 年 1 月 3 日，赫曼登上捕鯨船「阿庫希奈號」，成爲捕鯨水手。他經歷航海、捕鯨、叛逃、重傷、與食人族生活、戀愛、殺人、入獄、逃獄、奪船⋯⋯他後來有沒有變成傳奇的船長？或是發了大財？

都沒有，他二十五歲那年回到美國，開始追尋他個人的天命，寫小說。大概五年時間，出了六本以航海爲主題的小說，但反應不佳。其中一本寫捕鯨的故事，出版第一年只賣了五本。後來出版社還發生火災，燒掉這本書所有庫存。

他靠著岳父定期的接濟，勉強維持生活。又靠岳父的關係，謀到海關的工作。他也不時懷疑自己該不該寫小說？

每次想放棄，總是又掙扎回到書桌前。他的太太在日記寫著：「常常整天坐在書桌前，直到四、五點沒寫半個字。」

赫曼後來改寫詩，自己出錢印，也是賣不掉。他曾寫信給大作家霍桑：「激動我的心靈、促使我寫作的東西，我是寫不成了⋯⋯因爲它無利可圖。但要我改變，不這樣寫，我也辦不到。」他在 1891 年過世，結束了天命與命運糾纏的人生。

他就是赫曼．梅爾維爾（Herman Melville），那本一年賣五本的小說正是《白鯨記》。後來被大作家毛姆譽爲「世界十大小說」。梅爾維爾創造了一個震撼人心的不朽人物「亞哈船長」。一個天命與命運搏鬥的邪惡巨大的形影。毛姆說：「我想不起有什麼小說人物境界可比美他，你必須看希臘戲劇，才能找到亞哈那種逃不出命運的感覺。你必須看莎士比亞，才能找到威力如此強大可怕的人物。因爲梅爾維爾創造了亞哈船長，《白鯨記》因而成爲一本非常非常偉大的書！」

可惜梅爾維爾命不夠長，只活了七十二歲，來不及看到他這部傑作的偉大成就！

●《白鯨記》作者赫曼．梅爾維爾

1.4 革命的摩托車之旅

閱讀和旅行是成長的最大能源。成長要深、也要廣。閱讀讓你深，旅行使你廣。讀萬卷書，不行萬里路，如井中觀天，眼界有限。行萬里路，不讀萬卷書，則腦如淺盤，旅遊只能好玩。旅行打開你的眼，閱讀打開你的腦，同修同鍊，才能開闊你的心。

我少年時，常看見一個頭戴扁帽，留著鬍子的帥氣頭像出現在T恤、海報上。不知道的會以爲是搖滾歌手、拉丁明星、流行偶像。其實他是著名的革命領袖切・格瓦拉，他是熱血、純眞、改變的象徵。威權時代雖然資訊封閉，還好負責封閉資訊的人，其實更封閉。所知、所見有限，又往往自以爲是。他們也以爲那一定是什麼西方搖滾歌星，不過是傻瓜小孩崇拜的偶像，只是小打小鬧，壞不了什麼事。這才漏了縫、開了洞，透出幾許天光，讓我們好奇，而得以啓蒙。

切・格瓦拉是革命最傳奇的人物。他和卡斯楚共同發動古巴革命，成功取得政權後，他做不了幾天大官，便離開古巴。跑去非洲、拉丁美洲等地，幫助其他人革命。他甚至爲了躲避美國人的耳目，不惜整容改變他原本英俊帥氣的容貌，眞的是生死榮辱都拋在腦後。後來他在玻利維亞打游擊時，被政府軍在山區抓住，不幸被處死。但切・格瓦拉雖死猶生，他被看成是無私奉獻的浪漫典型，最激動人心的革命英雄。所以他一直活在革命神話與流行文化中。

格瓦拉在阿根廷出生，大學讀的是醫學。爲什麼好好的醫生不做，要去革命呢？

起源於一個旅行。

有一次，格瓦拉趁著放假去找一個在山區痲瘋病院工作的朋友阿伯特（Alberto Granado）。在他和病患接觸中，感受到貧富之間的天地差異、社會的巨大不公。

年輕的他，想看到更多、知道更多、了解更多！所以當阿伯特問他要不要一起騎著摩托車去旅行，走遍南美洲？他一口就說好。

他們兩個在 **1952 年 1 月 4 日**，結伴出發。雖然摩托車沒多久就壞了，但他們靠搭便車、走路，前後花一個月，走過了阿根廷、智利、祕魯、哥倫比亞和委內瑞拉。

他看到草原、大山的壯闊，當然激動；看到印加遺址的豐富雄偉，當然驚嘆！而真正搖撼他心靈的是智利的丘基卡馬塔銅礦坑。巨大的礦坑，彷彿是天神用石鎚在大地留下的傷口。

工人無休止的血汗勞動，使傷口越挖越深，就像在挖掘人間地獄，一切都只爲填滿美國資本家的口袋。這不只是美國資本主義對南美人的剝削，也是對南美土地的糟蹋，糟蹋成一個個悲慘世界。

當這次旅行結束，格瓦拉回到阿根廷，整個人都變了。他感覺光是做醫生，能幫助的人太少了，世界上有千千萬萬的人需要幫助。不，是需要拯救。只有革命，才能拯救世界。他開始結交流亡的革命份子，因此接觸馬克思主義。這時，有人爲他取了個綽號，叫「切」。意思像「兄弟」、「嘿」。

格瓦拉從此投身革命，對抗美國資本帝國。用短短三十九年的生命，成就永遠的「切．格瓦拉」傳奇。

1 月 4 日開始的旅行，就是「革命前夕的摩托車之旅」。

切・格瓦拉用生命對抗美國，但眞正受他影響最深、最廣的，恰恰就是美國的年輕人。

● 拉丁美洲革命英雄切・格瓦拉

1.5 反向思考

如果你做老闆，想賺更多錢，卻把工人的工資加一倍，那你是不是在緣木求魚？

1914年1月5日，汽車大王亨利·福特（Henry Ford）做了一個重大決定，他把工人的工資提高到每小時5美元。當時工廠的平均工資只有2美元，福特在打什麼算盤？他的競爭者都等著看好戲，結果他不只改變了他的公司，也改寫了美國的歷史和資本主義發展的面貌。

整件事的起因是福特汽車在1913年實施了「生產線」，又叫「裝配線」。就是工人採取作業分工，每個人專注做一項工作，重複同一種機械式的動作。這樣一來，生產速度提高八倍，但是工人的工作負擔也同樣大大增加，許多工人做同一個工作要長達四小時，才能休息片刻。雖然福特汽車的工資是2.34美元，比別的工廠的2美元高，但實在太辛苦，工人寧願去別的廠做工。所以福特汽車的工人流動率高達380%。

此外，「工會」正在興起，他們積極吸收福特的工人，灌輸左派思想、散發傳單，指責福特加大勞動程度，根本是血汗工廠，醞釀要鼓動工人進行罷工。

所以福特決定：

一、提高工資到每小時5美元。

二、把平常10到12小時的工時，減少到8小時，所以兩班制改三班制。

三、建立技術學校培訓專業技工，這也是福特的首創。

當時有很多工人是歐洲來的移民，福特還開設英語學校。

一連串的改變，果然讓福特的轉工率降低 90%，曠工率從 10% 降到 0.3%。工人開始以在福特工作爲榮，平常外出也別著公司的徽章。福特經過分析，發現他們 7882 項工作中有 4034 項不需要完全的身體機能，意思是他可以雇用殘障者來做很多工作，於是福特雇用了上萬名殘障者，他們的工資與正常人完全相同。

高工資加福利，不只使福特的形象改變，工人對公司的向心力大大提升。工人對公司的感情加深，開始會爲公司著想，帶動更多的創新。福特採納員工提出的改善建議，一年獲利就超過 44 萬美元。有一年公司賺錢太多，還把利潤分給客戶，每一輛車退還車主 50 美元。福特認爲：工業家必須遵守的準則是：

盡可能提高品質；盡可能降低成本；盡可能提高薪水。

亨利・福特之所以能在歷史留名，並不是因爲他是賺大錢的企業家，而是因爲他是一個「革命者」。他習慣打破框框來思考。他有一句名言：

如果我當年去問顧客他們想要什麼？他們肯定會告訴我說：「一匹更快的馬」。

他的「裝配線」和「大量生產」革命了工業生產的方式，改變世界的經濟、社會、生活史，一直到今天。他革命了管理公司的模式，改寫新的賺錢公式。當然，他曾像蘋果的賈伯斯一樣，被自己創辦的公司踢出來。現在的福特汽車公司，其實是他的「第二家」，他創辦的「第一家」亨利福特汽車公司，原來專門生產賽車，他還親自駕車參賽拿過冠軍。三十八歲的他被股東聯合起來趕走，公司從此改名叫「凱迪拉克」。

他另外找了十一名投資者，建立了「福特汽車公司」。他的主力產品 T 型車共銷售 1500 萬輛，這個世界記錄保持了四十五年。他說到如何成功？可以一再玩味：

成功的秘訣，在於把自己的腳放入他人的鞋子裡，進而用他人的角度來考慮事物。

●汽車大王亨利·福特

1.6 幼兒教育的革命

習慣，有時候是「鏽」，它會腐蝕靈魂的鋼鐵。成爲一個有靈魂的人，就是時時對人們習慣的看法，保持革命性藐視。

1870 年瑪麗亞出生在義大利，她是獨生女，父親是貴族的後裔，母親出身名門。照習慣，瑪麗亞會被好好教養，尋一個門當戶對的好親事。但瑪麗亞對如何社交、怎樣做一個貴夫人沒興趣，她喜歡數學、工學、生物學，後來想讀醫學。

照習慣，當時女生不能讀醫，羅馬大學醫學院拒絕她。她經過層層關卡，最後和教育部長面對面談判，終於打破了傳統，進入醫學院。

習慣如大山，哪能輕易移動！父親爲逼她放棄，和她斷絕父女關係、斷絕經濟來源。她靠一點獎學金、微薄的家教收入，勉強生活。比窮更苦的是男同學的輕視、嘲弄、排擠。沒有人願意和她同組做實驗，她甚至要一個人面對解剖屍體。有一次她終於受不了羞辱，逃出實驗室，就要放棄時，看到一個小男孩在路邊玩色紙，專注一心，完全忘我。瑪麗亞頓時領悟，重回實驗室。1896 年瑪麗亞二十六歲，她以第一名的成績畢業，成爲義大利第一個女醫生。

兩年後，她未婚生下一個兒子，取名馬利歐。然後把兒子送到鄉下託人照顧，等兒子長大，她帶回馬利歐在身邊做助手，一直到馬利歐四十歲，瑪麗亞才告訴他是她的兒子。要知道那個時代女人是沒有繼承權、沒有選舉權、沒有參政權喔！厲害吧！

眞正了不起的，不是瑪麗亞的特立獨行。而是她對兒童教育的貢獻。她在醫院精神科做助理醫師時，有機會接觸到「智障兒童」。當時醫界以為智障是一種精神病。

照習慣，都是把智障兒像在動物園那樣關起來，什麼東西都不給小孩。瑪麗亞看到小孩整天很無聊，不停用手在地上抓。她相信這一切都不對，她認為智障不是醫學問題，而是「教育」問題！她設計新的教學方法，利用具體的教具，來幫助智障兒重新學習。結果兩年後，原來被判定是智障的孩子，在她的教育之下，竟然每個都通過基本學力測驗，很多還得到高分，這下轟動整個歐洲。

1907 年 1 月 6 日，瑪麗亞在羅馬的勞工區，建立一所「兒童之家」。選擇勞工區是因為那裡的居民光為了生計，就已經精疲力盡。父母根本沒有時間，也沒有能力來教育幼兒。孩子錯過學習黃金期，會嚴重影響日後的成長。她要用教育幫助這些貧民區的孩子，她堅信人人平等是世界和平的基石。她用「家」就是要表明這是溫柔、溫暖的地方，有別於制式學校的僵硬冰冷。瑪麗亞的信念在兒童之家得到全面、深化的發展，她研發了大量的教具、全新的教學方法，創建了以兒童為本、為主體的教育原理，成為 20 世紀最偉大的兒童教育家、兒童人權的捍衛天使，對人類有革命性的影響。瑪麗亞的全名是瑪麗亞・蒙特梭利（Maria Montessori），是的，就是大家從小知道的蒙特梭利。

蒙特梭利選擇了一條人跡罕至的路，讓世界變得多麼的不同！如果你不知道自己要去哪裡，選擇走哪條路都可以；如果你知道要去哪裡，要記住但丁的話：

走自己的路，讓別人去說。

● 幼兒教育家蒙特梭利和她的兒子馬利歐

蒙特梭利教學法的特徵：

1. 尊重兒童，以兒童爲中心
2. 給予兒童自由的選擇權
3. 把握兒童的敏感期
4. 混合年齡教學
5. 著重智慧和品格的養成
6. 尊重兒童的成長步調，沒有課程表
7. 教師是一個引導者
8. 配合兒童的環境及豐富的教具
9. 摒除獎懲制度
10. 注重日常生活教育及感官教育
11. 注重本土文化及跨文化教學

上過蒙特梭利學校的名人：

★《安妮日記》的作者安妮・法蘭克（Anne Frank）
★《華盛頓郵報》前發行人凱瑟琳・葛蘭姆（Katharine Graham）
★亞馬遜創始人傑夫・貝佐斯（Jeff Bezos）
★ Google 創始人賽吉・布林（Sergey Brin）和賴瑞・佩吉（Larry Page）
★維基百科創始人吉米・威爾斯（Jimmy Wales）
★現代管理學之父彼得・杜拉克（Peter Ferdinand Drucker）
★著名演員喬治・克隆尼（George Clooney）
★英國王儲威廉王子（Prince William）和哈利王子（Prince Harry）
★知名遊戲設計師威爾・萊特（Will Wright）
★知名廚師茱莉亞・柴爾德（Julia Child）

1.7 讓威利自由

有部感人的電影 Free Willy，台灣譯名《威鯨闖天關》。故事是說一隻叫威利的小殺人鯨，被漁夫捕獲，送到一個主題樂園受訓，但牠一直適應不了新環境，訓練很不順利。這時威利和小男孩傑西相遇，成了好朋友。後來傑西教會威利表演，辦到了訓練師做不到的事。卻發現樂園老闆居然想害死威利，去領保險金。傑西決定拯救牠，經過一連串驚險的過程，威利終於回到大海，重獲自由。影片中殺人鯨在小男孩的指引下，縱身起跳，衝出海面，飛越護牆的那一幕，不知賺了多少人的熱淚，也為華納電影公司賺了大把鈔票。

片中的主角殺人鯨，本名叫凱戈（Keiko）。牠兩歲時被捕，先在加拿大海洋公園受訓、表演，後來被轉賣到墨西哥的海洋公園。華納公司之所以看上牠，是因為墨西哥人要價便宜。沒想到凱戈一片爆紅，吸引媒體跑去墨西哥採訪，這才發現殺人鯨大明星住在狹小又含有化學物質的人造海水池，得了嚴重的皮膚病。

凱戈的命運和電影中的威利幾乎一樣，但威利在電影裡是自由了。而眞實世界的凱戈不但沒有自由，還過著不人道的生活。這不是很諷刺嗎？消息傳開之後，看過電影的小朋友都很生氣，他們寫信去電影公司抗議。小孩的憤怒像巨浪一樣，一波一波湧進電影公司。

華納公司不得不向正義的聲浪低頭，宣布拿出兩百萬美金籌募「凱戈野放基金」。而且還發起「一人一元救威利」的運動，成功募到一千萬美金。在美國奧勒岡州新港市，建造一個天然海水的中途之家，爲野放凱戈做準備。

凱戈遷移前，墨西哥海洋中心特別爲牠辦「告別演出」。全場擠進爆滿的觀眾，小朋友都來爲牠送行。妙的是凱戈好像也知道牠即將告別舞台，演出特別賣力，尤其在跳高的項目，牠一次比一次跳得高，觀眾爲之瘋狂。

運送凱戈的重任由美國空軍負責。夜間出發，預計日出前抵達新港市，否則白天的溫度會害死離水過久的凱戈。沒想到在機場，起重機忽然卡住故障，可憐的凱戈被吊在半空中。工作人員一邊不斷在凱戈身上潑水，安撫牠的情緒；另一邊拼命搶修，一陣手忙腳亂，好不容易解除狀況，把凱戈送上飛機，但已經耽誤很多時間。飛機全速前進，終於在**1996 年 1 月 7 日**的凌晨日出前，安全降落在美國奧勒岡州。從機場到新港市的沿途，一路上站著新港市的男女老少，他們在微光細雨中，開心的歡迎凱戈的到來。

寫到這裡，那一幕想起來，總是讓我熱淚盈眶，喉頭顫動。以勢利爲尙的娛樂工業，也擋不住善良純眞的力量，向兒童讓步，向良心低頭。不只讓一隻殺人鯨自由，也讓我們看見人性不只有光輝，還有力量。

殺人鯨不知是誰想的名，其實牠不殺人也不是鯨，是海豚類。凱戈後來遷移到冰島專門爲牠建造的中途之家，訓練牠野放。專家雖然找到牠的原生族群，但幾次野放，牠都無法融入殺人鯨群，總是游回人類爲牠建造的家。最後凱戈在 2003 年因肺炎去世，年紀二十七歲。

STREET KID. A 3 TON KILLER WHALE.
A FRIENDSHIP YOU COULD NEVER IMAGINE.
AN ADVENTURE YOU'LL NEVER FORGET.
FREE WILLY
HOW FAR WOULD YOU GO FOR A FRIEND?
WARNER BROS. PRESENTS
IN ASSOCIATION WITH LE STUDIO CANAL+, REGENCY ENTERPRISES AND ALCOR FILMS A DONNER/SHULER-DONNER PRODUCTION A FILM BY SIMON WINCER "FREE WILLY"
JASON JAMES RICHTER LORI PETTY JAYNE ATKINSON AUGUST SCHELLENBERG AND MICHAEL MADSEN EDITED BY O. NICHOLAS BROWN PRODUCTION DESIGNED BY CHARLES ROSEN
DIRECTOR OF PHOTOGRAPHY ROBBIE GREENBERG, A.S.C. MUSIC BY BASIL POLEDOURIS CO-PRODUCERS PENELOPE L. FOSTER, RICHARD SOLOMON AND JIM VAN WYCK
EXECUTIVE PRODUCERS RICHARD DONNER AND ARNON MILCHAN STORY BY KEITH A. WALKER SCREENPLAY BY KEITH A. WALKER AND COREY BLECHMAN
PRODUCED BY JENNIE LEW TUGEND AND LAUREN SHULER-DONNER DIRECTED BY SIMON WINCER

●《威鯨闖天關》的電影海報

1.8 意外禮物、閃亮人生

有個男孩在 1935 年的今天出生，他的媽媽本來懷的是雙胞胎，但長子出生時，已經沒有生命跡象，所以男孩成了獨子。

男孩自小，父母上教堂總帶著他。他兩歲的時候，就能爬上教堂的講台，唱福音歌給大家聽。十歲的時候，參加一個遊樂園的歌唱比賽，贏了 5 塊錢獎金和遊樂園的暢遊券。那一年的聖誕節，男孩向聖誕老人許願，希望 **1 月 8 日**過生日時，可以得到一輛全新的腳踏車。

其實聖誕老人當然是男孩的爸爸嘛。這下他傷腦筋了。爸爸很想實現兒子的夢想，但是他實在買不起一輛全新的腳踏車。後來他在五金行，找到一把值 12 塊 9 毛 5 的吉他。12 塊 9 毛 5 看起來是小錢，可是對男孩的家來說，卻是一筆蠻大的預算。男孩的爸爸曾經爲了假造 8 塊錢的支票付帳，結果吃上官司，坐了幾天牢。最後爸爸決定買下吉他，送給他當十一歲的生日禮物。

男孩沒有得到腳踏車，卻拿到一把吉他。但他並沒有失望，反而開心的跟著爸爸開始學彈吉他，叮叮噹噹的走向音樂之路……他長大後，總共出了 150 張唱片。

149 首單曲進入排行榜。

17 首冠軍單曲。

冠軍總週數 79 週，是史上第一。

14 次葛萊美獎提名，3 次得獎，才三十六歲就獲頒葛萊美終身成就獎。

唱片史上唯二銷售量超過 10 億張的歌手，另一個是披頭四。

拍了 33 部電影，片片賣座。

美國郵局還以他發行兩款紀念郵票。總印量 10 億張，是郵政史上最暢銷的郵票。

這個得不到自己想要的生日禮物的十一歲男孩，就是「貓王」艾維斯·普利斯萊（Elvis Presley）。

我們常常聽說：「如果上帝關上一道門，會為你打開另一扇門」。從「神愛世人」的角度，我認為上帝沒有那麼小氣，祂不會故意讓你失望，以整人為樂。而是還有更多的門，等著你去開、去走。否則即使上帝為你開了門，你不走，也沒用，白開。

另外告訴你，貓王不但活著時賺了很多錢，他還是最會賺錢的死人。根據調查，在死後還能收錢的前五名如下：

1. 貓王：每年 4000 萬美金
2. 史努比畫家舒茲：3500 萬美金
3. 《魔戒》作者托爾金：2300 萬美金
4. 約翰藍儂：2100 萬美金
5. 兒童文學作家蘇斯博士：
   1800 萬美金

● 十一歲得到意外生日禮物的搖滾巨星

1.9 站起來說故事的狗

前面我們提到最會賺錢的死人第一名是貓王普利斯萊，排名第二的是舒茲，年收二千三百萬美金。

舒茲是誰？有什麼大能耐，死了還能收這麼多錢？說到他，也要從童年說起。

舒茲從小就很平庸，像一杯白開水一樣平庸，一點兒都不討人喜歡。功課也很差，同學都取笑他，他就像個漏氣的橄欖球，看到他就想踢一下。到了中學，他表現得更糟，每一科都不及格，換一個說法是沒有一科及格。他的物理成績還打破了學校有史以來的最低紀錄，得到「鴨蛋」。以科學角度來看，他可以永遠保持紀錄，不可能有人超越他。

「頭腦簡單，四肢發達」這句格言也在他身上破功。他在運動方面毫無表現。社交呢？他就更笨拙。他在高中時，從來沒有和女孩約會過；也從來沒有約過任何女孩，因爲他以爲他一定會被拒絕。他是一個標準的失敗者，但同學並沒有不喜歡他，因爲他在大家眼中是不存在的，你沒有辦法去不喜歡不存在的東西。

舒茲沒有放棄自己，他相信自己有一樣別人沒發現的才能，就是畫畫。當他無聲無息的從高中畢業，居然寫了一封求職信去「迪士尼」。迪士尼叫他試畫幾樣東西，他很認眞的完成，把作品寄過去。終於，回音來了。迪士尼給了他一封制式的回函，客氣的告訴他，非常抱歉，迪士尼只能用傑出的藝術家，他們不能爲了他一個人改變這項傳統。

舒茲決定把自己的童年當作題材，以漫畫的方式講故事，描寫一個總是輸家、總是放風箏飛不起來的小男孩。同時又出現一個靈感，他想到小時候養的米格魯犬，便把牠也畫進漫畫裡。小男孩叫「查理・布朗」，狗狗就叫「史努比」。

舒茲的漫畫起先表現平平，平到像心臟停止跳動的心電圖。眼看他漫畫事業的大門即將關上，**1956 年 1 月 9 日，**他靈光一閃，讓四隻腳在地上跑的狗狗史努比站起來，像人一樣用兩隻腳走路。這石破天驚的一站，使得史努比自此大受歡迎，紅爆地球每一個角落。

你現在知道舒茲是什麼人了吧？他的全名叫查爾斯・孟羅・舒茲（Charles Monroe Schulz）。你也知道他為何死後還能賺那麼多錢，靠的是那隻用兩隻腳站立，永遠活在世界上的狗狗，史努比。

有個日子也值得紀念，史努比在漫畫中原本不說話。1952 年 5 月 27 日，舒茲讓史努比第一次開口說話。

●一開始史努比是用四隻腳走路，後來舒茲靈光一閃，決定讓史努比站起來。

1.10 我們怎麼能買賣大地？

很久很久以前，一群遊牧獵人從亞洲跨過結冰的白令海峽，來到美洲大陸。他們看見廣大的草原、豐沛的湖泊、茂密的森林、數不清的野獸…… 決定留下來，逐漸繁衍，建立超過五百個部落，散布在北美大陸。後來白人來到北美，把他們叫作「印第安人」或「紅人」。

從此，紅人的災難來臨。在白人的壓迫下，他們不斷往西遷，一直退到太平洋岸。1854 年美國政府的印第安事務長史蒂芬斯巡視各部落，提出向部落購買土地，並將紅人遷入「保留區」的計畫。白人官員在**1 月 10 日**和當時最有聲望的西雅圖酋長會談，向他提出購買土地的要求。

西雅圖酋長向來堅持和平，他當然知道打也打不過白人。他聽完白人官員的提議，在白人官員的催促下，緩緩的站起來，用手指著天空，說：

我們怎麼能買賣天空？
我們怎麼能買賣大地？
對紅人來說，每一根閃亮的松針，
每一片潮來潮往的海岸，每一塊青翠的草地，
每一隻在風中振翅鳴叫的昆蟲，
都是我們綿延不盡的記憶和過往。

你聽見流水的聲音了嗎？
紅人相信，河川是神聖的。

明淨的河水，曾清晰的倒映著一張又一張祖先們的臉孔，
而潺潺的水聲，彷彿是他們殷殷的叮嚀。
渴了，它解除我們的渴，
餓了，它給我們鮮美的魚蝦，
它還用溫柔的雙臂，載著我們的獨木舟四處奔流。
它是河水，也是我們的兄弟。

你聞過池塘上飄來的香甜微風嗎？
你聞過午後大地被雨洗刷過，潮溼清甜的芳香嗎？
紅人相信，空氣是神聖的。
它給我們呼吸和芳香，
就如同它給予樹木、野獸和昆蟲的一樣。
它公平的看顧大地上每一份子，
給我們第一次呼吸，
也接受我們最後一抹嘆息。

你曾觸摸過大樹的樹幹、小草的草莖嗎？
你是否感覺到那汩汩流動的汁液，
好似我們體內奔流的血液？
紅人相信，不論人、動物、植物、河流、山川……
都是大地的一部份，而大地也是我們的一部份。
紅人相信，大地是我們的母親，
花朵是我們的姊妹，
鹿、馬、老鷹都是我們的兄弟。
山崖絕壁，草莖中的汁液，馬身上的體溫，
和人都屬於同一個家族。

我們是一家人，我們共同分享陽光、雨露、土地。

但白人來了，
在他們的槍口下，成千上萬的野牛死去，
屍骨在陽光下潰爛。
在他們的利斧下，一棵棵的大樹倒下，
濃密的森林，轉眼間變成光禿禿的荒漠。
灌木叢哪裡去了？
野馬哪裡去了？
老鷹哪裡去了？

當母親、兄弟、姊妹都不見了，
我們就成爲大地的孤兒。
我們再也不能騎馬奔馳在草原上，
我們再也無法聽到春葉在風中舒展，
和昆蟲振翅的窸窣聲。
這樣的生活，除了孤單、寂寞，還剩下什麼？

當你們問我，可否把土地賣給白人時？
我的人民無法了解，他們吶喊：
「白人究竟要買什麼？」
你們怎麼能夠買賣天空、土地的溫柔、羚羊的奔馳？
這些東西並不屬於我們，
我們如何賣給你們？
而你們又如何能夠購買？
紅人不相信，僅憑薄薄的一紙契約，

白人就能對土地爲所欲爲。
當野牛全部死光，你們還能再把牠們買回來嗎？

你們把母親大地、兄弟天空當成可以買賣、劫掠的貨物，
如羊群、麵包、珠串。
你們如一隻貪婪的狼犬，
一口一口吞食富饒的大地。
紅人的心在滴血。
也許對白人而言，土地不是朋友，而是仇敵。
你們用刀槍佔領它、砍盡樹木、殺光動物，
然後頭也不回的離去，尋找新的土地。
你們就像一條蛇，自食其尾，
但請不要忘記了，尾巴終將越來越短。

如果我們把土地賣給你們，
請記住，大地是神聖的。
請記住，野獸是我們的兄弟，
花朵、樹木是我們的姊妹。
請務必像愛護母親一般愛護大地，
並以此教導你的子孫。
因爲萬事萬物都是互相關連的，
生命之網並不是人類單獨編織而成，
人只是網上的一線。
如果我們破壞這張網，
就等於搗毀自己的立足之地。

西雅圖酋長是史闊密希族（Suquamish）和杜瓦米什族（Duwamish）的領袖，他們原居住在美國西北部太平洋峽口一帶。1792 年美國航海家溫哥華船長駕著「發現號」帆船來到此地測繪海岸線，是他們第一次和白人接觸。1851 年白人在此建立了殖民地，隔年爲了表示友好，把殖民地以酋長的名字來命名，也就是今天的西雅圖市。

● 印第安人部落的領袖西雅圖酋長

1.11 奔向魔法世界的火車

一個熱愛文學的女生喬安，大學主修法文，畢業後到巴黎唸書。唸不出什麼名堂，又跑回倫敦，在國際人權組織打了一陣子工，一樣沒打出什麼道理。**1990 年 1 月 11 日**，她決定搬離倫敦，坐上開往曼徹斯特的火車。

火車呼呼開著，跑了好一陣，忽然越走越慢，「轟隆」一聲，停了下來。車上廣播說火車發生機械故障，要停車檢修一番。

這下可無聊了，喬安正在盤算要如何消磨這段等待的旅程。她望出窗外，看見草地出現一群牛，悠閒的邊漫步邊吃草。這時靈光一閃，她好像看見一個頂著黑髮，戴著眼鏡，消瘦文弱的小男孩透過車窗對她微笑。

她腦筋一轉，想像這個小孩是個孤兒，他正坐著火車要到巫師學校去學魔法⋯⋯當天晚上，她就動筆寫下在火車上的構想，但並沒有持續寫下去。

喬安最大的精神支柱，是她的母親。這年 12 月，母親因病過世。她不但錯過和母親見上最後一面的機會，當然也來不及告訴母親她想寫的故事。

她在英國一直找不到像樣的工作，便跑去葡萄牙當英文老師。然後嫁給一個葡萄牙電視台的新聞記者，生下一個女兒。婚姻維持兩年，破裂收場。她帶著女兒回到英國，因為妹妹在蘇格蘭的愛丁堡，她便落腳在愛丁堡。

老問題，喬安找不到工作，只能靠領救濟金過活。

新問題，她被診斷出有嚴重的憂鬱症。

看來命運很無情，但她現在不是一個人，她有一個女兒。喬安決定把她當年在火車上的靈感搬出來，這是她唯一會的技能：寫故事。她的家又小又冷，她沒錢付暖氣費。於是她推著嬰兒車，走進一家咖啡館，每天點一杯卡布奇諾，在角落的一張小桌子，用筆一個字一個字寫下了世界最賣座的小說《哈利波特》。

喬安的全名是 Joanne Rowling，當她把《哈利波特》拿去投稿，遭到十二家出版社的退稿。

好不容易找上一家只成立十年的小出版社——布魯姆斯伯里（Bloomsbury），他們願意一試，付給喬安一千五百英鎊的的預付版稅，這對當時的喬安來說，算是不小的錢。出版社又擔心奇幻小說的讀者大都是男孩子，他們可能不願意買女性寫的書來看。所以要求喬安弄一個只有英文字母，比較「中性」的名字。她便用 Joanne 的「J」加上祖母的名字 Kathleen 的「K」，變成了當今最暢銷的作者 J. K. Rowling, J. K. 羅琳。

羅琳有一次應邀在哈佛大學的畢業典禮演講，她告訴哈佛的畢業生一樣他們很少嚐到的滋味——失敗。

有時候人要學會從失敗中看見未來，她自己就是從完全失敗後，才下定決心寫小說。雖然寫作本來就是她的夢想，但是因爲她出生普通家庭，父母就一直勸告她人生要務實一點，不要做夢。

羅琳說她現在回想起來，並不怨父母當時不支持她的夢想，因爲父母完全出於善意，是爲她好。她自己當時也同意和現實妥協，並沒有眞的動筆。

直到她失敗到一無所有，才發現寫作是她唯一的機會，和最大的快樂。挫折可能是轉折，而人生的轉折都握在自己手裡。誰也不能怨，環境也不能怨，一切其實是我們自己決定的，只有你才能為自己負責。

羅琳的前夫，我想他是 20 世紀最受驚嚇的男人，他打死也不會想到，他拋棄的女人會成為最賺錢的作家。他也不能怨！如果他們沒有離異，事情還很難說！

● 羅琳寫作《哈利波特》的咖啡廳

1.12 紅色小提琴

史上最偉大的製琴師，公認是義大利的史特拉底瓦里（Antonio Stradivari）。他一生大概做了一千一百把大、小提琴，如今傳世的有七百把。其中最有名的是他 1713 年的作品，一把血紅色的小提琴。這把琴現在知道的最早擁有者，是英國皇家協會的教授吉伯森（Alfred Geroge Gibson），所以琴的名字就通稱 Gibson。吉伯森教授後來把琴送給小提琴家胡伯曼（Bronislaw Huberman），在胡伯曼手裡被偷了兩次。一次在維也納，不久後被找到了。一次在紐約的卡內基音樂廳，胡伯曼上台用另一把名琴演奏，把 Gibson 放在休息室，就在此時被偷走。

小偷把 Gibson 以一百塊美金，賣給了一個在夜總會拉琴的奧特曼（Julian Altman），奧特曼的琴藝雖一般，但他可有好眼力，他知道自己撿到天上掉下來的禮物，他把這個秘密珍藏了五十一年，直到臨死前才將這把琴的眞實身份告訴他的太太。他可能也怕他太太不懂，把寶物隨便賣掉吧！而且不講出來，現在也沒人會知道奧特曼是誰？眞可說是「人以物名」。

現在這把 Gibson 歸小提琴名家約夏貝爾（Joshua Bell）所有，價値五百萬美金。電影《紅色小提琴》的故事靈感，就是來自 Gibson。而且還請約夏貝爾用這把紅色小提琴，爲電影配樂。看過電影的人，無不被琴聲感動萬分，名琴配高手，當然厲害。約夏貝爾是當今最頂尖的小提琴手，一年在世界各地巡迴演奏二百場，票價最低一百美金起跳，場場一票難求。買票去聽音樂會的，不只要欣賞約夏貝爾的琴藝，更想一睹紅色小提琴，聽聽從中發出的神妙之音。

2007 年 1 月 12 日早上，《華盛頓郵報》請約夏貝爾做一個有趣的實驗。他們讓約夏貝爾喬裝成街頭藝人，在華盛頓的地鐵站賣藝，看看會怎樣？

約夏貝爾用 Gibson 這天價名琴，在地鐵站拉了六首巴哈最著名的無件奏小提琴奏鳴曲，賣力演出四十五分鐘。結果經過的 1097 人中，只有 27 個人給了賞錢，一共是 32 塊 1 毛 7 分美金。有 20 塊應該不算，因爲最後是一個老太太，她認出約夏貝爾，她十分驚訝大演奏家原來這麼難賺錢，慷慨從包包裡拿出 20 塊。

名琴、名家、名曲，如此黃金組合，如果擺在平凡的地點，價値變得如此低微。一般人還是需要大量的「解釋」，梵谷，沒有人解釋，一生只成功賣掉一張畫。米勒，沒有人解釋，生前幾張畫才能換一雙小孩的鞋。

安迪沃荷，他超會解釋，居然用複印畫，能賣出天價。他眞是「天才是九十九分的解釋，一分的努力」！所以你不可以懷疑 LV 的包包，明明是塑膠皮做的，爲什麼那麼貴？因爲 LV 要砸下許多錢來做廣告、宣傳、活動、門面，來解釋它的價値。因爲它解釋成功，讓大家都懂，所以一般人就能看出你手上提了多少錢？

所以你花的錢一點兒都不冤枉，你買的不是包包，而是別人透過包包對你的解釋。

● 約夏貝爾喬裝成街頭藝人，在地鐵站賣藝。

1.13 用生命喚醒和平

甘地領導印度獨立運動，創造全新的抗爭模式「不合作主義」。基本的精髓就是「非暴力」。這種和平的方式，往往比暴力更讓人震撼、更有力量。甘地還把自己當武器，採取一種非暴力的抗爭手法──絕食。他的絕食，每次都使英國人立場軟化，逼迫英國人讓步。

印度脫離了英國統治，但他們沒有脫離宗教、種族之間的歧異。在面對共同的敵人時，這些歧異可以容忍，問題不難解決，彼此可以團結。諷刺的是，英國人走了，印度人反而互相仇恨起來。麻煩的是，這不是正義與邪惡的對抗。印度教徒、回教徒、錫克教徒三方，每一方都是正義的一方。正義與正義打起來，要付出很可怕的代價。

印、回、錫三方就在多重矛盾、惡性循環下，衝突越演越烈。真的是一根小火柴就點爆了一堆汽油桶。從宗教和種族的相互殘殺，演變成小孩、婦女都不放過的「屠殺」。情況完全失控，不可收拾。

甘地用非暴力手段趕走了英國人，結果自己人卻用暴力，自己殺得昏天地暗。他當然痛心疾首，努力協調各方，但政治領袖，各有算計，互不信任，連甘地的門徒也不完全聽從他的指示。他在無計可施下，只好把對付英國人的絕招，拿來對付自己的同胞。他在衝突最嚴重的加爾各答開始絕食，要求和平。這招果然有用，印度人驚嚇之餘，恢復冷靜。各教派同意不再仇殺，甘地停止絕食。但沒多久衝突又起，情況更嚴重。甘地只好拿尚未恢復的老命再拼一次，他

在 **1948 年的 1 月 13 日**，宣佈再度絕食。當他的身體越來越虛弱，暴力衝突才跟著降溫。印、回、錫三方領袖，終於答應甘地的條件，簽定和平宣言。這是甘地最後一次絕食，他在兩週後被人刺殺。殺他的人正是與他同屬印度教、其中的激進份子。他恨甘地使印度教徒不殺回教徒；他恨甘地讓他沒機會殺光回教徒。人眞的很怪，不找個對象來恨，好像會失去生命的意義，非恨得你死我活不可，敵人沒有了，就恨自己人。

所以，「鴿派」很難做。他最大的危險不是來自敵人，而是來自同黨裡的「鷹派」，他會被鷹派打成懦弱、投降、非奸即賣，最後死在自己人手裡。所以很多鴿派也不得不跟從鷹派，別人喊打喊殺，他也得舉舉手做個樣子，否則難以自保。即使他是領袖，也會被鷹派綁架。甘地是歷史上，極少數能夠勇於不顧追隨者的愚蠢，不被混蛋鷹派脅迫，而能運用他的獨特方式，以脆弱的生命，一個人的道德力量，壓制仇恨的狂潮。

泰戈爾認爲甘地是聖人與英雄的合體，尊稱他爲「聖雄」。問題是，再神聖的東西還是擋不住「笨蛋」與「壞蛋」的合體！

● 印度聖雄甘地以絕食換取和平。

1.14 電影營救計畫

電影中的主角總是能完成「不可能的任務」，讓人驚嘆。你會說那是戲，是人編的，眞實世界不可能發生。是嗎？如果把「電影」拿到眞實的世界「上演」，會怎樣？會更精采！

1979 年伊朗發生革命，國王巴勒維出走美國，原來流亡海外的宗教領袖何梅尼返回伊朗，建立了政教合一的新政權。因爲巴勒維長期是美國的盟友，所以新的革命政權當然視美國爲仇敵，1979 年 11 月 4 日，群眾攻進美國大使館，美國數十名外交人員變成階下囚，成爲人質。

問題是何梅尼的革命政府拒絕與美國做任何對話，所有的外交管道完全切斷。所以美國也無從和伊朗談判，伊朗透過電視每天播送美國人質承認美國對伊朗的罪行。解決危機的第一任務，就是如何把人質救出來？

東尼．曼德茲（Tony Mendez）是美國中央情報局（CIA）圖像辨認部門的主管，他以前幹過喬裝部門的主管。他擅長僞裝身份來執行任務，他曾經把一個黑人探員和一個亞洲探員用面具化妝成白種商人，騙過對手。現在他被指派設計營救人質的計畫，不眠不休花了九十個小時，想出一套「保鑣行動」。計畫的重點是將一具屍體，化妝成巴勒維國王，秘密運過伊朗和他們交換美國人質。這個計畫雖然大膽，但非常有想像力，簡直就是拍電影。其實你越敢想，對方就越想不到，成功的機率很高，可惜白宮最後不肯批准。

曼德茲只好重想，正在他想破頭時，CIA 得到最新的情報，不是所有大使館人員都被抓。有六名館員趁混亂中逃出來，被加拿大大使館秘密收留。現在曼德茲的任務，是要想辦法救出這六名美國人，而且不能波及加拿大大使館。時間很緊迫，因爲消息有點走漏，有記者已經在拼圖，必須趕在記者發佈消息前，完成任務，否則就麻煩大了！

曼德茲第一步是想到讓他們扮成加拿大人混出境，加拿大人和美國人，外人根本分不清。加拿大與世無爭，跟誰都沒仇。問加拿大人在伊朗幹什麼？說他們是英文老師？不行，因爲革命一來，全伊朗的英文學校就都關閉了。加拿大是農業大國，裝成農業技術觀察員？那時已經1980年的1月，伊朗遍地都是雪，哪有什麼農作物可觀察？

靈光一閃，曼德茲決定要拍「電影」！他可以扮成愛爾蘭的電影製作人，帶領六個拍片人員去伊朗勘景。伊朗仇恨的是美國，但很希望其他外商去投資，拍片可以給當地帶來收入和宣傳。長官們都認爲這是異想天開，但是計畫十分縝密，加上已經沒有時間耽誤，最後白宮勉強同意。

曼德茲飛到洛杉磯，找老朋友約翰·錢伯斯(John Chambers)，錢伯斯是好萊塢退休的化妝師，曾經以《決戰猩球》Planet of the Apes獲得奧斯卡獎。他找來一個夥伴，專門搞特效的羅伯·西達爾(Robert Sidell)。三人商量了所有細節，在**1980年1月14日**，成立了「六製片工作室」Studio Six Productions，意涵要救出六個人。

在日落大道的辦公室開張，眞的「眞做假戲」。錢伯斯手上正好有一個電影劇本，是他朋友買下了科幻小說《光之王》Lord of Light的電影版權，他被邀請來擔任化妝師。籌拍期間，發現其中有人盜用公款，計畫因此停擺。但是劇本已經寫好，也有設計圖、分鏡表。故事是以印度傳說爲藍本，背景設在一個殖民星球。哈哈，剛好，德黑蘭有一處地下市集場景非常符合。曼德茲決定用希臘神話，傑生王子尋找金羊毛所搭的那艘船來做片名，就叫「亞果」Argo。

他們印製電影海報，在媒體登廣告，花錢買記者專訪，開派對宣傳電影。國內國外都以爲有部電影《亞果》在拍。

曼德茲在德國波昂伊朗領事館取得簽證，1 月 25 日進入伊朗。這時已經有許多道具分批送到加拿大大使館，六本量身訂作的加拿大護照、駕照、健保卡、名片、多倫多和蒙特婁餐廳的收據…… 曼德茲在假護照上蓋上簽證章，填上前一天的日期，代表六個人比他早一天到伊朗。在加拿大外交人員約翰．薛爾頓（John Sheardown）家，見到等待援救的六個人。他講解計畫，要大家牢記所有細節、電影情節、宣傳過程，教他們操作攝影機，讓他們扮成助理製作、導演、場景設計、編劇、企畫、攝影師，還有爲每個假名字編寫生活故事。一再演練，直到都能直覺反應而不出錯。

1 月 28 日，曼德茲帶隊，七個人往機場出發。伊朗的海關在入境時，會要求旅客填寫一張白單、一張黃單。白單留在海關，旅客持有黃單，等出境時核對。這裡是最大的難關，曼德茲能夠僞造六個人的黃單，但沒法把六張白單塞進海關。仔細檢驗，可能就穿幫。幸好當時不是電腦作業，所以填單多半是做個形式。但是他們過關時，突然海關人員拿走他們的護照，並且離開櫃檯。曼德茲以爲這下完蛋了，大家都傻了。結果海關人員只是到後面辦公室去倒茶，回來後立刻蓋上出境章，沒有核對黃白單，順利闖關！

等待。七個人在候機室等待，一分一秒都像一年漫長。偏偏登機時間一再延後，更讓人緊張得要命。曼德茲終於按捺不住，想去詢問狀況。沒想到他一起身，還沒走到櫃台，廣播發出：「瑞士航空 363 班機，現在開始登機！」

飛機起飛的那一刻，曼德茲鬆了一口氣。接著《亞果》的電影製片七人組，每個人都點了一杯血腥瑪麗，舉杯，輕聲互道：「我們可以回家了！」

幾個小時後，「六製片工作室」的秘密電話響起第一聲，電話的一頭傳來：「結束，任務成功。」然後掛斷，這支電話也是最後一次響。「六製片工作室」就此關門大吉。

1980 年 7 月巴勒維國王逝世，9 月伊朗和伊拉克爆發戰爭，11 月卡特總統敗選 …… 直到 1981 年 1 月 20 日，雷根總統就職後，伊朗才釋放、交還美國所有的人質，過程前後共經歷 444 天。曼德茲的英勇事蹟一直保密，直到 1997 年才公開。2012 年被拍成「真的」電影，片名就是 Argo，台灣翻成《亞果出任務》。

● 美國人民感謝加拿大在伊朗人質危機時提供的幫助。

1.15 越苦越要娛樂

日軍偷襲珍珠港後，美國參戰，正式捲入二次世界大戰。美國的職棒協會寫了一封信給羅斯福總統，問他大戰期間職棒要不要停賽？只要總統一聲令下，所有選手準備立刻放下球棒，拿起槍桿，保衛國家。

羅斯福總統在收到信後的隔天，也就是**1942年的1月15日**，立即回信給職棒協會，請他們不要停止棒球比賽，因爲這場大戰可能會打很久，不分軍民都會很痛苦，大家更需要娛樂，來減輕壓力和痛苦。棒球選手不需要去打仗來表示愛國，他們應該打更多精采的球賽，鼓舞國民士氣，讓大家開心，這才是最重要的。所以，羅斯福總統在信中寫：

如果能組三百支球隊，使用五千個球員，能讓全國人在戰爭期間，得到放鬆和快樂，這是太值得了。

我堅信，讓棒球繼續比賽，將使整個國家受益！

這是職棒重要的文獻，稱爲「綠燈信」The Green Light Letter，意思是放職棒暢行無阻，不用爲了戰爭而停止。後來有許多職棒選手，還是自願去從軍，但他們沒有被派去前線殺敵，而是被編入軍方的球隊，讓軍方的球賽更有看頭。

反觀日本，不只對棒球比賽亮起「紅燈」，戰爭期間禁止了所有的公開娛樂。戰爭第一，國家至上，日本軍方嚴格要求全民一心爲戰，爲天皇犧牲都來不及，怎麼可以想著玩呢？結果呢？

當然日本戰敗原因很多，但「不准玩」一定是致命的。就像橡皮筋拉太緊，不是斷掉，也會彈性疲乏。玩是一個很重要的動力，人類的文明進展，多半和玩有關。像人是先發明了「琴」，才轉而發明「弓」。

笑日本等於是笑自己，因爲我們的文化也是敵視「玩」。以前的就不說，現在歐洲的小學到高中，學生都是中午過後就放學，只上半天課。而我們的孩子都被關在學校裡，放學被關在補習班。而且把和「玩」沾上一點邊的課，如體育、美術、音樂，都挪來上英數理化。結果呢？別人玩的時間比我們多，學習效果比我們好。青少年問題也沒我們嚴重，我們的孩子一有事，就以爲用「軍事訓練」就可以解決。當年軍事化最徹底的大日本帝國，而今安在哉？不只差一點害日本人全被原子彈炸死，還害死了周圍國家無數無辜的生命。照理說，我們應該對日本式的軍事化，深惡痛絕才對。爲什麼要承其餘毒，在學校放「軍訓教官」呢？別跟我說什麼國情不同，棒球是只有美國人在玩嗎？

1.16 兒童解放兒童

1995年4月19日在巴基斯坦的一則新聞報導中，一個十二歲男孩回家途中被暗殺。被殺的孩子叫伊克巴（Iqbal Masih），四歲時被父母以六塊美金賣爲奴工，每天被迫工作十四個小時，犯錯就會被毒打。他十歲時運氣好，被國際人權組織發現，把他救了出來，並且能夠上學。從此小小的伊克巴成爲一個反奴役童工的拯救者，他陸續救了三千個像他一樣的兒童，所以遭到奴隸組織的暗殺。

遠在地球另一端的加拿大，一個同樣是十二歲的男孩魁格（Craig Kielburger）看到這則新聞時，正在吃早餐。他想他也是十二歲，怎麼可以不做點事呢？他的媽媽幫他找到一個在非洲的朋友，取得一些人權組織的資訊。接下來幾天，他打了幾百通電話到世界各地，想了解童工的問題。結果他發現，很多人權組織對童工問題都很陌生，而且回答問題的都是大人。魁格想：難道兒童不能站出來，爲兒童說話嗎？

他跟班導師借上課時間，跟同學講伊克巴的故事，還有童工的悲慘現況。他要成立「解放兒童」基金會，就是Free the Children，想用「以孩子來幫助孩子的方式」改變這個世界。班上有十一個小孩加入他的組織，校長還幫忙他寫信給其他學校，讓他去演講募款。他有一次向安大略省勞工聯盟大會二千個勞工代表演說，當場收到十五萬加幣的捐款。

他在五個月募了一堆錢，想要親自去南亞了解狀況。他的爸媽本來不同意他去，但他找到一個在南亞從事人權運動二十五歲的小伙子雷赫曼（Alam Rahman），願意帶他跑、照顧他，爸媽才同意。魁格一個人坐上飛機從加拿大出發。在飛機上，空姐看他小孩一個，還給他蠟筆和著色本。他到了孟加拉的達卡機場和雷赫曼會合。兩個人兩個月跑遍孟加拉、印度、巴基斯坦、尼泊爾、泰國，接觸了解各地的童工。

1996年1月10日，加拿大的總理來到印度新德里訪問。魁格想和總理見面，討論童工的問題。結果總理表示他行程很忙，沒空見他。加拿大的外交官還開玩笑的說：「加拿大不會是世界的童子軍。」

魁格不死心，隔天開了一個記者招待會，說明他想做的事，然後直接去找加拿大總理。一個小孩子想拯救世界，大人當然懶得理他，自然見不到總理。可是事情一經過媒體報導，加拿大官員對孩子傲慢不屑的態度，引起國內很大的反彈。總理迫於形勢，便在**1996年1月16日**安排在巴基斯坦和魁格會面。

這次會面受到國際媒體的關注，魁格藉此機會把他所調查各國童工被虐待、殘害的慘狀公諸於世。童工的問題本來就很嚴重，更何況是由一個十三歲的少年發動，引起熱烈的反應，他的解放兒童組織，這下站上了國際舞台。不要以爲小孩子是一時興起，小打小鬧，「解放兒童」現在是世界最大的兒童保護組織之一。他們解救了非洲、亞洲許多悲慘的童工，而且在四十五個國家建了四百五十間小學，每天有超過四萬五千名貧苦兒童可以免費上學。魁格的口號很簡單，很有力：

兒童幫助兒童。
改變世界，不用等我長大。

他訴求的對象是小孩，他要團結的是小孩，他不想和冷血虛偽的大人多廢話。現在魁格已經二十六歲，他走訪過五十多個國家，得過「曼德拉人權獎」、「世界兒童人權獎」、「羅斯福自由獎章」……，三度獲得諾貝爾和平獎提名，是馬拉拉之前，有史以來最年輕的被提名者。

不管是被暗殺的伊克巴，還是魁格，他們小小年紀能有大勇氣、大行動，實在叫人大感動。而魁格的父母、老師、校長也很讓人尊敬，他們沒有說：「孩子，我知道你有夢想，可是先唸完書再說吧，拯救世界不是你的工作啊！」而是給予孩子最大的支持，這才是心中還有「孩子」的大人啊！

●巴基斯坦男孩伊克巴，因反對奴役童工而遭暗殺。

●加拿大男孩魁格，成立「解放兒童組織」拯救童工。

1.17 失敗者的悲壯

在地球上有一個地方，你站在那裡，抬頭往任何地方看，四面八方全是北方。那個地方就是南極。

經歷十年的準備與等待，在超過攝氏零下 30 度的低溫中，徒步穿越 1400 公里的冰天雪地，75 天的奮力前進，在隊長羅伯・史考特（Robert Falcon Scott）的帶領下，英國探險隊終於在 **1912 年 1 月 17 日**到達南極的極點。

但是史考特的心比外面的冰雪還冷，因爲在南極點迎接他們的，是一面在風中挺立的挪威國旗。英國人慢了一步，一個月前的 12 月 14 日，由羅德・阿孟森（Roald Amundsen）領頭的挪威探險隊，已經成爲先一步踏上南極。

史考特的南極夢如同冰塊碎落在南極大陸。他用冰冷的手，僵硬的拆開阿孟森留給他的信：

親愛的史考特隊長：

如果我們在回程時遭遇不幸，請你把信轉呈給挪威國王。留在帳篷裡的食物，如果有用，請別猶豫，拿去用吧。祝你回程一路平安。

史考特在日記寫下：「南極。不錯，我們做到了……偉大的上帝啊！這眞是不幸的一天，對我們這些費盡千辛萬苦，卻沒有得到第一榮譽的人來說，尤其可怕！」五個失望、疲累的男人，站在世界上最寒冷、最空曠的地方。

史考特是英國皇家海軍的軍官，他在 1902 年第一次向南極攻點。他和兩個夥伴帶著十九隻狗，走了七個星期，前進了六百公里，走不下去，不得不回頭。一路上狗兒全犧牲了，一隻也沒活著回來。這個經驗讓史考特認爲狗不管用，而且犧牲狗對他來說，是既殘忍又違背皇家海軍榮譽的事。所以他在第二次攻點，便以中國滿州小馬爲主力，這是一個致命的錯誤。沒錯，一匹小馬可以馱五十公斤。可是他沒想到，小馬的馬蹄會陷在雪中，前進的速度會比狗慢很多。而且馬是靠皮膚排汗，一流汗在嚴寒的氣溫下，皮毛全結上一層冰，對馬的健康傷害很大。狗則是用舌頭排汗，毛皮不會結冰，就算在攝氏零下 40 度的風雪中，挖個雪洞，就能好好睡覺。

阿孟森剛好與史考特相反，他爲了學習如何在極地求生，曾在愛斯基摩人的部落生活兩年，學會很多寶貴技能。例如他知道怎樣穿著，能輕便又保暖。英國探險隊的服裝，一個人重達十公斤，阿孟森的比他們輕一倍。最重要的是，他從愛斯基摩人那裡學到，在冰雪中沒有比哈士奇狗更可靠的夥伴。

另外的關鍵是中途補給站的設立。從海岸到南極點，路途遙遠，一片荒茫，需要大量的食物，不可能一次帶齊。所以必須搶在冬季來臨前，有日照的六個星期內，建立中途補給站。然後回到海岸，等待明年夏季出發。阿孟森帶著狗，四天就跑了二百多公里，在南緯 80 度建立一個補給站。他不只在補給站插上一面大旗，還沿著東西兩方，每隔五百公尺各插一面旗，共插二十支，以防在風雪中找不到補給站。然後折回基地，再前進到南緯 81 度，建立第二個補給站。折回再出發，前進到南緯 82 度，建立第三個補給站。最後回到基地，等待七個月後的挑戰。

另一邊史考特的隊伍一出發，就出問題。因爲馬蹄會深陷雪地，所以速度很慢，他們花了二十四天才到達南緯 80 度，有幾匹馬生病走不動。隊員建議把馬殺了，留下馬肉。史考特拒絕：「這些馬是我們的夥伴，幫助我們完成使命，我絕對不會殺死自己的夥伴，吃牠們的肉！」所以史考特時間不夠，只能建立一個補給站，而且只插了一面旗子，就返回基地了。

第二年，阿孟森在 9 月 8 日出發，三天後氣溫驟降到攝氏零下 53 度，他太急躁，過早出發。他把食物留在中途補給站，立刻折返。接著等到 10 月 20 日再出發，五個人，四輛雪橇，四十八隻狗，在 12 月 14 日到達南緯 90 度，就是南極。插下挪威的國旗，成爲第一個征服南極的英雄。中間他只留下十八隻比較強壯的狗，其他全部射殺，利用牠們的肉餵飽人和狗。回程他們花了九十九天，回到海岸基地。

史考特比阿孟森晚了兩個星期才出發，一路上馬不只走得慢，而且都生病。史考特不得不射殺五匹馬，他叫一部分隊員帶著剩下的馬回基地。他帶領四個隊友，徒步拉著雪橇前進。終於在 1 月 17 日也到達南極。結果回程時，悲劇發生了。他們在風雪中找不到補給站。食物嚴重短缺，隊友歐斯特雙腳凍傷、發黑、失去知覺。3 月 17 日是他三十二歲生日，他掙扎站起來，說：「我到外面去一下，也許一會兒便回來。」然後一跛一爬的走出帳篷，消失在風雪中。他想犧牲自己，讓其他人有足夠的食物撐下去。

史考特和隊友其實離補給站只有十七公里，但被暴風雪困住，只能待在帳棚，動彈不得。他用最後的時間，寫了十二封莊嚴動人的信給親朋好友，還有一封「致英國人民」。

我們要表現給世人看，英國人能從容就義，奮鬥到最後。我並不後悔做這次探險，我們面對危險，但我們不怕。情況不利，我們也不應該抱怨，我們應服從上帝的意旨，盡全力去做，堅持到底。

1912年3月29日史考特在日記寫下最後一筆……南極嚴冬的黑幕慢慢垂落，大雪飄落，勇士在冰雪中隕滅！

史考特與阿孟森的「南極競賽」是探險史上最精采、最悲壯的英雄史詩。成功者的才能、毅力，讓我們佩服，爲他們仰頭讚嘆；失敗者的胸懷、氣魄，更讓我們激動，爲他們低頭流淚！

● 史考特領軍的探險隊抵達南極點時，發現被挪威探險隊搶先一步。

● 阿孟森領軍的探險隊在南極點插上挪威國旗。

1.18 本來可以沒問題

有權力下決定影響別人的命運時，要小心。權力如同地雷，權力越大，地雷越大。如果做錯決定，地雷爆開來，不一定會炸到自己，可是會炸到其他人。所以每做一個決定，好像埋下一個地雷，可能要很久才會爆炸。

中國自 1979 年開始，實行「一胎化」。這個政策的目的，是要抑制人口的成長，不要讓過多的人口阻礙、拖累經濟發展。三十年過去了，「一胎化」有沒有達到目標？有人說如果當時沒有實行一胎化，人口數早就失控，不可能有現在的經濟發展，中國還會停留在貧窮國家之列。可是一胎化的後遺症呢？明顯造成人口年齡的老化，男女比例失衡……當時眞的就沒有其他路可走？非吞下這個苦果不可嗎？

1979 年 12 月全國第二次人口科學討論會在四川成都召開，山西省委黨校的教師梁中堂，針對一胎化的政策，提出了另一種方案。他當時剛從農村基層調到研究機關，他清楚如果只讓農民家庭生產一個孩子，會給他們的生活造成很大的困難，因爲農村需要勞動力。而且如果實行一胎化，家庭結構就會形成 4：2：1，就是祖父母四個，父母二個，小孩一個的「倒金字塔」形態，未來會造成人口快速老化。

當時他也同意人口快速增長，會吃掉經濟的大半果實，阻礙財富的累積和經濟社會的進步，但他提出一個妥協的辦法，就是允許每對夫妻生「兩個」，但是結婚生子的年齡以第一胎二十四歲，第二胎三十歲左右爲宜，頭胎與二胎之間要間隔五到六年。當然有人講沒人聽，有人聽沒人在意。

梁中堂不死心，他在 1984 年上書給中共中央總書記胡耀邦，中央把他的方案發到「國家計生委」，結果被否決。

1985 年 1 月 18 日，梁中堂二度寫信給胡耀邦，建議可否讓他在北方找一兩個縣，來實驗他的「晚婚晚育、延長間隔的兩胎方案」。胡耀邦批准了，讓他在山西翼城縣，從 1985 年 7 月開始，實驗他的兩胎方案。不過，過程要保密。

結果不出梁中堂所料，而出乎官方所有預料。1982 年到 2000 年，中國兩次人口普查，全中國人口增長了 25.5%，山西省增長了 28.4%，管轄翼城的臨沂市增長 30.4%，而翼城縣呢？只增長了 20.7%。

人口性別比呢？在人口統計學上，通常每生育四十八個女孩，對應五十二個男孩。出生性別比例如果女生一百個，男生一百零三到一百零七個，都算正常。2000 年中國 0 歲嬰兒的性別比是全國 117.8，山西省 112.8，臨沂市 114.3，男生太多。而翼城縣爲 106.1，正常！

有人說翼城縣可能計畫生育管理嚴密，所以有這個結果。是嗎？翼城到現在還是個「縣」，而不是「縣改市」，意思就是它一直屬於農業人口和農村經濟。而且當時梁中堂會選擇翼城縣，就是看中它經濟水平夠低，是典型的農村經濟窮困區，具有普遍的代表性。這樣的農村縣，縣政府要確實施行他的方案，可能都漏洞不少，怎麼會因爲縣政府的管理能力，而做到全國其他地方政府都達不到的成績呢？

再來，翼城縣的農民普遍都生了兩個孩子，全國一胎化爲什麼出生率卻比翼城縣高呢？答案很簡單，中國俗話說：「上有政策，下有對策」。城市也許管得嚴密，一胎化能實行得比較徹底。但鄉村呢？廣大的農村就管不了這麼仔細，大門關閉，一定還有後門、旁門。所以一定有很高比例的農民生了不只一胎，有的還超過兩胎。

其實人，你不管他生多少，他自己會考慮怎樣才會得到最大的幸福。全世界同時間有一半以上的國家，生育率都在更替水平 2.1 到 2.2 以下，很多還低於 1.5。這並不是發達國家現象，開發中國家也差不多。這些國家都沒有限制人口的政策，出生率一樣降低，還降更多。反過來，你限制他只能生一個，以中國的文化，他要是頭胎生個男的，也就罷了。要是生個女孩，那千方百計會再想生個男的，而且非生到不可。所以不只不能控制人口數量，反而造成男女比例失衡的社會問題。

梁中堂 1 月 18 日那封信，中共中央一定有人看懂，一定有人被說服，否則不會批准他的實驗。但中共是計畫經濟體制，尤其「文革十年」更是把計畫經濟推到極端，從這點能向自由經濟移動幾步都不容易，要直接跳脫就太難了。所以只能從計畫經濟思考的框框來想問題，用計畫經濟的體制來制定政策。

而偏偏人類的真知灼見，往往在剛提出來的時候，一定是少數意見，不，是極、極、極少數。否則怎麼叫先知呢？

1.19 恐懼

尼采說：「世間的壞事，四分之三來自恐懼。」

恐懼有很大的動力，會使人做出原本不必做的事，和原本做不出來的事。

1972 年美國總統大選，當時的總統尼克森利用職權，動用國家機器人員，闖入華盛頓水門大廈的民主黨全國委員會辦公室，安裝竊聽器和偷拍文件，結果當場被捕，爆發「水門事件」。這是美國歷史上影響最深的政治醜聞，導致尼克森下台，他是美國第一個，也是唯一一個辭職的總統。

當時大家想不通，尼克森爲什麼要做這件事？因爲他的聲望、民調都遙遙領先對手，開票結果更是得到壓倒性的勝利。他根本不需要使這種小偷步，就可以輕易當選，到底他想要幹什麼？

時間終於讓眞相浮出，事情要從 1968 年說起。當時美國國內反越戰達到最高潮，詹森總統宣佈不再競選，放棄連任，這樣一來，他才能超越黨派選舉利益，專心解決越戰問題。果然在他的努力下，成功說服北越，同意在巴黎舉行和平會談。越戰終於露出和平解決的曙光。

代表共和黨的候選人尼克森恐懼巴黎和談一旦成功，選民會把功勞算給民主黨，支持民主黨的韓福瑞。於是他派出華府政壇的名女人陳香梅，飛到西貢和南越總統阮文邵秘密會面，說動他破壞和談。只要和談不成，讓尼克森能選上總統，保證不計代價幫助阮文紹打贏越戰。於是當美國總統特使到北越商議和談時，阮文紹在邊界開炮，和談破裂。

其實美國中央情報局完全掌握陳香梅的行動，並且做成「X 檔案」向詹森總統報告。當時選情雙方很接近，尼克森和韓福瑞是五五波，詹森如果公布 X 檔案或把它漏給媒體，尼克森就一刀斃命，民主黨就能保住總統寶座。但詹森顧全大局，他不希望美國民主被這種醜聞打擊，何況為了越戰美國已經分裂，身為總統，重新修補、團結都來不及，怎麼可以火上添油，加大對立仇恨，破壞民主在人民心中的信用。政治再奸險再黑暗，總要有人守住榮譽。於是他放下黨派利益，把 X 檔案鎖在白宮的秘密檔案室。

一個月後，尼克森以些微的票數險勝，當選美國總統。

詹森總統透過季辛吉，告訴尼克森，他掌握一份機密文件，要求和尼克森親自會談。

1969 年 1 月 19 日，新總統就職前一天，尼克森和詹森總統在白宮會面。大家本以為這是禮貌性會面，沒想到會面後詹森和尼克森一起召開記者會，舉世震驚，尼克森居然改變原本的政見，轉而支持詹森，承諾「美國將逐步自越南撤軍，重開巴黎和談」。

那是一月的灰濛天，空氣凜冽，會後尼克森問詹森感受如何？詹森回答：「這是我一生，最自在的時刻。」當時大家以為他說的是卸下重擔，沒有人知道他真正意所何指！

詹森卸任後，把 X 檔案封鎖在民主黨的智庫「布魯金斯研究中心」，規定在他死後二十五年才可解密。

X 檔案成了尼克森最大的恐懼。他怕詹森不夠君子，告訴別人。他怕民主黨有人知道這份檔案，在大選時拿來當致命武器……恐懼使他下令去非法竊聽、偷拍、搜索，他要找的是那份 X 檔案。

尼克森最終因水門事件下台，美國人是不能原諒他說謊、破壞司法，並不知道他是爲了掩蓋更大的罪行！

水門事件的眞實起因，在詹森總統去世二十五年後，X檔案解密才眞相大白。人們才知道詹森有多君子，尼克森有多恐懼！

● 前總統詹森參加新任總統尼克森的就職典禮。

● 詹森總統邀總統當選人尼克森到白宮會面商討越戰。

1.20 監獄犬

湯尼．歐瑞吉（Tony Orange）是美國一個吸毒者，犯下了一連串的搶劫案，他三十九歲那年被判重刑三十三年。當他踏入監獄的那一刻，心裡懊悔無比，想著：「我到底怎麼搞的？把自己害到這個地步！」

好在天無絕人之路，湯尼參加了監獄犬夥伴計畫（Pen Pals Program），這個計畫源自於華盛頓州的監獄寵物夥伴計畫（Prison Pet Partnership Program），是在監獄中徵求刑期長的受刑人爲志願者，將他們訓練成「訓狗師」。然後由他們來訓練狗，成爲導盲犬、導聽犬、看護犬，幫助身體殘障的人。因爲受刑人可以二十四小時跟狗在一起，所以狗進步得非常快。

更棒的是，獄中龍蛇雜處，受刑人在獄中身心緊張，壓力很大，有了狗來作伴，就像有了眞正忠心的好朋友，狗並不會對受刑人心存歧視，想「這傢伙殺過人、搶過錢，還是離他遠一點好」，狗會眞心的愛他們，所以受刑人的情緒得到很大的紓解。

而且他們訓練出來的狗，都是照顧殘障、扶助弱勢的工作犬。他們也因此體會正面的付出，會得到眞正的快樂。

訓練狗要學會耐心，幫助別人學會愛心，有了耐心和愛心，受刑人才會眞正改過。而且他們有了這種特殊的技能，將來出獄重新進入社會才有能力自新。監獄犬夥伴計畫非常成功，參與計畫的受刑人在出獄後百分之百找到工作，再犯率爲零。

還有一點，這個計畫的狗，很多都是流浪犬，因此狗不但能好好的活下去，還能幫助人。這比人道毀滅安樂死要強太多。

湯尼在獄中經過兩年的努力學習，成爲傑出的訓練師。特別難搞的狗到他手裡，他都有辦法搞定，他還被封爲「奇蹟製造者」。有一次，他接到一隻哈士奇叫泰莎（Tasha），泰莎的問題是喜歡「逃跑」，主人是個老太太，管不動牠。

湯尼第一次帶泰莎散步時，果然一放開狗鍊，泰莎就跑得遠遠的，叫牠也不理。湯尼說：「這時候不能追牠，要一邊叫牠回來，一邊慢慢接近牠，然後找到機會抓住狗鍊。如果去追狗，狗會跑更遠，你根本追不上，反而讓狗看扁你，這樣就沒法訓練了。」

這樣耗了十分鐘，泰莎還是我行我素，不回來。湯尼說：「狗也渴望自由，我不能怪牠。」結果，二十分鐘後，奇蹟出現，泰莎竟然乖乖跑回來。從此訓練就進行得更順利。

2004 年 1 月 20 日，湯尼獲得假釋，離開監獄。此時他已經五十五歲，他出獄後開了一個狗狗的訓練中心，經營得有聲有色。湯尼說得好：

> 對我來說，與狗狗溝通是簡單的部分。大部分狗的問題來自於他們的主人，你必須要和狗狗一起改變行爲。

監獄犬夥伴計畫是由寶琳修女（Pauline Quinn）在 1981 年創辦的。寶琳修女的人生極富傳奇。她從小家庭破碎，受到身心暴力虐待，因此離家出走，流落洛杉磯街頭，更慘的是她被警察強暴性侵。一連串的創傷打擊，讓她變得畏縮，連跟人說話，都要躲在人背後或隔著窗簾才說得出話。

後來她得到教會的幫忙，接下一份訓練狗的工作，她在學習訓練狗的過程中，心靈也慢慢得到治療。之後她加入教會，成爲修女，便想把她自己的經驗，推廣來幫助更多人，因此創辦了監獄犬夥伴計畫，造就了無數奇蹟。救了狗，更救了人！

1.21 信心走路

「信心」Faith 是一隻狗，一隻世界有名的狗。牠有名不是因爲演過電影，不是比賽冠軍。而是牠證明只要有「信心」就能克服困難。牠用旺盛的生命力，鼓舞、感動、改變了千千萬萬的人。

2003 年 1 月 21 日，十七歲的美國少年魯本．史特林菲羅（Reuben Stringfellow）在朋友家救下一隻差點沒命的小狗，這隻小狗天生畸形，生出來只有三隻腳，而且其中一隻前腳還嚴重萎縮，等於牠只有兩隻後腳。狗媽媽出於本能，想用身體把小狗壓死，因爲牠知道在自然界，這樣的孩子是不可能存活的。但是天性樂觀的魯本不忍心，他硬從狗媽媽的身體下把小狗拖出來，帶回家，準備收養牠。

魯本的媽媽茱蒂看見兒子回來，一臉賊笑，心想這傢伙一定在搞什麼鬼？然後她發現兒子的橄欖球衣是塞在褲頭裡，肚子有一團東西在蠕動。她直覺的說：「不行，魯本！你不准帶狗狗回家！」

魯本一邊滔滔不絕的說，如果他不出手救小狗，小狗就會如何被狗媽媽活活壓死⋯⋯一邊把小狗從球衣底下抱出來。茱蒂看見只有巴掌大蜷縮的狗兒，像個墜落的天使，只剩一絲氣息，好像活不過下一秒鐘。茱蒂從兒子手中接過狗狗，眼淚流下來。她不知道這隻小狗以後怎麼走路？怎麼吃？怎麼存活？

他們本來想給狗狗取名「奇蹟」，因爲牠活下來眞的需要奇蹟，後來決定取名「信心」。信心在茱蒂、魯本母子合力照顧下，居然度過難關，慢慢長大，而且牠能用兩隻腳，一跳一跳的走路，行動並無障礙。牠能追逐鄰居的鴨子、公園裡的松鼠、田野間的野兔。牠克服殘疾，開心的站起來，比普通的狗還要高。牠的故事激發了信心。

2003 年 6 月 23 日，才五個月大的信心上了電視新聞，居然引起一連串的迴響。信心自此上遍各大媒體，當信心出現在歐普拉的節目，牠一出場亮相，從容的走上舞台，繞了一圈，停在舞台中央。世界最有影響力的主持人歐普拉看得淚水直流，她用手摀著嘴，不停的說：

「我從來沒見過、我從來沒見過、我從來沒見過！」

信心成了一隻名狗，牠越有名，越能帶給人們信心，幫助許多人度過生命的難關。紐約有個寡婦卡若琳因糖尿病而雙腿截肢，她怕日後會拖累子女，決定買槍準備自殺。卡若琳在當鋪買了一把舊槍，但紐約買槍不能現買現拿，等了一星期，當鋪通知她去取槍。正當她去取槍那天，正好碰到茱蒂和信心在紐約時報廣場逛街。卡若琳在電視上看過信心，她使勁的推著輪椅過馬路，差點被車子撞到。還好警察立刻幫忙，推她到信心身邊。她抱了抱信心，淚流滿面的告訴茱蒂她的故事。信心乖乖的趴在卡若琳的大腿上，靜靜聽她說話。路人紛紛拿起相機拍她們。卡若琳相信她會遇到信心，就是上帝給她的啓示，她當下決定放下當鋪那把槍不要了，她有信心能堅強、勇敢的活下去。

信心用牠的生命，拯救、改變許多人的人生。美國陸軍因此頒給信心「榮譽士官」的軍銜。是的，這就是「信心」，一隻用兩條腿帶給人們信心的狗，牠使人們快樂，牠真的很棒，牠是上帝送來的禮物！

● 一隻用兩條腿帶給人們信心的狗——「信心」。

1.22 犯罪率為何下降？

吃藥，可以治癒，但不能讓你健康。身體好壞還是得看生活習慣。習慣是長期養成的，也會造成長期的影響。

美國在 20 世紀 90 年代，城市犯罪率大幅下降。很多觀點歸功於經濟景氣、槍枝管制、警政革新。其實這些都是「藥」，它確實有效果，但不是社會變化的主因。那是什麼？眞正的關鍵來自於 **1973 年 1 月 22 日**最高法院的一項判決。

諾瑪．麥卡威（Norma McCorvey）住在德州達拉斯，她是一個流動遊樂園的售票員。不幸的是她被開除了，更糟的是她發現她又懷孕了。年紀輕輕的諾瑪已經三度懷孕，前兩次生下的孩子，她都無力撫養，送給人領養。這次情況差不多，但她不想再生，想墮胎。問題是當時在美國大部分地區墮胎是非法的，在德州也不例外，除非孕婦的生命有危險，或是因強暴受孕，才准墮胎。所以諾瑪就向警方說自己被強暴。但這招行不通，因為前面沒有報案紀錄，也沒有醫院的驗傷證據。

諾瑪正好認識兩個年輕的女權主義者，她們支持諾瑪提起訴訟，指控德州的墮胎法侵犯她的「隱私權」，這下諾瑪成了爭取墮胎合法化的代表。她在此案中化名珍．羅伊（Jane Roe），而代表政府的是檢察官亨利韋德（Henry Wade），所以稱為「羅伊對韋德」案。案子一直打到聯邦最高法院，1973 年 1 月 22 日，法院以七比二判決諾瑪勝訴，等於宣告美國婦女從此可以合法墮胎。

墮胎合法化和犯罪率下降有什麼關聯呢？雖然法律是說

人生而平等，但社會的眞實是人並非生而平等。貧困社區的孩子，成爲罪犯的機率遠遠超過一般家庭的孩子。同樣的，許多要墮胎的年輕女生，都是來自貧窮家庭，她們不是自願懷孕，常常是不懂才未婚懷孕，或者被強暴懷孕。沒錯，她們會去找地下的非法墮胎。但當墮胎是非法的，費用自然很高，她們多半付不起墮胎費，最後勉強生下孩子，根本沒有能力好好養育，也缺乏家庭的支持。如此環境下的孩子，長大不成爲罪犯才是奇蹟。惡性循環，犯罪率當然降不下來。

而墮胎一旦合法，許多不被祝福的孩子就不會出生。這樣經過二十年，到了犯罪年齡時，自然少了一大批最有可能成爲罪犯的人。等於土裡沒有種子，不可能有樹會長出來。沒有那個因，就結不了那個果。1973 年你可以算二十年，正好是 90 年代。事情要從長遠的眼光來看，才會發現眞實的原因。

所以說：羅馬不是一天造成，當然也不是一天就崩塌。

1.23 在黑暗中舉起火炬

大家都知道《辛德勒名單》，其實中國也有個辛德勒。他叫何鳳山，當納粹德國開始迫害猶太人時，他是中華民國派駐在奧地利維也納的領事。當時居住在歐洲的猶太人，奧地利排第三，90% 集中在維也納。1938 年維也納發生「碎玻璃之夜」，11 月 9 日晚上，納粹突擊猶太人開的商店，把櫥窗玻璃全都打碎，7500 間商店被搶劫一空，200 多座猶太人教堂被毀，三萬名猶太人被抓進集中營。這一幕幕慘劇，何鳳山親眼目睹，他心裡知道這是猶太人大浩劫的序幕。但是同年的 7 月 6 日在法國艾維恩（Evian）召開的國際難民會議上，與會的美國、加拿大、愛爾蘭、澳大利亞等三十二國，全部拒絕接受猶太移民。所以在維也納的猶太人都拿不到外國簽證，想逃也逃不出去。

就在這一片黑暗裡，居然露出一條縫，透出一線天光。這一天，猶太青年艾瑞克帶著全家大小的二十張申請書，跑遍維也納的外國領事館，卻通通被拒絕。他抱著最後一絲希望，來到中華民國領事館。他想都沒想到，何鳳山沒有問任何問題，直接發給他前往上海的簽證。艾瑞克緊緊握住何鳳山的手，久久說不出話來。

中華民國領事館會發簽證的消息，一夜之間傳遍維也納。天還沒亮，領事館外面就出現了排隊的人，等著申請簽證。白雪越積越厚，氣溫越來越低，排隊的人越來越多。在馬路的對面，納粹黨員面無表情的監視著，記下各種情報。何鳳山往窗外望，排隊的隊伍盡頭消失在大雪中。大雪中的中華民國領事館每天大排長龍。中華民國的簽證像是黑夜裡的火炬，成爲想逃走的人唯一希望。

有一次，領事館的車子開在大街上，一個猶太人突然追著車子，將一疊申請書塞進車窗，然後消失在人群裡。第二天，這個猶太人接到何鳳山的電話，請他趕快來領簽證。

不管透過什麼管道來申請，何鳳山都盡速處理，他和所有館員每天都工作到深夜，當天的簽證申請沒有處理完，絕不休息。

等到半夜才領到簽證的猶太人，不敢獨自回家，因爲常常有人無故失蹤。所以何鳳山不只發簽證，還時常護送前來申請簽證的猶太人回家，因爲他是中華民國總領事，蓋世太保不能找他麻煩。就算有人恐嚇他，他也不害怕。

何鳳山將猶太人一一送到家門口，祝福他們踏上平安的旅途，不必再擔心生命安全的問題。

何鳳山很快成爲納粹的眼中釘，他們向柏林大使館施壓，駐德國大使陳介從柏林打電話給何鳳山，要他不要再發簽證給猶太人，否則就記過處分。但何鳳山知道一張簽證，代表一條生命。他不管大使館的警告，繼續爲猶太人發放救命簽證。

何鳳山不只晚上護送猶太人回家，還會親自送他們到火車站。一天早晨，何鳳山陪著一家猶太人來到火車站，準備前往上海。一家人已經上了火車，沒想到，幾個蓋世太保快步衝上火車，把那一家人全拖下來，要強行帶走。

站在月台上的何鳳山攔住了蓋世太保，質問他們：「你們憑什麼抓人？」

蓋世太保說：「他們的簽證都是假的！」

何鳳山說：「他們的簽證都是我發的。我是中華民國的總領事。」

迫於國際慣例，蓋世太保不能抓人。何鳳山重新送那一家人登上火車，火車開走，留下蓋世太保在月台相互瞪眼。

許多家庭就像這樣，透過何鳳山的保護，搭上輪船，前往世界的另一邊，中國的上海。何鳳山明白他發的每一張簽證就代表一個人的活命機會，這是「生命的簽證」，所以他完全不理會上司的命令，繼續不停的發簽證。

接著，德國政府使出一招殺手鐧，他們宣稱中國領事館是猶太人的房產，依法沒收！何鳳山向中華民國政府要求另外找房子當辦公室，結果政府給他的答覆是：國家正與日本交戰，沒錢！這下你連地方都沒有，看你怎麼發簽證？結果何鳳山自己出錢，租了一個小房間，掛起中華民國領事館的招牌，繼續發簽證。他還因此被外交部記了一次過呢！

一面中華民國國旗飄揚在維也納的小巷裡，它是想逃離的人的希望，也是勇敢與正義的象徵。

1941 年，日本偷襲珍珠港，向美國宣戰，與德國結盟。對日抗戰的中華民國宣佈，斷絕和德國的外交關係，所有外交人員必須立刻離開德國領土。何鳳山收到通知，他必須跟時間賽跑，在離開前，用最快速度發下每一張救命簽證。就這樣，他不停蓋章，發出簽證，直到他離開前的最後一刻。

想想何鳳山一個人，在別國的領土，人家把你當眼中釘，自己的政府還幫著扯後腿。但他爲了公義，獨抗惡權，憑著道德良心，做其他國家外交官不敢做的事，在小小房間發出一張又一張的救命簽證，那種頂天立地的氣勢……這才是我們最偉大的外交官，最傑出的公務員！眞該拍個電影把這個動人的故事傳下來。

以色列政府在 **2001 年 1 月 23 日**，於耶路撒冷赫佐爾山的「猶太大屠殺紀念館」舉行莊嚴的儀式，授予何鳳山「國際義人」Righteous Among the Nations 的稱號，表揚他拯救無數生命的英勇行為。

何鳳山總共發出了七千張簽證，被稱為「中國的辛德勒」。他並不覺得自己偉大，反而認為有同情心的人都會這麼做。猶太詩人漢娜．史奈許的詩正可以形容何鳳山：

有的人雖已不在人間，
他的熒熒光輝仍然照亮世界。
他是黑夜中的燦爛星光，
為人類照亮前程。

在最黑暗的時代，何鳳山的勇氣帶給人們希望、期望，就像一顆燦爛明星，在人權歷史上發出永恆的光芒。

● 外交官何鳳山，曾抗命拯救猶太人性命。

1.24 千里良馬誰識得？

很多花，奇豔絕美，卻在深山沒人欣賞；很多花，芬芳沁人，卻只在沙漠留香。要成爲明星，不只需要天賦才藝，還需要別人的欣賞，更需要別人的認知。就是說，如果你是千里馬，你需要伯樂！

最偉大的樂團「披頭四」，是在哪一天開始成功的呢？第一次進錄音室灌唱片嗎？不，唱片公司覺得他們的音樂很普通，不可能成功。那是第一次登台表演嗎？不，老闆認爲他們應該回去開卡車，唱歌不可能成功。

披頭四是在**1962年1月24日**開始走向成功。爲什麼是這一天？到底這一天發生了什麼事？這一天布萊恩·愛普斯坦（Brian Samuel Epstein）毛遂自薦擔任他們的經紀人。他叫他們不要穿牛仔褲，改穿規矩的西裝，打上領帶。愛普斯坦帶著四匹千里馬，跑遍英國各大唱片公司，被一一拒絕，吃盡閉門羹。

終於在6月4日開啓第一扇門，愛普斯坦說服名製作人喬治·馬丁（George Martin）與披頭四簽下第一張合約。隔年3月22日，發行首張專輯 Please Please Me，立刻衝上排行榜冠軍，連續稱霸三十週，音樂傳奇就此展開。這是第一次歌手演唱自己作品的成功先例，在全世界掀起創作歌手的風潮。

愛普斯坦不只照顧披頭四的事業，讓他們能夠專心創作、表演，也在私生活上給予他們種種支持。團員之間的緊張、摩擦，都是由他來化解。保羅麥卡尼曾說：「如果有人能成為披頭四的第五號成員，那人就是布萊恩·愛普斯坦！」

不幸的是，1967 年 8 月 27 日，愛普斯坦因藥物服用過量死在倫敦家中，死時才三十二歲。如果他不是英年早逝，約翰藍儂和保羅麥卡尼也許不會散夥，那麼披頭四一定可以創作出更多傳奇的作品。

他的出現，開啓了披頭四的成功之路。他的消失，預告了披頭四拆夥的命運！

●披頭四樂團的經紀人布萊恩·愛普斯坦

1.25 解放石頭中的生命

文藝復興時代最偉大的雕像，毫無疑問，當屬米開朗基羅的「大衛像」。

大衛像在米開朗基羅動工前，原本是一塊廢棄的石頭。這塊高四公尺多、重五公噸的大理石，因爲有個雕刻師不慎失手，把大理石中間鑿壞一個大洞，破壞了石頭的完整度，理論上已經不能用。

當時的首長索德利尼想把石塊送給達文西，後來又想給另一個雕刻家康杜西。這件事情被米開朗基羅知道，他想挑戰這個不可能的任務。索德利尼被他說服，便把石塊交給他創作。

1501 年，二十六歲的米開朗基羅開始動工，他先在石塊的四周，架起高高的板牆，不讓別人看見、打攪他的創作。然後他一個人動手，日夜只聽見敲打石頭的聲音，沒有人知道作品會長什麼樣？

經過三年的心血，**1504 年 1 月 25 日**，板牆打開，一尊前所未見的偉大作品，聳立在人們眼前。一般雕的大衛像，都是雕大衛手提哥利亞巨人的頭，而米開朗基羅雕的是一個全身裸體，手拿投石器，眉頭緊鎖，雙眼專注直視前方的少年。動與靜的交錯，力與美的平衡，如同有強大的力量將在瞬間爆發！

當索德利尼看到「大衛像」時，非常高興，但他官大學問大，就想充一下內行，故意說大衛的鼻子好像厚了一點！

米開朗基羅當然知道索德利尼是白癡，他只懂做官，哪懂什麼藝術？但他當然不能讓這又笨又勤快的傢伙來影響作品，於是他偷偷抓了一把大理石屑在手上，然後爬上鷹架，在大衛的鼻子上，假裝敲打鑿刀，並把石屑從手中撒落，然後向下問索德利尼說：「長官，現在看看如何？」

「好多了！好多了！米開朗基羅，你這幾下真的把它點活了！」

其實米開朗基羅一刀也沒眞動，但事情圓滿解決。

天才也要有點手段！

當別人問米開朗基羅是怎麼雕出大衛的？他說他沒有雕，他只是把不必要的部分去除，「將禁錮在石頭中的生命解放出來」！

●米開朗基羅的傑作「大衛像」。

1.26 活人才付錢

澳洲在 18 世紀被英國佔爲殖民地。當時英國的囚犯過多，眼看要把監獄擠破。英國政府想出一招，把犯人移送到澳洲，一來可以解決英國本土的問題，二來可以充實澳洲的殖民地。**1788 年 1 月 26 日**第一支載運人犯的英國船隊抵達澳洲，11 艘船共運載了 1500 人，其中有 568 名男犯人、191 名女犯人，和其他的一般移民。

運載犯人到澳洲的工作是由英國政府出錢，請私人船隊運送。因爲要移送的人犯數目很多，是很有利潤的生意。但是三年下來，英國政府發現他們賠大了。因爲運往澳洲的人犯，在船上的平均死亡率 12%，有一艘船運 424 個犯人，到澳洲卻死了 158 人，死亡率高達 37%。

爲什麼會這樣呢？因爲運人犯的私人船主爲了賺錢，都用最破舊的老船，船上糧食、飲水常常不足，衛生條件也很差，更沒有醫療藥品，自然會導致大量的死亡。反正這些是人犯，死了也沒人在意。但是英國政府在意，還不只是人命枉死的問題，他們花了錢，人卻都死在半途，充實澳洲殖民地人口的目的就達不到了。死亡人數直線上升，情況越來越壞。所以英國政府頒布運送人犯的詳細法規，把每個人犯在船上的生活標準訂得清清楚楚，還安排政府官員上船，監督全程。每艘船也配備醫生隨行，好照顧病患。

結果呢？人犯的死亡率完全沒下降。有些官員和醫生也莫名奇妙死在船上。因爲船主爲了利益，一定會賄賂官員、收買醫生，逼他們同流合汙。如果碰到不識相的，錢收買不了，就乾脆把他們幹掉，丟海裡餵魚。要知道，會做運送犯人生意的，當然也是窮凶惡極的狠角色，茫茫大海，他們就是老大，就是上帝，想叫誰死，誰能不死？英國政府還把船主集合起來，給他們上課，實行感化教育，想喚起他們的良知，重視人命。有用嗎？當然沒有。這比教狼不吃肉，改吃素，還難吧！

就在大家束手無策時，議員想出一個釜底抽薪的方法。問題是在「錢」，在「錢的付法」。原來政府是人犯上船就付給船主錢，現在改了。改在澳洲付錢，也就是，不管你在英國載了多少犯人，政府在澳洲算人頭，按照在澳洲上岸的活人人數來給錢。人要是中途死了，一毛錢也拿不到。

這下全部改觀，政府不用派人監督，也不用派醫生。反而是船主自己會請醫生，給人犯良好的照顧，深怕一旦有人死了，就白運了。結果載運人犯到澳洲的死亡率明顯下降，維持在 1% ～ 1.5%之間。

有句古話說：「道高一尺，魔高一丈」，問題不在誰魔、誰道？誰壞、誰好？問題在腦子的高低，有了良好的制度，人自然會以良好的行爲來對應。

1.27 明明早知道

「放棄的人永遠不會勝利，勝利的人永遠不會放棄。」這句格言乍聽之下很有道理，可是你想深一點，就會發現其中有很大的問題。

如果你走的是行不通的路，而你堅持到底不放棄，那只是資源用盡，浪費力氣。好像你在沒有魚的地方，再怎麼拼命撈，魚也不會從天上掉下來。

1986 年 1 月 27 日晚上，美國太空總署 NASA 爲第二天要發射太空梭「挑戰者號」，開了一個冗長的會議。會議中，火箭推進器的承包商莫頓賽奧科公司（Morton-Thiokol）的工程師代表艾倫．麥當諾（Allan McDonald）主張要延期發射。因爲當時佛羅里達的甘迺迪發射中心，氣溫異常的低，甚至不到攝氏零下 8 度。熱脹冷縮，這麼低的溫度會造成 O 形橡膠環裂開。O 形橡膠環的作用是阻止熱氣洩出太空梭推進器，如果 O 形環被破壞，就會引起爆炸。

雖然早上的氣溫會回升，但推進器從來沒有在低於 11.5 度的氣溫下測試。而氣象預報說，第二天早上的氣溫是攝氏零下 0.5 度，所以麥當諾堅持發射要延期。

但是太空總署不想延期。因爲這次的任務不同於往常，七名機組員中，有一個是三十七歲的中學女老師雪倫．麥考莉（Sharon Christa McAuliffe），她是從一萬多名申請者中選拔出來的，是第一個普通公民的太空人。媒體早就圍著她團團轉，所以這次任務備受矚目。偏偏好事多磨，發射原先預定在 1 月 22 日，後來延到 23 日，又延到 24 日，再延到 25 日，又再延到 27 日，最後延到 28 日。一延再延，媒體早已顯得很不耐煩，開始質問太空總署的能力。當然還有上面的政治壓力，因爲說穿了，這是一次「公關」任務。所以如果現在又再延期，引來噓聲不說，搞不好有人將來前途堪慮。

但是科學技術上有安全疑慮，怎麼辦？太空總署用「科學」來對付科學。反常的要求莫頓賽奧科公司提出一份「絕對會失敗的量化證據」。他們當然只能說有多少百分比會出問題，當然沒辦法說百分之百絕對會出問題。既然拿不出，那就按照原計畫發射。而且要麥當諾簽署贊成發射的決議，就是你勸他不聽，還要拉你來墊背，分擔責任。

麥當諾拒絕簽字，結果呢？他的老闆出來代簽。

第二天早上，發射時間延後了一個小時，因爲要讓太空總署的「冰雪小組」來除冰。當冰雪小組完成最後一項檢查後，挑戰者號在上午 11 點 38 分發射升空。

升空七十三秒後，挑戰者號在半空爆炸解體，機組員全數喪命。歡呼頓時變成驚愕，雷根總統發表電視談話，說這是一場民族災難！

之後，雷根總統任命了一個特別調查委員會，還找了諾貝爾物理獎得主理查費曼（Richard Phillips Feynman）來參與。理查費曼在聽證會上，把一個 O 形橡膠環放入冰水中，O 形環立刻裂開。是的，出事的主因就是寒冷的天氣造成 O 形環失去功能。

而這個原因，在發射前就知道了。明明早知道，爲什麼還硬要幹呢？

我們習慣的學習就是要「前進、前進、再前進！」

後退不只是代表失敗，還是懦夫的行爲。所以絕對不能

「放棄」，只要不放棄，就算失敗也很悲壯。所以我們沒有學習什麼該放棄？什麼時候該放棄？

放棄的人眞的就是失敗者嗎？來看看以「永不放棄」聞名的邱吉爾，他一生不斷換政黨，有時候是他放棄人家，有時候是被人家放棄。他後來成爲英國最偉大的領袖，與其說他是不放棄對德國奮戰，不如說他是第一個放棄與希特勒和平的人，戰爭爆發前他是唯一一個。

放棄，有時候不是退卻，而是換個方向前進。如果卡夫卡、凡爾納不放棄做律師，他們能創作偉大的小說嗎？如果賈伯斯、比爾蓋茲不放棄大學學位，他們能締造傳奇嗎？

只要我們不放棄自己，任何東西都可以放棄！

尤其是痛苦的戀愛和婚姻。死不放棄的人，有時候是放棄了未來！

所以即使「箭在弦上」，不該發射時，千萬不要發射。

1.28 可以撕的郵票

創意，可以從別人身上來。你不用站在巨人的肩膀上，只要站在任何人的肩膀上，都會比你自己看得更遠！

發明郵票的是個英國人，他叫羅蘭．希爾（Rowland Hill），是一名教師。有一天他看見一個郵差把信交給一個女生，女生接過信看了看，把信還給郵差。郵差走後，希爾問女生爲何不收信？難道是郵差送錯？女生跟他說，信沒送錯，是郵費太貴，她付不起。這封信是她未婚夫寄來報平安的，她看到信封上未婚夫做的暗號，知道一切都好，所以就不收信。目的已達到，就不要多花錢了。

當時是十九世紀中，寄信是由收信的人付郵費，郵費很貴，所以常常有人不付，害郵差白跑。希爾感覺不對，應該倒過來。於是他向政府建議，第一要大大降低郵資，讓人人負擔得起。第二要改由寄信者付費，郵局才不會白幹。那要怎麼付錢呢？於是他發明了「郵票」，人們付錢買郵票，把郵票貼在信封上。1840 年 5 月 6 日，第一枚郵票開始啓用，希爾因此當上了郵政大臣。

1848 年冬季的大雪天，倫敦一個記者急著把他寫的稿件寄出去，他在飯店裡取出郵票要貼上信封時，糟糕，他手上沒有剪刀。早期的郵票是印在一大張紙上，要用時拿剪刀一張張剪下來貼，要貼多少剪多少。一時找不到工具怎麼辦？他靈機一動，取下別在西裝領子上的別針，用針頭在郵票的四周，刺上一連串的小洞，然後輕輕一撕，一張郵票就「撕」下來了。

所以現在郵票會有「齒孔」，是這位記者發明的囉？旁邊有一個來自愛爾蘭的小夥子亨利．阿察爾（Henry Archer），把這神奇一幕看在眼裡、記在腦裡。阿察爾是在鐵路公司工作，他立刻聯想到車票也有類似的「齒孔」，好方便撕票根。如果郵票也能打上齒孔，那不是方便又好用嗎？

於是他研究製作了郵票的打孔機，並向英國郵政局建議，郵局接受了他的想法，並購買他的機器。

1854 年 1 月 28 日，周邊有齒孔的郵票正式發行。就是我們今天郵票的樣子。

是吧！所以說「三人行，必有吾師。」我們要眼觀四方，耳聽八方，很多人是來給你開門帶路的天使啊！

● 世界第一枚郵票「黑便士」

● 世界第一枚有齒孔的郵票「紅便士」

1.29 寂靜的春天

如果春天聽不見蟲鳴，聽不見鳥叫，一片寂靜，那發生了什麼事？人還能好好活下去嗎？

一本小說揭發了人類對環境的破壞，和對大自然的無知。掀起美國環保的革命，同時拯救了世界。那就是瑞秋．卡森（Rachel Carson）寫的《寂靜的春天》Silent Spring。

瑞秋．卡森從小與大自然爲伴，她的童年佈景是：

綠草、大樹、野鴨；

木橋、溪水、晚霞；

蝶飛、蜂鳴、山花；

盡情玩耍，大自然，是我家。

她十一歲就發表了短篇小說，立志要成爲一個作家。興趣與志向結合，她成爲海洋生物學家，在 1941 年出版第一本書《海風下》Under the Sea-Wind，立刻登上《紐約時報》暢銷書排行榜。她寫的書有精確的科學觀察，又有豐富動人的文采，創造一種理性與感性相融合的自然文學。專業好評如潮，也受廣大讀者喜愛。1951 年出版的《圍繞我們的海洋》The Sea Around Us 連續登上《紐約時報》排行榜八十六週，並獲得美國出版最高榮譽的「國家圖書獎」，被翻譯成三十種文字。這下讓她登上文學的巔峰。這時她才四十四歲，而更高的絕頂正在等著她！

1958 年 1 月，瑞秋卡森接到朋友奧佳．哈金斯（Olga Owens Huckins）從麻州寫來的一封信，奧佳把她 **1 月 29 日** 刊登在報紙的文章寄來，內容是說她有塊兩英畝的地，她和先生不開發，用來做「私人的禽鳥保護區」。有一天，來了一架飛機，在空中噴灑 DDT，就是殺蟲劑。原來是州政府爲了殺蚊子，出動飛機。第二天，她的私人鳥類保護區，成了鳥類的大墳場，禽鳥死滿地。奧佳既痛心又震驚，她給《波士頓先驅報》寫了一封投書，並給好朋友瑞秋卡森寫信，希望已經是名滿天下的瑞秋，用她的人脈，看看能不能在華盛頓找有力人士來幫忙，制止這種亂噴 DDT 的事再發生！

DDT 是一種毒性很強的殺蟲劑，專門設計來殺蚊子，它也是有機的喔！二次大戰時，光美軍就有一百萬人得到瘧疾，治療瘧疾的特效藥「金雞納」來不及生產。因爲有了 DDT，蚊子被殺光光，等於阻斷瘧疾傳染的病媒，使得瘧疾得到控制，大大幫助美軍作戰。發明 DDT 的瑞士化學家保羅．米勒（Paul Müller）因此得到 1948 年諾貝爾醫學獎。

DDT 很好用，美國除了拿來清潔環境，也用來殺田裡的害蟲，好提高農作物的產量。當時美國人用的東西，就是最好的東西，就像喝可口可樂，全世界也跟著大量使用 DDT。

台灣以前還在國小，用 DDT 噴小學生的頭，用來殺頭蝨。一般家裡也都必備 DDT，隨時殺蚊蟲蟑螂！但是 DDT 能殺蚊子、害蟲，當然也能殺死益蟲。可怕的是，沒殺死的，DDT 會累積在昆蟲體內，等鳥類吃下昆蟲時，就又死在 DDT 手裡。還有那些吸了 DDT 沒死的蚊蟲，久了會產生抗體，遺傳下去，就變成不怕 DDT 的抗毒種。只有用更重的劑量，才能殺死，這樣惡性循環，對環境產生重大毒害。一時爽快，犧牲了長遠！

瑞秋卡森收到這封信，決定寫一本宣傳「小冊子」，來喚醒民眾和政府對 DDT 危害的重視。結果她看的資料越多，收集的證據越多，就越發現問題的可怕。

DDT 這個巨大的惡魔，不是一本小冊子可以搞定。她決定要寫一本書。但意外接連來扣門，先是她的母親過世，親密的好友也意外身亡，最慘的是她自己得了乳癌，要切除手術、要放射化療。她強撐起病弱的身子，終於在 1962 年完成《寂靜的春天》。

這本書是講一個風景優美的小鎮，突然不再有鳥叫，不再有蟲鳴，被一種奇怪的寂靜所籠罩……她用動人的筆法把 DDT 造成的危害，一字一字刻進讀者的腦袋。她寫的全部有眞憑實據，她對人類妄想控制自然的愚蠢，給了最嚴厲的批判。

其實她的書還沒寫完，起初在《紐約客》雜誌連載時，壞蛋們就知道不妙。殺蟲劑公司、農業部就已經展開對她的施壓，施壓不成就惡意攻擊，並對出版社威脅利誘，結果反而引起更大注目。

《寂靜的春天》一出版，立刻登上排行榜，不到三個月就賣了十萬冊，超過五十家報紙發表社論，引發熱烈討論。書賣得越好，攻擊火力就越大。殺蟲劑公司和政府利用一些學者，發表如果不用 DDT，美國的小麥、棉花、玉米……都要完蛋。是要殺害蟲，還是要照顧人的生活？孟山都公司還花錢找人寫了一本《荒涼的年代》，免費分送，和《寂靜的春天》打對台。書中講不用 DDT 的地球，蚊蟲戰勝人類，造成千千萬萬的孩子病死、餓死！還有一本《僻靜的夏天》，寫的是禁止 DDT，結果人類只好回到野蠻時代。

最過分和無聊的是人身攻擊，他們罵瑞秋卡森是「戀鳥癖」、「戀貓癖」、「又戀鳥又戀貓的矛盾老女人」、「歇斯底里的老處女」，指責她「擔心死一隻蚊子，卻不關心世界每天有一萬人死於飢餓和營養不良」！

這些對在台灣的我們，是不是很熟悉？

結果攻擊火力越大，書就賣得越好！

瑞秋卡森這時身體已經很虛弱，她還是抱病四處演講、上電視，和化學公司的學者辯論。支持瑞秋的學者、記者、作者、讀者、學生、婦女也越來越多。有一個重要的讀者，他在讀了《寂靜的春天》後，下命令成立「總統科學顧問委員會」，對書裡提到的事證，重新做實驗，證實瑞秋卡森的立論完全正確。於是從聯邦政府到各州政府，展開一連串限制 DDT 的法案。這個讀者就是當時的美國總統甘迺迪。

美國終於在 1972 年全面禁止 DDT。雖然瑞秋卡森已先在 1964 年過世，但她死前已經看見《寂靜的春天》把美國推向另一個方向，而且影響全世界。DDT 因此在世界各國都禁止使用。這本書是環保運動最重要的里程碑，從此環保意識開始進入人心。不環保的人，嘴上也不敢反對！

美國前副總統高爾也說，他是因爲讀過《寂靜的春天》，後來才想投身環保工作。這本書是公認 20 世紀人類最重要、最具影響力的一本書之一！

而瑞秋卡森在快死前，醫護人員問她要什麼？她說：「跟別人一樣，碳氫化合物。」她講的碳氫化合物就是指 DDT 的意思。

偉大的人，不以物喜，不以己悲，總是保持幽默！

●《寂靜的春天》作者瑞秋卡森

1.30 請輕輕踩我的夢

愛情弔詭的地方是，你付出越多，不一定能得到越多，而是要付出更多！

1889年1月30日，詩人葉慈第一次遇見女演員茅德崗。葉慈對茅德崗一見鍾情，最初葉慈以爲他愛慕的是一顆閃亮星星，是他崇拜的太陽，更是他靈感的泉源。卻也是他一生爲情所苦的深淵。

當時葉慈二十三歲，茅德崗二十二歲。她美麗非凡，還是愛爾蘭英國駐軍上校的女兒，放棄上流的社交生活，反過來投身愛爾蘭的獨立運動，美麗之上更添莊嚴高貴！葉慈這樣描寫他對茅德崗的第一印象：

她佇立窗畔，
身旁盛開著一大團蘋果花，
她光彩奪目，
彷彿自身就是灑滿了陽光的花瓣。

一個是才情橫溢的才子，一個是聰慧過人的美女，又有同樣的革命理想，豈不是天生一對璧人？而且茅德崗非常仰慕葉慈，是她主動要求朋友介紹他們相識的。但葉慈向她求婚，卻被拒絕。葉慈對茅德崗的追求，不減反增。又再求過三次婚，都被拒絕。偏偏冒出一個麥可布萊德（John MacBride），他是高大英挺的帥哥，愛爾蘭獨立運動的英雄，也是葉慈的患難之交。偏偏茅德崗就愛他，義無反顧的嫁給他。之後三人還是保持深厚的友誼，好像不受愛情的干擾。

茅德崗和麥可布萊德的婚姻波折不斷，果然如朋友們所料是災難一場，最後以離婚收場。愛爾蘭獨立後，麥可布萊德竟然被激進派刺殺，死於過去的同志之手。歷史有時候很諷刺，叫人無言。

葉慈對茅德崗的愛，越想壓抑，燃燒得越厲害。他在回憶中寫：

「我從來沒有想到在一個活著的女人身上看到這樣超凡的美，這樣的美屬於名畫，屬於詩，屬於某個過去的傳說時代……」茅德崗對他一直保持若即若離的態度，終於他們在巴黎發生了關係，但茅德崗隨後又決定他們應該做一生的心靈伴侶……茅德崗眞的是葉慈鉛鑄的羽翼、光明的煙霧、寒冷的火焰、永遠清醒的睡眠！沉重混亂，愛怨交纏！但這波瀾不斷的情緒，也激發詩人的靈感，葉慈至少爲茅德崗寫下一百首詩。其中我最感動的是：

他祈求天國的錦緞

假如我有天國的錦緞，
繡滿金光和銀光，
那用夜、光和微光，
織就的藍、灰和黑色的錦緞，
我將把它們鋪在你的腳下，
但我很窮，只有夢；
我把我的夢鋪在你腳下；
請輕輕踩啊，
因爲你踩的是我的夢。

He Wishes for the Cloths of Heaven

Had I the heavens' embroidered cloths,
Enwrought with golden and silver light,
The blue and the dim and the dark cloths
Of night and light and the half-light,
I would spread the cloths under your feet;
But I, being poor, have only my dreams;
I have spread my dreams under your feet;
Tread softly because you tread on my dreams.

是的，情人啊，請放輕腳步，也許你的腳下正踩著一個人的夢啊！

● 愛爾蘭詩人葉慈

● 女演員茅德崗

1.31 愛錢

愛情使人盲目！

愛情使人瘋狂！

如果你愛上的是「錢」，哇，那可能會盲目加瘋狂乘上一百倍！

從小，帕翠西雅（Patrizia Reggiani）的媽媽就教她長大一定要嫁入大豪門。她也不負媽媽的期望，果然釣上一條大魚馬里奇歐．古馳（Maurizio Gucci）。沒錯，他就是流行服飾大品牌 Gucci 的第三代接班人。

馬里奇歐的爸爸反對兒子和帕翠西雅的婚事，明白的告訴他如果不聽話，就要剝奪他的財產繼承權。二十二歲的馬里奇歐一氣之下，離家出走，跑到女友家。帕翠西雅的繼父相信馬里奇歐的爸爸早晚會原諒他，便不惜血本高調操辦兩人的婚禮。

果然兩年後，父子和解，馬里奇歐成爲第三代掌門人。帕翠西雅這下成了名符其實的貴婦，Gucci 的董娘。但經過十五年婚姻，馬里奇歐又離家出走，他說他受不了帕翠西雅的控制欲。他決定離婚，但帕翠西雅拼死不離。兩人展開了長達十年的離婚大戰，終於在 1995 年畫下婚姻句點。

事情還沒完，好戲才上場。離婚後，帕翠西雅常年上脫口秀節目，抱怨自己有兩個孩子要養，一年四十萬英鎊的贍養費根本不夠。馬里奇歐出售 Gucci 的股權，得到一億七千萬美金，卻沒分她一毛錢，簡直喪盡天良！天殺的該死！

果然，馬里奇歐不久被槍殺，死在辦公室的樓梯上。死時才四十七歲。

1997 年 1 月 31 日，義大利警方逮捕四十九歲的帕翠西雅，還有一名活躍於上流社會的靈媒、一個旅館門房、兩名殺手。罪名是謀殺。檢方認定帕翠西雅花三十萬美金買殺手幹掉了她的前夫，最後她被判刑二十九年。

帕翠西雅說過一句舉世名言：

寧願坐在勞斯萊斯裡哭，也不要在腳踏車上笑！

2月

February

英雄，不只是勇敢。

他的行爲不是爲了自己。

因爲單純，使他忘了自己。

因爲善良，使他超越了自己。

2.1 空即是有

心經裡說：「空即是色，色即是空」，意思是「空」就是「有」，「有」就是「空」，這是說大千世界，一切恍如幻影，而幻影也有真實面。好像在設計上的極簡主張，「少即是多」Less is More。極簡，能有多簡？能有多極？

謝爾登．西蒙夫（Sheridan Simove）立志要做暢銷書的作者，他寫的第一本書《50 個金錢買不到的便宜貨》，上市以後果然沒多久你就買不到。銷售不佳，一下就下架，失敗。他在哪裡跌倒，就在哪裡站起來，再接再厲花了五年時間，搜集各方資料，完成了《創意人》，被五十家出版社拒絕，終於有人肯出，成績有進步，賣了三萬五千本，在台灣算很好，在美國很普通。而且他自費架了一個網站做宣傳，還辦了二十一場簽書會。

他開始想：他寫的書、他去企業演講，都是在談「新奇」的東西如何大賣，那他的書怎麼新奇呢？其中一招就是把平常不可能放在一起的東西組合起來，就可以得到全然不同的創意。他想出一個點子，他要讓這本書像一個笑話，逗人樂，要寫什麼？不，什麼都不要寫，要讓它極致，這本書要完全空白！什麼樣的書能夠完全空白呢？有了，書名是《每個男人除了性以外所想的事》。

主意不錯，很有趣，但要「賣」，就是大問號。誰會花錢買一本一個字都沒有的書呢？

他希望和他前一本書的出版社老闆見面，談談他的新奇主意，老闆助理回電給他，說老闆不會見他。其他的出版社不是不感興趣，就是說這招別人已經用過。是的，早在上個世紀 80 年代，就有一本《關於女人，男人所知道的事》，雖然當時也滿受歡迎。但他們不想炒冷飯。

西蒙夫出書無門，決定自己打造這一扇門。對，他自己出。**2011 年 2 月 1 日**，《每個男人除了性以外所想的事》正式出版，裡面完全空白，一個字也沒有。他採用新招，全部利用亞馬遜的網路書店來賣，不走傳統書店，就算他想這樣，也沒書店下單吧！他自己找一間公關創意公司幫忙，在 Facebook 開粉絲專頁，號召大家把書送上排行榜，再發電子報說「不知道是眞是假？」眞的有這麼一本空白書。結果反應熱烈，居然大賣，進入暢銷書排行榜四十四週，雖然不是前十名，但也數量可觀，而且持續熱銷。

沒有辦簽書會，不必開網站，不用到處演講打書，反而效果更好。關鍵還是在書本身能賣，尤其透過網路，新奇的點子，更快讓大家知道。大家的反應透過網路也可以上傳，反應再引起反應，討論就熱起來。在網上討論的文字，足足可以寫比這本空白書更厚的書。

我也買了一本，一本要 5.99 英鎊，300 台幣。貴嗎？不，這是創意！有翅膀的人才看得見別人的翅膀！是不是「空即是有」？雖不全合佛理，卻也十分有道理。

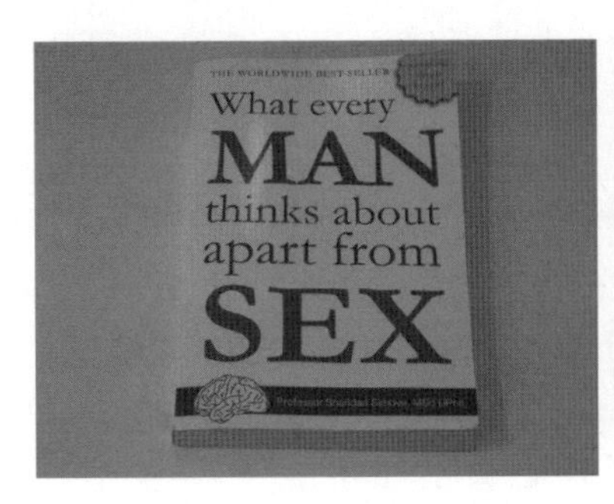

● 《每個男人除了性以外所想的事》

● 書中一片空白，一個字也沒有。

2.2 文學革命是文化革命

「下雨天留客天天留我不留」

主人是唸「下雨天，留客天，天留，我不留。」

賴著不走的客人唸「下雨天，留客天，天留我不？留！」

古代中文沒有標點，既不好讀，語意也會有出入。傳說發明標點的人，是2200多年前，一個叫亞里士多芬（Aristophanes）的文法家。不是亞里士多德喔！後來到了公元1500年，威尼斯有個出版家，亞道斯．曼紐斯亞士（Aldus Manutius）加以改良，製作成今天常用的標點符號。

那中文呢？宋朝大詩人黃庭堅有回在家養病，閱讀文章，覺得沒有「斷句」的符號，很不好讀⋯⋯他想到佛經裡用「。」來形容圓滿、完整⋯⋯所以如果畫個小圈圈，表示「完整一句」，那可方便多了。句號就此誕生。黃庭堅有一首詩：

閉門覓句陳無己
對容揮毫秦少游

覓「句」指的就是尋覓句號，石破天驚吧！逗號、頓號也是出於黃庭堅之手。但並沒有被廣泛使用，中國的書籍印刷也沒有標點符號。

1919年1月，胡適提出了《請頒行新式標點符號議案》。**2月2日**，上海商務印書館出版胡適的《中國哲學史大綱》，是第一次正式使用「白話文」和「新式標點符號」的「新書」。

同年，國語統一籌備會，學習西方通用的標點符號，加上中國原有的句號、逗號、頓號，制定十二種符號，由教育部頒行全國。

胡適的貢獻不只標點符號，更偉大的是「白話文」。

他的一篇文章掀起一場運動，改變了一個古老的文化。

1917 年 1 月 1 日，還在美國哥倫比亞大學攻讀博士學位的胡適，在陳獨秀主編的《新青年》雜誌發表了《文學改良芻議》。提倡使用白話文寫作，想不到引起中國新文學運動。

1917 年胡適拿到博士學位，回到中國，在北京大學教書，當時他只有二十六歲，是北大最年輕的教授之一。他在北大積極推動白話文的文學革命，認為「死文字絕不能產出活文學，中國若想有活文學必須用白話，必須用國語，必須做國語的文學」，主張「國語的文學，文學的國語」。贊成與反對兩派，各以白話文和文言文進行論戰，雙方火力全開，非拼個死活不可。

有一次胡適在講課時，大力讚美白話文的優點，有一位同學不服氣，起身問胡適：

「先生，難道說白話文就沒有絲毫的缺點嗎？」

「沒有。」胡適露出招牌的嬰兒微笑。

「肯定是有的！白話文語言不精練，打電報用字多，花錢多。」

「不一定吧，前幾天行政院有位朋友給我打來電報，邀我去做行政院秘書。我不願從政，決定不去，為這件事我復電拒絕。復電是用白話文寫的，看來也很省字。請同學們根據我這一意願，用文言文編寫一則復電，看看究竟是白話文省字，還是文言文省字？」

十五分鐘過後，胡適讓學生報告用字數目，選出一份用字最少的文言文電稿，電文爲：「才學疏淺，恐難勝任，不堪從命。」

「這份確實寫得簡練，只用十二個字。但我的白話文電報卻只用了五個字。」

「哪五個字？」同學問。

「幹不了，謝謝！」

白話文運動掀起的不只是一場文學革命，更是新文化運動。就像 1517 年馬丁路德點燃「宗教革命」。宗教革命打破了聖經只能用拉丁文記載、書寫的禁忌，從此可以用德文、英文、法文來翻譯聖經。意思就是一般人都可以使用自己慣用的語言文字來理解聖經，上帝的旨意不再是只有羅馬教廷可以傳達、解釋。使用語言文字的自由，帶動思想的自由。同樣的，白話文就是要讓人人都能懂、能用中文。文學的力量不再集中在少數「士大夫」階級手中，這樣也更容易接受西方來的思想、文化。

從《文學改良芻議》發展到現在，也快一百年。我們現在政府的公文、法院的文書都還充斥著文言文式的虛文、贅文、冗文，不但浪費時間，還常常意思表達錯誤、模糊。尤其是關係人民權利生死的法院判決文，故意用一般人民難懂的半文言文，在那裡繞來繞去，不但無聊又有害。我贊成文雅，但裝腔作勢又瞎掰不出道理，實在討厭。胡適今日若活著，一定也要對其開砲。

胡適的話說得平穩有力，不誇張、不做作。很多現在讀來還是鎚鎚到位，箭箭穿心。

依我看來，中國的教育，不但不能救亡，簡直可以亡國。

你要看一個國家的文明，只需考察三件事：第一看他們怎樣待小孩子；第二看他們怎樣待女人；第三看他們怎樣利用閒暇的時間。

多研究些問題，少談點主義。

做學問要於不疑處有疑，待人要於有疑處不疑。

讀古人的書，一方面要知道古人聰明到怎樣，一方面也要知道古人傻到怎樣。

哪有貓兒不叫春？哪有蟬兒不鳴夏？哪有蛤蟆不夜鳴？哪有先生不說話？

醉過方知酒濃，愛過方知情重。（引自胡適的詩作）

現在有人對你們說：「犧牲你們個人的自由，去求國家的自由！」我對你們說：「爭取個人的自由，就是爭取國家的自由；爭取個人的人格，就是爭取國家的國格！自由平等的國家不是一群奴才建造得起來的！」

做爲一個領袖人才，不能淪爲干政打雜，要自處於無知、無能、無爲。以眾人之智爲知，以眾人之能爲能，以眾人之爲爲爲。（引自胡適寫給蔣中正的信）

一個常態國家，政治的責任在成年人，年輕人的興趣都在體育，娛樂，結交異性朋友；而在變態的國家，政治太腐敗，沒有代表民意的機關存在，那麼干涉政治的責任必定落在青年學生身上。

● 「白話文運動」與「新文化運動」的領袖胡適

2.3 我最好的作品就是你

所有難忘的愛情電影和小說有什麼共同的特點？就是它們都沒有「幸福圓滿」的結局。因爲不圓滿，所以有缺憾；因爲有缺憾，才讓人蕩氣迴腸！電影、小說如此，眞實的世界也一樣。

出生於巴黎的亞歷山大是一個私生子，他的父親是當紅的作家。爲了在上流社會穿梭、混跡，當然不能與出身卑微的女裁縫有任何瓜葛，因此他拋下亞歷山大母子，完全不聞不問。到了亞歷山大七歲的時候，不知爲何良心發現，他認了兒子，供他生活上學，但拒絕承認與兒子的媽有關係。

亞歷山大十八歲的時候，認識了同樣十八年華巴黎當紅「交際花」蘿絲．普莉絲(Rose Alphonsine Plessis)，亞歷山大第一眼看到她：「個子高高的，身材苗條，有烏黑的頭髮，臉色白裡透紅。她的頭小巧玲瓏，眼睛又黑又亮。顧盼自如，衍生出無限風情！」立刻墜入情網。

普莉絲身世比亞歷山大還悲慘，從小父母雙亡，孤苦無依。十四歲被人送到巴黎的洗衣店做苦工，偶然被一位公爵看上，把她引入了上流社會的淫亂圈，十六歲便艷名四播，成爲貴族之間的高級妓女。普莉絲日日華服珠寶，夜夜縱情逸樂，結果染上了肺結核。一天亞歷山大發現她在咳血，便更加憐惜，呵護備至。普莉絲在歡場打滾，難得遇上眞情，自然也以深情來回報亞歷山大。

這時，亞歷山大那個以浪蕩聞名，私生子數不清的父親，怕兩人的結合會阻礙兒子的前途，便千方百計的破壞。

他曾殘忍的問亞歷山大:「你同普莉絲交往，到底是愛她，還是只是同情她?」他設法讓亞歷山大發現普莉絲和其他年輕追求者的書信，製造兒子與情人決裂的導火線。最容易點燃熊熊烈火的就是「妒火」，亞歷山大在 1845 年 8 月 30 日的深夜，寫了絕交信，信末說:「且讓我們一起遺忘，你忘掉一個你應該不會關心的名字，我忘掉一份不可能的幸福!」然後亞歷山大負氣，聽從父親的安排，離開巴黎去西班牙。

失去愛人的普莉絲，也失去了求生的意志，她日夜咳血，終於在 **1847 年 2 月 3 日**，美麗的花朵凋落在悲痛的汙泥中，結束了短短二十三年的生命。

亞歷山大得到消息，立刻趕回巴黎，但一切只剩下追憶和追悔。接著他用憂傷的筆，把他和普莉絲的故事，寫成了小說。並以普莉絲生前最偏愛的「茶花」為名，寫出舉世聞名的《茶花女》。

亞歷山大全名是 Alexandre Dumas the younger，就是大家熟悉的「小仲馬」。而他的爸爸就是《基督山伯爵》和《三劍客》的作者「大仲馬」。

《茶花女》出版後，才二十三歲的小仲馬一舉成名。朋友鼓勵他把小說改寫成劇本，小仲馬想問大仲馬的意見，果然大仲馬冷言冷語，給他潑冷水!小仲馬沒有因此被澆熄，反而更加發奮，很快的完成了一部五幕的劇本。他完成後，立刻去找大仲馬，朗讀給他聽。大仲馬聽完第一幕，口中喃喃的說:「好極了!好極了!」

讀完第二幕，他眼睛開始泛紅。這時小仲馬臨時要回覆一封急信，便暫停朗讀，父子約好一小時後再繼續。可是沒想到，等小仲馬回來時，看見大仲馬淚流滿面。原來他等不及，自己先把劇本全看完。他對兒子說：「親愛的兒子！我錯了，我替歷史劇院接受你這個劇本！」

但是，戲還沒製作，大仲馬自己開的歷史劇院就倒閉了。經過一番波折，《茶花女》終於在別的劇院上演。首演出乎意料的成功，小仲馬給在布魯塞爾躲債主的父親打了個電報：「極大、極大的成功！太偉大了！我不知所措，觀眾還以爲是在看你寫的新作品呢！」

大仲馬回電說：「親愛的孩子，我最好的作品就是你！」

●《茶花女》的作者小仲馬

2.4 愚蠢的基因不再延續

有一種人有特異功能，他自己是烈火，也是乾柴。所以他能夠自己燃燒自己，自己把自己消耗掉。

1990 年 2 月 4 日，一位叫大偉．查背（David Zaback）的男子，在美國華盛頓的醫院死亡，壽命三十三歲。

探討事情慣用五個 W 和一個 H，現在開始：

先問 Why ，他爲什麼死？他受到嚴重槍擊，送醫不治而死。

When，什麼時候的事？就在 2 月 3 日下午 4 點 40 分發生的。

Where，事情在哪裡發生？事情發生在一間叫 H&J 的槍枝彈藥專賣店。

Who，誰幹的？是槍店的老闆、顧客幹的「好事」，顧客之中還有警察。

How，怎麼發生的？

先說大偉已經三十三歲，不是三歲小孩。但他可能進化的速度特別慢，所以做出連三歲小孩都做不到的事。他在下午 4 點 40 分，在中國人來說眞是不吉利的時間，帶著槍，衝進槍店，要修槍？要退貨？都不是，他要搶劫！

是的，他帶槍去槍店搶劫！而且當時店門口就停了一部警車，有兩個警察在店裡買東西。店內的老闆、顧客，手上都拿著槍。大偉也拿著槍，大家並不是故意要對大偉開槍，實在是怕他會開槍，所以只好先開槍。他就這樣被撂倒！

事後，警察將他緊急送醫，但第二天他就死了。根據紀錄顯示，大偉沒有前科，這是他第一次作案。但他實在太生手了！

等一下，你說還有一個 W 漏掉了，對，就是 What，這是什麼東西啊！

這是「眞眞實實」的東西！我要說的是，大偉其實對人類有偉大的貢獻，什麼貢獻？他讓自己身上愚蠢的基因，永遠不會再傳播下去了！

2.5 烽火中守護國寶

信念，像在腦中的鬧鐘，會在你需要時將你喚醒。

信念，像是登山的拐杖，會在你困難時帶你跨越難關。

1931 年 9 月 18 日，發生「九一八事變」，日本強佔中國東北。日本軍方侵略中國的野心已經是明目張膽。而且國際間看來沒有強國會阻止它，大家都知道它下一口要咬的肉就是華北。將來一旦生變，故宮博物院的國寶就非常危險。不是受戰火的損壞，就是被日本人搶走。所以國民政府計畫把故宮的國寶搬到安全的地方。

故宮博物院決定立刻行動，先裝箱。他們找來古玩行專門的工人幫忙，可是情況很不理想。一是買來的木箱，原先是裝香菸，太薄，不能承重。二是買來保護文物的棉花，都是用過的回籠舊棉，缺乏彈性，防不了震動。三是請來的工人，不但成不了事，還倚老賣老常常教訓院裡的人員，而且他們還拿很高的工資。

故宮的院長易培基和大家商量，決定自己動手。先去訂做新的木箱，尺寸統一爲長三尺，高寬各一尺五。棉花改買新棉，裝箱工人一律辭退。由院內的人員自己裝。他們學景德鎮裝瓷器的方法，把十個瓷碗用草紮緊，成爲一串，個別瓷碗就不會晃動。串與串放入木箱，用稻穀殼隔開、塞緊，這樣怎樣搖動都不會破碎。他們抓住「緊」這個訣竅，把每件器物分別紮緊、包緊，放入木箱用棉花塞緊。這樣就萬無一失。

1933 年 2 月 5 日，晚上北平全城戒嚴。13491 箱文物從故宮的神武門廣場出發，由幾十輛板車輪流運到火車站。沿途軍警林立，街上一個人都沒有，安靜得出奇，只有板車行駛的咕轆轆的聲音。所有的國寶裝上兩列火車，天剛亮就出發南下。兩天以後到達南京的浦口，停靠在鐵軌上。由軍隊守了一個月，因為還不知道要運去哪裡放。後來決定先走水路運去上海，等南京朝天宮擴建完成，再運到南京。

1936 年底文物運到南京朝天宮，故宮博物院的人都改在南京辦公，還準備舉辦展覽。

結果 1937 年「七七事變」爆發，中日開戰。7 月 29 日日軍就佔領北平，國民政府決定儘速將國寶運往重慶。於是國寶再度遷移，分三隊，第一隊經長沙到貴州，第二隊走水路到漢口，再到樂山，第三隊北上到峨嵋。

這次大遷移，因為戰事緊迫，路線、計畫都必須隨機應變，而且路程要經過大山、險江，又有敵機轟炸。驚險一再發生，像最後一批七千箱是在日軍進南京前一個星期，才搭上火車離開。第一隊的國寶剛運到長沙的湖南大學圖書館，因為日機轟炸長沙，火車站全毀，車站旁的旅館正好有人辦喜事，結果新郎新娘雙雙遇難，客人也全被炸死。火車走不了，他們找到幾輛從南京逃出來的公共汽車，裝上寶物開往貴州。他們剛走，原來存放的湖南大學圖書館就被炸平。

寶雞原來開挖了準備存放文物的窯洞，結果文物還沒運到，就被日機轟炸，窯洞坍塌。幸好東西還沒到，只好改變路線。等於說文物走到哪兒，日機就炸到哪兒。上空有日機轟炸，下面的路也很難走。尤其是車隊要翻過高山才能進入四川，而山路險峻、狹小，路況極差，處處是坑洞、坍方。加上冬天大雪，幾乎看不見路。一不小心就會摔落山澗，成千古憾事。但竟然在經歷種種危險、困難下，所有寶物分批、全部抵達後方安全地帶，而且沒有一點兒損壞。

有人說這是文物有靈，其實是負責運送的人員，都是抱著一股強烈的「愛國護寶」的信念。因爲遷移這許多故宮國寶，象徵中國抗戰到底，誓死不做亡國奴的決心。所以再多險阻、再大艱難也都能一一化解和克服。

1945 年抗戰勝利，日本投降。國寶先集中到重慶，然後在 1947 年底，全部運回南京。國寶還沒運回北平故宮博物院，國共內戰又開打。1948 年國民政府決定再把文物遷移，最後運了 2972 箱國寶到台北，也在台北成立了故宮博物院。而其餘的 11178 箱文物在 1950 年運回北京。

故宮博物院的人員，不管是拼命把文物運來台北的，還是堅持要把文物留在大陸的，都是秉持各自堅定的信念，都是令人尊敬的英雄！

● 戰火下，運送中的故宮文物。

2.6 裝瘋八人組

1969 年 2 月 6 日，有八個傢伙，故意五天不洗澡、不刷牙，分別跑去看不同的精神科醫生，他們告訴醫生同樣的話：「我不知道怎麼了？不斷的聽到碰、碰、碰的聲音。」這八個人幾乎都在第一時間被醫生診斷爲精神異常，需要住院觀察。

接著，他們被送到不同的精神療養院。這八個人一進療養院立刻恢復正常人的行爲，他們向醫療人員說：他們已經好了，也沒有再聽到任何怪聲。但是醫療人員不放他們走，逼他們吃藥，做各種治療，這樣關了一個多月，被整得七葷八素後，才陸續出院。妙的是，這八個裝瘋的傢伙，雖然醫療人員都斷定他們是「神經病」，但原來在療養院裡的病患都知道他們不是瘋子，以爲他們是院方派來「臥底」的，或是報社潛伏進來挖新聞的記者。

這是一場惡作劇嗎？不是。這「裝瘋八人組」的頭頭是心理學家大衛．羅森漢（David Rosenhan），這是他設計的實驗，目的是考驗精神科醫生慣用的診斷方法是不是眞的實用？有多大可能會誤判？社會會不會賦予精神科醫生太大的權力？羅森漢在 1973 年 1 月 19 日發表了這份震撼社會的研究報告，結結實實打了精神醫學界一巴掌。報告顯示醫療人員有太多的預設立場、太多的偏見，尤其是有所謂「專業的傲慢」，往往會造成嚴重誤判。巨星傑克尼克遜成名的代表作叫《飛越杜鵑窩》，電影情節其實就是眞實世界的翻版。

羅森漢這樣搗蛋，當然引起精神醫學界的公憤。他們認爲偷襲不算，集體向羅森漢宣戰，要他有膽就在三個月內再派假瘋子來，他們一定能揪出來。羅森漢當然接下戰書，準備對決。他宣稱會派假病人去求診，如果有人被診斷出是正常人，他低頭認輸。三個月過後，醫院發表戰果，說他們一共抓到四十一個羅森漢派來的假瘋子。結果羅森漢是一個人也沒派，這次他一槍未發就撂倒了所有人。

羅森漢的實驗不只說出「國王沒有穿衣服」，更重要的是他指出：看事情的角度往往會扭曲眞相。這種問題不只發生在精神醫學，所有的醫療也有相同的問題。科學再進步，我們都應該虛心，承認自己永遠可能有不足。人的一般行爲也是如此，偏見很容易形成，我們又用偏見來看世界、下判斷。問題也許不是人能不能獨立思考？而是我們習慣靠著各種外貼的「標籤」來決定思考的內涵。

小時候讀的「疑人偷斧」的寓言故事，就是偏見加傲慢的最簡明版。過去以爲生不出兒子是女人肚子不爭氣、醬油可以治燙傷、小孩不打不成器、同性戀是一種精神疾病……現在看來都荒謬不堪。那麼，今天，想想，我們有多少堅持，明天會變成荒謬呢？

●心理學家羅森漢進行實驗的醫院之一

2.7 惡果必有因

不能看輕一顆小小的種子，時間夠久，它會長成茂密的森林。但如果是個錯誤的種子，它就會造成重大的災難。

2002 年 5 月華航一架編號 611 的 747 型客機，在飛往香港的途中，墜毀在澎湖的外海。機上 19 名機組員和 206 位乘客，全數罹難。這起空難發生得很突然，出事前飛行員與地面塔台的連絡一切正常，機長是資深駕駛，飛行紀錄非常良好。怎麼會在完全沒有任何求救或反應的狀況下，就突然出事呢？

可以確定的是，從雷達紀錄顯示飛機是先分裂成四大塊結構，在空中解體，然後才落入海中。所以有推測會不會是恐怖攻擊？飛彈誤射？隕石擊中？這些都被排除，因爲飛機的油箱並沒有爆炸。那到底是什麼原因？

後來，波音的鑑識專家先從打撈上來的飛機殘骸，一片一塊的仔細搜尋，發現一塊機尾蒙皮有修補過的痕跡，並且有濃烈的燃料味，邊緣有黃漬現象，蒙皮有嚴重金屬疲累的跡象。然後回頭去追查以前的維修紀錄，整個事件眞相終於大白。

事情要從二十二年前說起，**1980 年 2 月 7 日**，這架華航 747 的客機在香港啓德機場降落時，飛行員操作失誤，機尾擦到地面，蒙皮受損。根據波音的維修準則，發生這樣的擦撞，應該要把整塊蒙皮換掉。結果華航的維修人員，你猜怎麼做？對，「用補的」！對，怕麻煩，就沒有用整塊換，而是加上一片外皮，像補丁一樣，再噴上漆，給它蒙混過去，接著再做假的維修紀錄。後來每次檢修，檢修的人也馬虎過關，繼續再做假紀錄，總共有四次沒有人發現，沒有人檢修。

那「黃漬」又代表什麼？因為以前的客機沒有全面禁煙，有些座位是允許吸煙的。煙會往有縫隙的地方飄，而機尾蒙皮有縫隙，所以煙造成的黃漬就經年累月留下來了。在高空如果有超過 1.5 公尺的裂縫，就會造成結構崩毀，而從殘骸來看，裂縫有 2.3 公尺。

這架 747 就帶著機尾的補丁，一直飛、一直飛、一直飛到二十二年後，機尾的金屬疲勞，造成在空中突然斷裂、脫落，飛機失去機尾，同時失壓失控，像倒栽蔥解體直落，墜入海中，造成了空前的大空難！

惡果，必起於惡因；惡因，必結成惡果。可怕的就是這樣，它眼前不出事，時間越久，累積越久，災難越大。大部分人為的意外，都不是偶然，而是必然。

2.8 良心

好人有好報，是電影或童話故事才有的嗎？

莎拉・達琳（Sarah Darling）住在美國密蘇里州的堪薩斯城，她要崩潰了，因爲她把身上最珍貴的東西搞丟了！是她的訂婚鑽戒。她冷靜下來，仔細回想。她從不離手的戒指，爲什麼會不見？原來她手上長疹子，所以她把鑽戒拿下來放在零錢包。

第二天，就是**2013年2月8日**，她在路上遇見一個流浪漢在橋下乞討。她善心一起，便把零錢包裡的硬幣全倒在流浪漢的碗裡。她忘了錢包裡有鑽戒，於是戒指就夾在大小硬幣中倒了出去……對了，零錢包是空的，鑽戒一定在流浪漢的碗裡。她跑回去橋下，沒有看見流浪漢的人影。

不只是鑽戒值多少錢的問題，而是這戒指是訂婚戒，意義特殊。隔天達琳又回去橋下，她看流浪漢坐在同一個地方，她怯生生的走向前，說：「不知道你還記得我嗎？我那天……那天我不小心把對我來說……非常寶貴的東西……給了你……」

「是那枚戒指嗎？」流浪漢說，「是的，戒指在我這裡，我替你好好保管著呢！」

流浪漢名叫比利・哈里斯（Billy Ray Harris），哈里斯立刻把戒指還給達琳。失而復得，達琳心上的大石頭這才終於落地，她開心的差點坐在地上。其實哈里斯也不是沒有受到誘惑，他說：「我知道那個鑽戒應該滿值錢，我心中的小魔鬼在我耳朵邊說，把戒指拿去賣了換錢吧！結果我拿去估價，店裡說鑽戒值四千美金。但這時我那做牧師的爺爺閃過我的腦海，我是他養大的，感謝上帝！從小他教我的那些道德觀念，我都還記在心裡。所以我決定把戒指還給它的主人。」

達琳爲了感激哈里斯，決定上網爲哈里斯募款，希望能募到四千美金，就是戒指的價值，來鼓勵哈里斯的善良。沒想到，不到一個禮拜，居然來自全球各地超過八千三百人捐錢，共募了十九萬美金。其中一個叫布萊恩．保羅（Brian Paul）的人捐了十美金，他留言說：「如果不是因爲失業，我還會多捐一點。但無論多少，我覺得必須做點表示。哈里斯，加油！爲你的夢想繼續努力，什麼時候都不嫌晚。謝謝你就算在困難中，還能保持道德。上帝保佑你！」

五十五歲的哈里斯怎麼處理這十九萬美金的財富？他有沒有好好花花，享受享受？他在律師的協助下，把錢投入一個信託基金，妥善管理。他找到一份工作，當爵士樂團的經理人，晚上睡在一名團員家的地下室。更棒的是，他因爲媒體的報導，找到了失去聯絡十六年的四個兄弟姊妹，他又重拾親情的溫暖。

這不是電影情節，也不是童話故事。這是眞實發生的。是達琳的那枚鑽戒改變了哈里斯的命運嗎？不，是哈里斯的道德良心改變了他的命運。

2.9 一加一等於……

威廉．摩根（William Morgan）在 1895 年來到美國麻薩諸塞州的「基督教女青年會」YMCA 擔任體育主任。當時最流行的球類運動是籃球。但是打籃球會有肢體的碰撞，這對當時的女生來講，是太激烈。摩根一直在想，可不可以發明一種運動，好玩又能避免碰撞，適合女生打的球？

1895 年 2 月 9 日，摩根正在打網球。忽然從旁邊的足球場，飛來一顆足球，打斷他們的比賽。摩根撿起足球，把球用手打過「網球網」，還給踢球的球員。

靈光乍現，如果足球不用腳踢，用手打，像網球一樣打過來、打過去。有網子把雙方的球員隔開，就不會有身體碰撞的危險，不是很適合女生玩嗎？

他立刻把網球的網子上升到六呎六吋，讓女學生用籃球的內胎，在網上打過來、打過去。誰讓球在自己這邊落地，就算失分。結果大家玩得不亦樂乎！

排球就此誕生！

1918 年訂出六人制的比賽規則。1924 年成為巴黎奧運的表演項目。1964 年東京奧運，排球成為正式的比賽項目。

你也來加加看，說不定你能發明另一種「新球」，為世界增添新的娛樂。

2.10 唯一未偵破的劫機案

我們現在上飛機前，都要安全檢查，隨身行李必須通過X光機，這道例行程序的建立，要歸功一個叫丹・酷伯（Dan Cooper）的人。爲什麼？是他發明了X光機？不是，是他劫持了一架飛機。

1971年11月24日，這天是禮拜三，感恩節的前夕，一名男子以「Dan Cooper」的名字，登上西北航空305班機，這是一架波音727，從波特蘭起飛，要去西雅圖。

飛機起飛後，酷伯等一位漂亮的空姐走近他時，遞給空姐一張對摺的紙條。這個空姐一定長得漂亮，因爲她以爲又有男子想追她，給她電話號碼。所以她看都沒看，就把紙條放進口袋。沒想到，男子如此猴急，竟然起身追上來，湊到耳邊對她說：「你最好馬上打開紙條看看，我身上有炸彈！」

空姐嚇了一跳，打開紙條一看，果然上面寫著：

「在我的公事包裡有炸彈，我在必要時一定會使用它。你現在坐到我的身邊，你們已經被我挾持了。」

酷伯告訴空姐他的要求，他要西北航空準備二十萬美金，全部要二十元紙鈔，不能連號，還有四個降落傘。當飛機降落在西雅圖時，把東西交給他，他就放了所有乘客，否則他要把飛機炸掉。

機長知道後，立刻和西雅圖的塔台連絡，航管員立刻報告上去，西北航空的總裁來了，FBI也來了。總裁指示機長和酷伯合作，乘客安全第一。還要空姐按酷伯的指示，坐在他身邊，並且確認到底有沒有炸彈？酷伯打開公事包給空姐看，裡面確實有一捆紅色的管筒，一個大電池，一堆電線，看起來是炸彈。

FBI 動作很快，當飛機降落在西雅圖時，他們已經備好一萬張二十美金的紙鈔，是不連號，但他們已經把號碼全紀錄下來。酷伯收到錢和四個降落傘，要求把飛機加滿油，然後便把乘客和空服員都放了。留下機長和副機長，他下令飛機重新起飛，目的地是墨西哥。

當飛機飛上一千五百公尺的高空，突然遭遇了暴風雨。酷伯背上兩個降落傘，打開機艙的後門，帶著二十萬美金，跳出機門，消失在黑鴉鴉一片、霧茫茫的森林。

酷伯很厲害，他挑 727 來挾持。727 的尾部有一道梯子，可以直接上下旅客，不必登機梯、不用接空橋。他利用尾部的梯子，可以安全的爬下梯子跳出去。否則如果是別種飛機，機門都在兩側，第一，在空中因爲氣壓，很難打開；第二，打開後跳出去，不是被引擎的高熱流吹翻，就是會撞到尾翼。他顯然很了解 727，所以當加油的時間稍有拖延，他立刻提出質疑和威脅。他要了四個降落傘，使警方不能在降落傘上面搞鬼，因爲你不知道他要給誰用？

反正他這事做得漂亮，FBI 在他跳傘後，出動三百名警力，在跳傘的地區進行地毯式的搜查，也封鎖周圍道路。卻怎麼找也找不到。他就是連人帶錢，還有降落傘，不見了。事後 FBI 追查超過一千個嫌犯，就是抓不到他，他像謎一樣消失。這個案子到現在也沒破，是美國頭號的懸案。Dan Cooper 當然不是他的眞名，不知爲何媒體後來把他誤植爲 D. B. Cooper，所以他就變成 D. B. Cooper。

FBI 後面有一個說法，他們認爲劫匪沒有安全降落。那屍體呢？錢呢？有人撿錢，會有人撿屍？反正亂扯就對了。

1980 年 2 月 10 日，華盛頓州一個八歲的男孩，他去河邊玩時，在汙泥中發現一個背包，裡面有二百九十張二十美金的鈔票。經過驗證，確定是當時交給酷伯的一小部分登記在案的紙鈔。

爲什麼會這樣？仍是解不開的謎。你說眞是「道高一尺，魔高一丈」，警察是笨蛋。不用那麼悲觀，這個案子還有狗尾續貂。

「305 劫機案」後五個月，有個叫理查．麥科伊（Richard McCoy）的越戰退伍軍人，他學酷伯劫持一輛民航客機，拿到五十萬美金，然後從高空跳傘，成功逃脫。但幾天後就被 FBI 抓到，他的犯案手法與酷伯一樣，他是不是酷伯？不是，FBI 確定他在「305 劫機案」發生時，正在猶他州的家裡吃感恩節晚餐。後來呢？麥科伊在 1974 年，夥同牢犯越獄，結果失敗，在槍戰中被打死。不是每個魔都高一丈，也有低的魔。這樣有沒有安心多了？

不管怎樣，現在搭飛機可以安心多了，因爲這個案子之後，爲了防堵安檢的漏洞，旅客的隨身行李都要通過 X 光檢查。還有 727 型的客機，機尾門都加裝了風力鎖，只要飛機在空中，門栓會自動卡住，機門打不開。落地後，門栓會回到原位，機門才能打開，梯子也才能放下。這個新的設備叫「酷伯門栓」Cooper Vane。

酷伯拿走了那麼多錢，這麼多年一張都沒用嗎？所以完全不露痕跡。也許他的目標不是那二十萬美金，也許他是做 X 光檢查機的廠商，想想他因此可賺的錢，比二十萬美金多太多了！

但那在今天被八歲小孩撿到的錢又是怎麼回事？說不定可以創作一個推理小說，或者拍一部電影呢！

●「酷伯門栓」

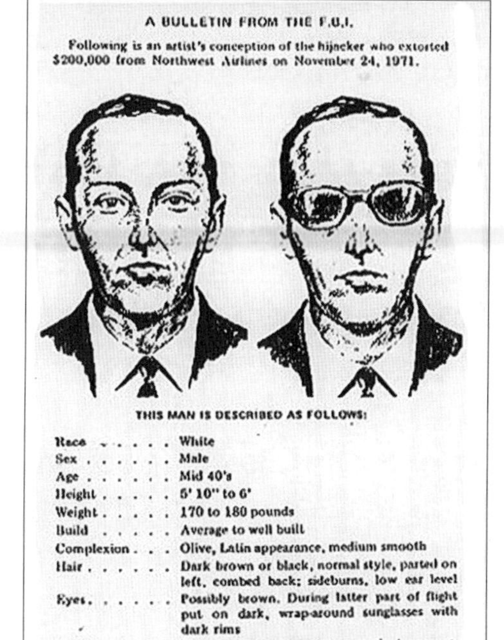

A BULLETIN FROM THE F.B.I.

Following is an artist's conception of the hijacker who extorted $200,000 from Northwest Airlines on November 24, 1971.

THIS MAN IS DESCRIBED AS FOLLOWS:

Race	White
Sex	Male
Age	Mid 40's
Height	5' 10" to 6'
Weight	170 to 180 pounds
Build	Average to well built
Complexion . . .	Olive, Latin appearance, medium smooth
Hair	Dark brown or black, normal style, parted on left, combed back; sideburns, low ear level
Eyes.	Possibly brown. During latter part of flight put on dark, wrap-around sunglasses with dark rims
Voice	Low, spoke intelligently; no particular accent, possibly from Midwest section of U.S.
Characteristics . .	Heavy smoker of Raleigh filter tip cigarettes
Wearing Apparel .	Black suit; white shirt; narrow black tie; black dress suit; black rain-type overcoat or dark top coat; dark briefcase or attache case; carried paper bag 4" x 12" x 14"; brown shoes.

If you have any information which might lead to the identity of this individual, please contact the nearest FBI Office which would be found in the front of your telephone directory.

● FBI 對酷伯的通緝令，戴墨鏡的為劫機當天酷伯的裝扮。

2.11 愛情的力量

「羅密歐與茱麗葉」，千古傳頌的愛情。感人處在兩人為了愛，突破所有藩籬，差一點就能雙飛成功，可惜結果雙雙殉情，令人扼腕、哀嘆！真實的世界有羅密歐與茱麗葉這麼偉大的愛情嗎？

理查．拉溫（Richard Loving），注意他的姓，是「愛」，他好像生來就該成就「愛情」！他十七歲時就和十一歲的蜜德莉．傑特（Mildred Jeter）相識，進而相戀，墜入愛河。問題是這條河，不好航行，充滿急流、險灘、巨石。為什麼？因為理查是白人，而蜜德莉是黑人。

那他們兩個是生在林肯時代，黑人還沒解放嗎？不，他們戀愛時是 1951 年，南北戰爭早就打完了。但是美國還有很多州仍然施行「種族隔離」的法律，而他們倆正好生在最保守的維吉尼亞州。維吉尼亞州在 1924 年通過了《種族完整法案》Racial Integrity Act，明定種族分白人和有色人種，嚴禁二者通婚。

兩人偷偷相愛，過了七年，十八歲的蜜德莉懷了理查的孩子。他們想要結婚，可是家鄉的法律不准。怎麼辦？美國又不是只有一州，這州不行，別州可以啊！理查當機立斷，在 1958 年 6 月開車去首都華盛頓，兩人在哥倫比亞特區正式結婚，高高興興帶著結婚證書回家。

婚後兩人的蜜月期還沒過，一天半夜兩點，警察闖入他們的家中，準備要逮捕他們。理查問明來意，指著牆上的「結婚證書」，說明他和蜜德莉是合法夫妻。但警長告訴他：「維吉尼亞州的刑法有規定，跑到外州去結婚來規避不同種族禁婚，是鑽法律漏洞，罪加一等！」果然州檢察官起訴他們，要求法院求刑一年以上，五年以下。

隔年 1 月，理查與蜜德莉在飽受恐嚇、不堪屈辱下，不得不承認有罪，以求換得法官從輕發落。結果法院判決他們有期徒刑一年，但同意他們離開維吉尼亞州，而且二十五年內不得返回的條件下，可以暫緩執行。理查和蜜德莉只好帶著小孩離開家鄉，搬到華盛頓。但看起來家鄉再也回不去了，故事好像要這樣畫上句點。

幸好大時代的巨輪，終於被推動了。時間進入 1960 年代，此時打破種族隔離，黑白平權運動開始要進入高潮。1964 年，詹森總統簽署《民權法案》，禁止全美國任何旅館、餐廳、戲院、公車、公立學校，和公廁有種族隔離的規定。這時理查和蜜德莉又再燃起一絲希望，他們寫信給當時的司法部長羅伯．甘迺迪，問新的法律能不能幫他們回到家鄉。羅伯．甘迺迪把信轉給美國公民自由聯盟 ACLU，這個公益組織請名律師伯納德．科恩（Bernard Cohen）爲他們免費打官司。

1965 年 2 月 11 日，理查和蜜德莉對維吉尼亞州提出訴訟。1966 年維吉尼亞最高法院判決出爐，堅稱禁止種族通婚的法律合乎憲法，所以兩人的婚姻在維州無效。法官在判決書中說：「維持公民的種族完整，避免血統腐化，防止雜種血統公民出現，避免喪失種族自尊，都是州政府的正當目的。婚姻屬於各州的許可權，聯邦政府管不著。」還說，「全能的上帝，創造白人、黑人、黃人及紅人，各自放在不同的大陸。所以異族通婚，抵觸上帝的旨意……」越講越開心，完全是保守、種族主義的論調。

案件來到聯邦最高法院，首席大法官艾爾．華倫（Earl Warren）私下告訴他的助理，維吉尼亞最高法院的判決，根本是鬼扯，看了眞叫人羞恥。最後聯邦最高法院在 1967 年 6 月 12 日，以九比〇全數通過，判決維吉尼亞州的種族禁婚法律違背憲法，所以無效。全美國其他州有相似的法律，也統統無效。判決說：「在我們的憲法中，與不同種族的人結婚或不結婚，權利屬於個人，各州無權干涉。拉溫夫婦的有罪判決宣告撤銷。」

眞實、現代版的羅密歐與茱麗葉，眞愛得到勝利。蜜德莉在老年時接受訪問，說：「我和我的先生在 1958 年結婚時，不是要宣布什麼政治聲明；也根本不想掀起一場戰爭。我們同浴愛河，我們只是希望結婚，哪怕是人人都反對！我爲我們能在美國司法史上留名而驕傲，我相信愛情、承諾、公平和家庭。這些是黑人、白人、青年、老年、異性戀、同性戀的共同追求。我支持所有人的結婚權利，這就是愛情！愛情！愛的全部！」

● 拉溫夫婦勇敢對抗禁止種族通婚的法令，終於讓真愛得到勝利。

2.12 生命奇蹟

一個男孩六歲學打字，十三歲學會游泳、打高爾夫球、衝浪、踢足球，讀大學取得會計和金融雙學士學位，但他決定二十一歲時要自殺。因爲他相信他應該撐不住以後的痛苦，因爲他相信那時需要愛情，但應該沒有人會愛上他，選擇他做終身的伴侶。爲什麼他要這樣想？

因爲他一生下來就沒有雙臂和雙腿，只有在臀部的左側有一個「兩個趾頭的小腳」。他還沒懂事就受盡異樣眼光和嘲笑，他叫力克．胡哲（Nick Vujicic），1982 年出生在澳洲。力克的父母並沒有放棄，他們希望力克也能有美好、充實的人生，所以爸爸在他六歲時，教他用兩個腳趾打字，媽媽發明一個特殊的塑料機械手，讓他可以拿起筆。講的容易，過程很艱難，尤其是對一個小孩，一個感覺敏銳的小孩。

力克十歲時第一次決定要自殺，他想把自己淹死！因爲他知道自己是家人的負擔，他不想成爲包袱，他已經體驗夠多的痛苦，他認爲上帝不帶走他的生命，卻讓他註定一生孤獨，實在沒有意義。上帝不能下手，那他自己來結束。他唯一能殺死自己的方法，就是淹死自己。他在浴缸中，趁家人沒注意，把身體翻過來，臉埋在水下。妙的是，這時的他已經學會游泳，肺活量還挺大，所以當他把臉沉入水中，本能的憋住氣，過了好久一下，他發現他做不到，生命的本能使他殺不死自己。他翻身過來，大大吸了一口氣。

那天晚上，力克跟弟弟說：「我決定要在二十一歲時自殺！」因爲他自信能和其他孩子一樣讀書用功，撐過中學、大學，這個容易，但再來呢？他沒手沒腳怎麼找到工作？更可怕的是哪有女生會嫁給他？所以在二十一歲結束生命，十分合理。

弟弟把力克的決定告訴爸爸，爸爸說：「一切都會沒事的，我答應你，我們會一直好好的。」爸爸關愛的凝視，讓心亂如麻的力克放鬆，反正距離二十一歲還早呢！力克十三歲時，讀到一篇介紹殘障人如何克服障礙，展現比平常人更精采生命力的文章，受到深深的觸動，於是他開始學習打高爾夫、衝浪、踢足球。不讓自己受陷在痛苦的牢籠。

大學拿到雙學位，十九歲開始演講，他發現他很會演講，他能夠輕易的改變聽眾面對人生的態度，尤其是對青少年，他能夠鼓舞他們積極、勇敢的去開創人生。他這時了解上帝不是失誤或開玩笑，他的人生可能被賦予特別意義！

他忘了二十一歲要自殺的決定，也不在意有沒有女生愛他。你以爲花不會開時，轉彎處自有一片花開。他遇到宮原佳苗（Kanae Miyahara），佳苗愛上他，經過長時間的交往，他們在 **2012 年 2 月 12 日**，步上禮堂，完成婚禮。

我寫力克的故事，不是要拿殘障人士做「勵志」教材，而是要拿「愛」來勵志！

● 天生就沒有四肢的力克．胡哲與妻子宮原佳苗的婚禮

2.13 失竊的一代

希特勒是公認的殺人魔，他不只殺了六百萬猶太人，還有五百萬東歐人、吉普賽人、天生殘障或智能不足的人，死在他手裡。他殺這麼多人是爲了實現一個精心設計的理想宏圖，因爲他殺的都是「低等人種」，爲了德國和人類的未來，應該清除壞的種，以利優生。不錯，希特勒是被擊敗了、是死了。但很多人是同意他的理念，包括他的手段，他們只是感覺他的手段太激烈而已。所以和希特勒本質類似的行爲一直在世界各地上演，只是因爲它們規模較小、手法較溫和，沒有引起舉世的注目。

蘿西芙拉瑟（Rosie Fraser）是澳洲的原住民，她小時候，澳洲政府切斷她和親生父母的關係，成爲她和兄弟姊妹的監護人。蘿西和妹妹被送到一個白人的寄養家庭，起初，她很困惑白人媽媽爲什麼一下子把她當活的小孩，一下把她當死的洋娃娃丟在一邊。兩個小孩最害怕白人媽媽喝醉酒的時候，養母會把她們丟進冷水缸，強壓她們在水中，然後再把她們拉起來晾在角落，等全身乾透，再丟進屋子。養母總是罵她們是「小黑雜種」、「死髒土人」，但蘿西爲了保護妹妹，只好忍耐養母的虐待。有一天，妹妹被帶走了。她便逃離寄養家庭，沒想到兩年後當她知道白人媽媽病重，她又回到那個充滿暴力回憶的家。蘿西說：

「我無法解釋自己爲什麼需要她的愛，她是我僅有的母親，而她快要死了。但我再也不是以前那個小女孩了。」

蘿西終究還是流落街頭，幸運的是她遇上現在的先生，得到美好的婚姻，後來也找到失散的妹妹。但她的心裡有缺憾，因爲她不知道她是誰？

澳洲政府爲什麼會成爲蘿西的監護人？是她的親生父母出事了嗎？有什麼問題嗎？沒有，她父母的「問題」是他們是原住民。澳洲政府從 1910 到 1970 年間，秘密的執行一項「白化政策」。他們認定原住民是低賤的人種，早晚會消失。出於仁慈，應該讓原住民的小孩早早融入白人社會。所以怎麼做？政府強行將原住民的小孩帶走，送到白人的家庭寄養，或送到政府的孤兒院，切斷孩子和親生父母的關係，切斷孩子和原住民文化的連結，讓他們受白人教育、信白人宗教、說白人的語言，永遠不會說原住民的話。

像蘿西這樣的孩子，有十萬個。要知道現在澳洲的原住民總人口也只有四十五萬，可見這個規模有多徹底，可說是「安樂死式的滅種」。

這個計畫拆散原住民的家庭，造成千千萬萬個孩子被虐待、性侵，身心受創。而且基本上是在執行滅人種、滅文化的暴行。居然悄悄的進行了六十個年頭，才被人慢慢揭發出來。像蘿西這樣的孩子，被稱爲「失竊的一代」。有良心、有反省力的澳洲人開始追查、探討，組織活動，經過多年的努力，1997 年澳洲人權和平權利委員會發表《帶他們回家》的報告，正式揭發政府的罪行。並在 1998 年定 5 月 26 日爲「國家道歉日」National Sorry Day 要求進行賠償、補償、究責。

但澳洲政府一直以這是「上一代的政府」的錯，來迴避相關問題。一直到了 **2008 年 2 月 13 日**，新任的澳洲總理陸克文在全國電視現場轉播中，正式向原住民道歉。那一刻全澳洲的人，眼睛幾乎全盯著電視看。

「我以澳洲總理的身分，向各位說對不起。我代表澳洲政府，向各位說對不起。我代表澳洲國會與政府的法律和政策，對我們這些同胞造成的深切悲痛、苦難和損失道歉。我們反思過去的虐待行爲，特別是對失竊一代的罪行。這是我們國家歷史上的一個汙點。」

其實，人想出的各種對人類的「精心設計」，不管多麼科學，動機多麼理想，如果眞的實施，多半會造成巨大、長遠、深刻的災禍。也就是說當設計者的美夢成眞，那就會成爲人類的惡夢。希特勒就是進行了極端的實驗、設計。那些自以爲高人一等的，就是不能明白你不可能用小小的實驗室，來理解、抓住、改變大自然的全貌。所以希特勒雖然死了，但希特勒式的腦袋，依然存在很多看似溫良恭儉讓的人腦中，不是有禮貌就不是暴行唷！

沒錯，有些人會說那些事不是我做的，爲什麼關我的事？不，我們有「集體的仇恨」、有「集體的榮耀」、也應該學習擁有「集體的羞恥」。

好像一片樹葉，沒有整棵樹的默許，是不會變黃的。大家若沒有隱藏惡念，罪人也無法犯錯！

● 為白化政策道歉的澳洲總理陸克文

2.14 爲愛人犧牲的神父

2月14日是情人節，英文叫St. Valentine's Day聖瓦倫丁日，這是要紀念一位偉大的情人嗎？這是要紀念一位爲情人們犧牲的「瓦倫丁神父」。

古羅馬有一個暴君叫克勞多斯（Claudius），他不斷的對外發動戰爭，所以徵召了許多年輕人上戰場。沒有人願意離開妻子去打仗，當然怨聲載道。

克勞多斯認爲都是「結婚」的錯，害男人不願去爲他效死。所以他很「天才」的下令不准舉行婚禮，已經訂婚的也要解除婚約。他認爲這樣士兵就沒有後顧之憂，他這道命令使上戰場的人還沒被戰爭殺死，心就已經破碎。

瓦倫丁神父認爲克勞多斯的命令違反天理，沒有遵守的必要。所以當有一對情人冒險跑來求他幫忙證婚，他便冒險幫他們在祭壇前舉行婚禮。當時只有一個神父敢反抗暴虐的命令，因此很多情人都悄悄來請他證婚。

紙包不住火，事情被克勞多斯知道了。他派人逮捕瓦倫丁神父，把他關進地牢，最後受盡折磨而死。

270年2月14日，瓦倫丁神父被人葬在聖普拉教堂。

歐洲在基督教還未興盛前，本來有一些古老的習俗，人們會在「牧神節」，男女互相換禮物，表達情意。基督教興起後，教會並不想一味壓抑原有歡樂的節慶，於是就把「牧神節」改成「瓦倫丁日」，瓦倫丁神父的事蹟便和古老的節日合一，而成爲今日的「情人節」。

情人節這樣美的節日，由來卻是勇者爲成全他人的愛情而犧牲。我們要知道，今日我們所擁有的「自由」，即使是非常基本的人性需求，都是前人一點一滴力爭而來！

● 瓦倫丁神父

2.15 他們不想讓你知道的事

每次聽到有父母跟小孩說：「只要你乖。就帶你去麥當勞。」眞的、眞的、眞的很想叫他們去看《麥胖報告》Super Size Me 這部記錄片，片子是由摩根．史柏路克（Morgan Spurlock）自編自導自演，他從 2003 年 2 月 1 日起連續三十天，餐餐只吃麥當勞，結果他體重增加 11.34 公斤，膽固醇增加 60 點，更嚴重的是，醫生確診他有憂鬱症和肝衰竭的跡象。片子拍完後，史柏路克花了十四個月才回復到原來的身心狀況。

片子上映後，引起很大迴響，那麼麥當勞生意有沒有變差？沒有，生意更好。爲什麼？因爲原來就相信吃麥當勞有害的人更確定，而他們本來就不買麥當勞。而原來就不關心這類訊息的人，根本沒在意，而且偶爾吃一下不會死吧？就是這種心態，他們會「偶爾」、「繼續」吃麥當勞。

其實早在 1986 年就有人以實際行動來控訴麥當勞。這些先知、先行者是「倫敦綠色和平」的成員，他們散發一些傳單，標題是「麥當勞做錯什麼？他們不想讓你知道的事」What's Wrong with McDonald's？Everything They Don't Want You to Know，內容列舉麥當勞的惡行罪狀：

- 引發第三世界飢荒。
- 搞經濟帝國主義。
- 浪費水資源和穀物。
- 破壞熱帶雨林。

- 出售垃圾食品。
- 販賣受汙染的肉類。
- 製造化學食品。
- 用廣告侵害兒童。
- 縱容虐待動物。
- 禁止工會。
- 企圖掩蓋種種不正當行爲。

傳單越發越多，反應逐漸擴大。1989 年麥當勞採取反擊，他們派私家偵探滲透進「倫敦綠色和平」組織，參加聚會、潛入辦公室、偷取文件。1990 年對該組織的五名成員提出誹謗告訴，同時也對九十個組織提出類似的控訴，結果有 BBC、衛報、太陽報、電視第四頻道、許多學生報、社會福利組織……都道歉了事。可見麥當勞的勢力有多巨大，佈局有多縝密。他們在打小蘿蔔頭時，同時對媒體開炮，防止他們插手，全面孤立敵人，只等大象一腳下來，踩死螞蟻！

果然，識時務者爲俊傑，有三名被告願意道歉了事。只剩海倫史提爾（Helen Steel）和戴夫莫里斯（Dave Morris）這兩個不知死活的決定跟麥當勞拼到底！官司打了快七年，麥當勞的律師費花了六百萬英鎊，結果打贏了，眞的贏了嗎？法官寫了一千頁的判決書，指出說麥當勞引起第三世界飢荒，這個太誇張，而且沒證據，所以誹謗成立。但其他說麥當勞殘害員工健康、殘害動物、用廣告誤導兒童、敵視工會、工資過低……這一大堆講的都有憑有據，所以不構成誹謗。因此判兩名被告要賠麥當勞六萬英鎊。

什麼叫「慘勝」？這就叫慘勝！其實麥當勞打到一半，就感覺不對，所以主動向被告尋求和解。如果他們只是「私下對朋友批評麥當勞，但不向媒體發言和散發傳單」，麥當勞不但撤告，還願意捐款給他們指定的慈善團體。麥當勞得到的回答是，如果「停止廣告，只是私下向朋友介紹麥當勞的產品」，那他們可以考慮和解。

兩人不服上訴，官司又拖了兩年，法官還是判麥當勞贏，但賠款減到四萬英鎊。這場官司是「公關災難」的典範。但麥當勞的生意有沒有變少？沒有，店開更多，錢收更多。

不要灰心，還有振奮人心的告訴你。他們在打官司初期，當然知道自己是小蝦米，如何對抗大鯨魚？於是就向英國政府申請法律援助，就是他們花不起錢請律師，希望政府幫忙。結果政府說這是「誹謗案件」，不在援助的範圍。所以他們兩個自己為自己辯護，準備了一百八十個證人，但大部分多因費用不足，沒辦法到庭。像在中南美洲有證人願意作證麥當勞如何破壞雨林，但沒有旅費，所以到不了庭。他們總共花了三萬英鎊，比起麥當勞，眞的是小石頭打一排大鋼炮。反過來，六百萬英鎊對麥當勞是九牛一毛，三萬英鎊對他們卻是沉重負擔。所以他們兩個跑去歐盟，向歐洲人權法庭控訴英國政府拒絕法律援助，是對他們的迫害，結果呢？

2005 年 2 月 15 日，歐洲人權法庭判決英國政府要賠償他們五萬七千英鎊！在一片黑暗中，終究露出一絲天光。雖然麥當勞還在賺大錢，世間總算是有一點公道！

你說這點公道怎麼夠？好，別急，仔細聽。

2004 年 4 月 19 日，麥當勞的執行長，詹姆斯・坎塔魯波（James Cantalupo）在奧蘭多參加連鎖經銷大會，因心臟病突發猝死。他在麥當勞服務了三十年，以公開吃麥當勞而聞名。他只活了六十歲。這算什麼公道？

來，還有……坎塔魯波死後幾小時，麥當勞有了新的CEO，叫查理．貝爾（Charlie Bell），他才四十三歲，正值壯年。他十五歲就在麥當勞打工，從煎漢堡、拖地、洗廁所幹起，一路升到最高峰。當然他愛吃也常吃麥當勞……，他在幹上CEO後七個月，確診得到「大腸癌」，這種癌大家都知道跟高脂肪、多紅肉、低纖維的飲食習慣是分不開的。可憐的貝爾在四個月後，2005年1月17日過世。

我還要告訴你，我親身經歷的恐怖事件，我有一次聽見一個媽媽對她的女兒說：「你再不聽話，我明天就帶妹妹去麥當勞，不帶你去！」

大人帶小孩去麥當勞，大人也會吃吧！吃多了，身體的器官當然也會變化。腦子也是器官喔！所以腦子也變……哇，好恐怖！所以你給他們看再多證據，他們也不會在意，好恐怖！

● 海倫史提爾和戴夫莫里斯以實際行動控訴麥當勞。

2.16 上帝保佑你

黑死病是歐洲歷史上殺人最多的傳染病，病菌是由老鼠傳播。一旦感染，人會發高燒不退，皮膚會出現許多黑斑，四十八小時內就會死亡，所以稱爲「黑死病」。

6 世紀末期，黑死病席捲歐洲，死人無數，連羅馬教宗都逃不掉。590 年新任教宗葛瑞果一世（Gregory I）發動無數的禱告會、遊行，不停祈求上帝的憐憫，希望因此得救。沒想到黑死病風暴忽然很快的停息，教廷認爲是上帝的恩典，虔誠祈禱果然有效。

因爲認定打噴嚏是染上黑死病的前兆，所以教宗葛瑞果一世在 **600 年 2 月 16 日**，下令凡是看到別人打噴嚏就要對他說：「God bless you」，用「上帝保佑你」來保護身體不被惡魔入侵。從此以後，看到有人打噴嚏就習慣對他說：「God bless you！」

● 教宗葛瑞果一世

2.17 元宵與湯圓

北京有一家百年老字號河南菜館「厚德福」，開張於1902年，清光緒28年。厚德福除了河南菜做得好，還有元宵等小吃也很有名。他們不只在飯館裡賣，還會把元宵小吃擺在外面賣，派伙計大聲吆喝，聲音洪亮，老遠就能聽見。這一叫賣也成了厚德福的傳統特色。

有一位貴客經常光顧厚德福，他是河南項城人，就是權傾天下的袁世凱。1916年，民國5年，袁世凱做皇帝，把這年改名洪憲元年。**2月17日**元宵節，袁世凱在家坐不住，換了便裝想去厚德福吃河南菜。還沒到厚德福，遠遠他就聽見隨著冷風而來的吆喝聲：「元……宵，元……宵」。他越聽越不是滋味，元宵、元宵，那不是「袁消、袁消」嗎？

如此不吉利，怎麼可以？他飯也沒吃，轉身回家。然後越想越不對，叫人把厚德福賣元宵的人抓起來，下令任何人不准再說「元宵」，從此改名叫「湯圓」。

結果3月袁世凱就被迫取消帝制，他的皇帝只做了八十三天。後來北京流行一首歌謠：

大總統，洪憲年，

正月十五吃湯圓。

湯圓、元宵一個娘，

洪憲皇帝命不長！

2.18 高牆下的白玫瑰

牆壁與雞蛋，你會站在哪一邊？如果你是雞蛋，會有撞牆壁的勇氣嗎？

1940 年代的德國，完全在希特勒的風暴中，大家舉手喊「希特勒萬歲」！不舉手的人都會遭到殘酷的整肅。而這時有一對大學生的兄妹，漢斯．索爾（Hans Scholl）和索菲．索爾（Sophie Scholl），他們不只看清「國王沒有穿衣服」，他們還發現國王要把所有人的自由都剝光！

他們不只不願做應聲蟲，還要出來做大聲公。當時德國的報紙、廣播全控制在納粹手中，不同的意見根本沒有發聲的管道。於是索爾兄妹在 1942 年發起一個大學生反納粹的地下組織，叫「白玫瑰」。專門製作駁斥納粹的謊言，揭發納粹暴行的傳單，散發給民眾，以求喚醒民眾的自由意識。

白玫瑰的成員都相信，德國人在納粹的誤導下，一定會走入萬劫不復的地獄。傳單中提到猶太人被屠殺的事：「從此我們看到了玷汙人類榮譽的最可怕罪行，一種人類史無前例的罪行！我們要奮起破壞納粹的戰爭機器！」

1943 年 2 月 18 日，索爾兄妹在慕尼黑大學散發傳單，被秘密警察抓走。面對納粹的審訊時，索菲冷靜的說：「我們所寫所說的一切，正是許多人心中所想，他們只是不敢說出來而已。」

四天後，納粹的人民法庭以賣國通敵、意圖謀反、意圖摧毀國防戰力三項罪名，判處兩兄妹死刑。哥哥漢斯在被槍斃前，還高喊：「自由萬歲！」

兩兄妹死時，一個二十五歲，一個二十二歲。納粹當然不只殺死這兩個德國的年輕人，千千萬萬的德國年輕人也被他們瘋狂的送進火坑，搞到亡國，幾乎滅種。

德國電視台在 2003 年主辦一個票選「一百個最偉大的德國人」活動，結果索爾兄妹排名第四。而排名第一的是誰？是阿登納（Konrad Adenauer），他是二次大戰後，西德的第一位總理。當時盟軍要找一個沒有對納粹屈服的政治人物，居然連一個都找不到。只有一個人阿登納，他本來是科隆的市長，不管希特勒怎麼利誘威逼，他就是打死不跟納粹合作，結果被誣陷坐了黑牢。所以盟軍請他出來領導戰後的西德，他也不負眾望帶領西德度過重重危機，重新使德國復興。

索爾兄妹和阿登納都是有大智大勇的雞蛋，他們不怕撞牆，因爲他們知道當時如果屈服，苟活未必能倖存。

如果當時德國有更多更多的索爾兄妹和阿登納，德國就不用走過火熱的地獄，其他千千萬萬無辜的生命也不會因納粹而平白犧牲！

● 東德發行印有索爾兄妹的郵票

2.19 因爲我離得最近

爲什麼嬰兒的笑會如此動人？因爲單純。他就是單純高興，沒有一點做作。爲什麼孩子的讚美會令人開心百倍，因爲單純。他就是眞的喜歡，不是爲了討好。

沙瓦爾什・卡拉佩特延（Shavarsh Karapetyan）是前蘇聯游泳冠軍，他得過 17 面世界金牌，13 面歐洲金牌，7 面全國金牌，打破過 11 項世界記錄。他是游泳的傳奇，二十三歲的他日後應該還會創造更偉大的成績。

1976 年 9 月 16 日，他沿著葉理溫湖（Yerevan Lake）做慢跑訓練。忽然一輛無軌電車失控，翻車掉進水壩裡，沉入離岸邊二十五公尺，十公尺深的水底。乘客大都昏迷，在水中失去意識。水冰冷又嚴重汙染，在正常情況下，乘客一定全都會遇難。

卡拉佩特延像箭一樣，快速跳進水中，用腳踢碎後車窗，潛入車裡。把人一個個拖出來，拉上岸。他救出三十個人，有二十人存活。他以爲以他的游泳技術，本來可以救更多的人。但烏黑的湖水，使他在水裡跟瞎子差不多，什麼都看不見。更慘的是他一次又一次被車窗的玻璃割傷，背部和雙腿還扎滿了碎玻璃。

有一回，他用盡力氣拉了半天，才發現拉的是座椅。他說如果那次沒拉錯，他至少可以多救一條人命。

他總共潛下去三十多次，體力用盡，昏倒在河邊。等救援人員到時，他已完全失去意識。他們緊急將他送醫，急救時發現他不只全身是傷，因爲太冷，感染重度肺炎，還吸進過多汙水得了壞血病。

昏迷四十六天後，他奇蹟似的活了過來，記者訪問他：「你當時害怕嗎？」

「害怕！水太黑，我什麼都看不見，我害怕會犯錯，因爲我的體力有限，不知道能潛下去幾次。」

他雖然撐了過來，但再也沒辦法游泳。而且很多年以後，他還常做同一個惡夢，夢見他拉錯的那個座椅。

奇怪的是，卡拉佩特延的英勇事蹟並沒有立即被確認。所有相關的照片都保存在地區檢察官辦公室，兩年後才公開。他被授予「溺水拯救」獎章、「榮譽徽勳章」、聯合國教科文組織「公平運動員 Fair Player」獎章。

但傳奇還沒結束，我要講的是**1985年2月19日**，街上一棟樓房發生大火，有個人正好路過，是誰？

對，就是卡拉佩特延，他怎樣？他又是直接衝進火場救人，進去一次出來，再進去一次，再出來，再進去，他又救了好幾個人。他呢？他自己也重度灼傷，又進了醫院。

痊癒後，卡拉佩特延居然恢復了訓練，並在游泳四百米項目中創造了3分6.2秒的世界紀錄。這是他最後一個世界紀錄。此後他無法繼續運動員生涯，後來擔任青年學校的教學主任，又回到普通平凡的生活。他開了一家做鞋子的店，店名叫「第二次呼吸」，有二度重生的意思。卡拉佩特延被訪問時，總是說他那句名言：「只是因爲我離得最近！」

英雄，不只是勇敢。他的行爲並不是爲了自己。因爲單純，使他忘了自己。因爲善良，使他超越了自己。

我們崇拜英雄，因爲我們內心是渴望能超越自己。英雄告訴我們這不是神話。

2.20 意外的促銷

鑽石有時候會被塵土覆蓋，你要有耐心等待。總有不知道哪兒來的一陣風，會吹散塵土讓它大放光芒。

泡麵，現在每天有一千億包的銷售量，全球才六十億人欸！我們很難想像，泡麵剛推出的時候，根本賣不出去。

發明泡麵的安藤百福，其實是台灣的台南人，本名吳百福。他創辦了日清食品，泡麵剛推出的時候，銷售量極差，使他非常頭痛。原因是泡麵雖然方便，當時一碗拉麵的價錢大概是二十五日圓，一碗泡麵卻要價一百日圓，難怪乏人問津，無法打進市場。

吳百福想到，先從飲食時間不定，而且經常值夜班的行業下手，如警察、消防隊、電視台等地方。但成效不佳。

1972 年 2 月 19 日，有五名聯合赤軍旅的激進份子，被警方追捕，逃到淺間山莊，挾持了旅館老闆娘作人質。在自衛隊與恐怖分子長達十天的對峙中，每天電視台實況轉播。

日夜守在山莊四周的警員、自衛隊不敢離開崗位，那肚子餓了怎麼辦？泡麵，這下派上用場。

反正是突發事件，哪管什麼一包泡麵多少錢？而且吃的是公家出錢。**2月20日**開始，吃著泡麵的軍警畫面也隨之不停的播放。當時收視率更創下平均50.8%的紀錄。

人們從電視上看到泡麵，感覺很新奇，紛紛詢問商店有沒有賣？貴也買來嘗嘗看，反正再貴也就一百日圓嘛！

一夕之間泡麵變成人氣商品，搶購一空。因爲銷售量大，生產量大，成本也就大大降低，價格也更平民化。良性循環，泡麵從此大賣起來。

在泡麵的歷史上，2月20日是起死回生日，是泡麵族眞正最值得紀念的一天吧！

2.21 第一個女巫

歷史上最偉大的女英雄是誰？很多人會說「聖女貞德」。你問說貞德哪裡偉大？人們會說因爲她被綁在柱子上活活燒死！所以人們不是用她的英雄事蹟來評斷她，而是用她遭遇的苦難來崇敬她。

弔詭就在這兒，英雄跑來拯救我們，結果我們不管她救了多少人，而是用她受多大苦難，來決定她多偉大！

貞德眞的了不起，她才十七歲就能帶領法國的殘軍敗將打退入侵的英國人。沒有她，查理七世根本登不上王位。當她被與英國人結盟的勃根地國所抓，按當時的慣例，只要法國國王肯出一點錢，就可以把貞德贖回來。可是查理七世都沒動靜，等於是他間接送貞德去死。英雄是在前方帶頭衝，領導是在後面指揮別人去拼命。而一旦英雄衝出功績，領導不但不感謝他，往往第一個要害他。有沒有英雄式的領導？沒有，有也是假英雄，神蹟都是編的。但有領導是英雄，像亞歷山大、凱撒、拿破崙，只是比例不多，所以更偉大。

回到貞德，因爲她眞的是英雄，而且她說，她是因爲得到上帝的召喚，看到三個大天使來跟她傳話，她才奮不顧身起來帶領法軍。所以勃根地公爵和英國人便聯手起來要打破她的「神話」，他們組織一群主教，指控她是「異端」，也就是說，她是「女巫」。

1431 年 2 月 21 日，正式開庭，貞德接受審判。一群教士、神學家對她一連串的惡意盤問，貞德都能堅定回答，絲毫沒有動搖她的信念。最厲害的是，她雖然沒有受過教育，而且沒有律師幫忙辯護，但她完全不會掉進他們的陷阱。最有名的詰問就是他們問：「你認爲自己有得到主的恩寵嗎？」

這題很詐，如果貞德說有，那她爲什麼會兵敗被俘？如果說沒有，那她以前說的上帝指引都是謊言。不管她回答有或沒有，都有罪。這是「兩刀式」的殺招。貞德一聽，想都沒想就脫口說：「如果沒有，願天主垂憐我；如果有，願天主繼續眷顧我！」也是兩刀回敬，毫無破綻，全場驚訝，議論紛紛。

他們再指責她：「你不聽從聖母教會的命令。」

「不對，我是服從教會的。不過，首先應該聽從天主！」

又說得教士們無言以對。最後，教士們找不出她的罪狀，只好用最後的賤招，指控貞德穿「男裝」。那個時代，認爲穿男裝的女生都「怪怪的」。貞德爲什麼穿男裝？打仗時，當然要穿男裝。被捕後呢？又是那個時代，當時沒有人權觀念，女人更沒有法律保護。貞德被捕後，英軍的士兵多次想要強暴她，男裝不容易脫，也不容易得手。貞德穿男裝，是要保護自己不被強暴。宗教法庭還找來修女檢查貞德的身體，最後證明她是處女。這條罪又羅織失敗。

最後，宗教法庭只有指控貞德聽到的「召喚」，不是天使之聲，是惡魔之聲。凡人不能直接與上帝溝通，必須透過教會才行。所以貞德妄稱她能和天使溝通，她一定是「女巫」，穿男裝還是有罪，她違背上帝分別男女的神聖法則。法庭判她火刑，在 1431 年 5 月 30 日，活活把她燒死，她在熊熊烈火中還高呼：「我聽到的是天主的旨意！我聽到的聲音絕不會背棄欺騙我！」她仍然滿懷信心，但她十九歲正要進入青春的生命，就在這無情、無義、無理的惡火中消失。

貞德是第一個因爲女巫罪而慘死的人，二十五年後，因貞德母親的上訴，教皇重開審判，宣示死刑判決無效，洗刷貞德的汙名。但歐洲仍然興起了獵巫熱，這個恐怖活動持續了三百年，估計有十萬個女性，慘遭「女巫」指控，受盡酷刑而死！而因女巫罪名遭到迫害的女性，估算有四百萬人。這是野蠻與無知編織而成的殘暴史！

恐懼，會製造動力，會讓人們做出想像不到的恐怖行爲。無端的恐懼，會製造無限的恐怖！

● 接受審問中的聖女貞德

● 聖女貞德

2.22 送行者

鑽石原來是深埋在泥土裡，玫瑰盛開在荊棘上。

2009 年 2 月 22 日，《送行者》おくりびと得到奧斯卡金像獎最佳外語片，這是半世紀以來唯一得到此獎的日本電影。那導演是誰？他是什麼名校出身？

導演是瀧田洋二郎，他沒有唸過什麼名校，他只有高中畢業。他一出學校，就投入電影界。那是在哪個名師門下？不，扶好你的眼鏡，不要摔下來。他拍的電影是 A 片。他總共拍了三百多部 A 片，被譽爲「A 片天才」。

後來老牌演員內田裕也，對他的「天才」非常激賞。力邀他來導演自己主演的電影《根本不需要漫畫雜誌》，他才轉入一般電影圈。

《送行者》講的是一個夢想加入交響樂團的男主角，因爲樂團倒閉、解散而失業，便搬回鄉下老家，卻怎麼也找不著工作。原以爲去應徵旅行社的工作，卻變成葬儀社的禮儀師，原來這就是「送行者」。

起先他自己不適應，迫於無奈只好遷就，後來在老闆的帶領下，發現這份工作有神聖的意義，不但能給逝者尊嚴，也能幫生者保存美好回憶，更讓自己了悟人生眞諦。結果，他太太發現他的眞實工作，非常不諒解，逼他改行。在偶然的機會，太太親眼看到他爲死者服務的細緻過程，才體會先生的執著。就在一切圓滿之際，主角得知早年離家出走的父親身故，再一次揭開他童年的缺口，和對父親行爲的質疑。直到他爲父親處理遺體，發現父親臨終前，念念不忘的，正是對他的思念。

瀧田洋二郎處理本片，手法細緻，節奏在一笑一哭，一悲一喜之間，讓觀眾笑中有淚，淚中有幽默，在悠揚的大提琴協奏曲中，得到輕鬆又深刻的體悟。

他完全沒有使用特效，全部運用最純粹的說故事手法，讓觀眾得到發自內心的感動。這可能是他拍 A 片鍛鍊出來的能力，A 片都是在極低的預算，在很原始的狀態下完成的。當然 A 片也有好看、難看之分，不只是主角的臉蛋、身材就能決定的吧！

整個片子其實跟瀧田洋二郎自身歷程有異曲同工之妙，社會一般不看好，甚至看不起的工作，反而有投入的空間，而且會在那裡挖到人生的寶藏。

2.23 學到老，救到小

活到老，學到老。這句話有時候可不是說好玩，是生死關頭的事。

台北市一位六十四歲的女士莊秀玉，平常熱心公益，她志願加入士林區仁勇里的志工，已經有三年。

2014 年 2 月 23 日晚上，她在里長的號召下，和三十幾位里民一起在消防局後港分隊學習 CPR、AED、哈姆立克法急救術，並且得到學習認證。

巧的是，第二天晚上，她十歲的外孫吃完晚飯，看到有水梨可吃，就拿起來往嘴裡塞。莊秀玉才講完：「不要急，吃慢一點。」孫子就突然站起來，發不出聲，拼命用手挖喉嚨，然後倒在地上，陷入昏迷。

女兒、女婿不知所措，莊秀玉前一天學會的哈姆立克法急救術立刻派上用場，她一邊指示女婿環抱孫子急救，一邊叫女兒去打 119 求救，接著她再接手施以心肺復甦術。

救援人員趕到時，莊秀玉已經排除孫子口中的水梨，讓他恢復意識。救護員要接手時，孫子放聲大哭，大家鬆了一口氣，異物完全排除。孫子再經醫生檢查，確定毫無問題，小孩只記得：「我只聽到阿嬤一直叫我！」

好心、好學的外婆，救了孫子一命！很多事我們得學起來，你不知道什麼時候會用到！

2.24 偏見

偏見，像烏雲一樣會擋住太陽。而集體的偏見，更是能把原本理性的人都捲進偏見的龍捲風，而且久久不會消散。

1941 年 12 月 7 日，日本偷襲珍珠港，重創美國。美國本土立刻颳起排日的颶風，牛奶公司拒送牛奶，商店拒賣東西，銀行不給兌現支票，保險公司註銷保單，加油站不給加油，公共廁所不給上。理髮店掛著「日本鬼來刮鬍子，發生意外概不負責」的牌子，餐廳貼出告示「老鼠和日本鬼，本店一概毒殺」，連教堂的牧師都阻止他們做禮拜，說：「去你們自己的佛寺，不是更好嗎？」。

民間瘋反日，政府也來火上澆油。日僑最多的加州，下令解除日裔的公職，吊銷他們的律師和醫生執照，禁止出海捕魚。加州的檢察長還說：「美國國內沒有出現日裔的破壞活動，正好說明他們有多麼奸詐，多麼詭計多端。」

地方政府瘋，聯邦政府也來參一腳。1942 年 2 月 19 日，羅斯福總統簽署 9066 號命令，授權軍方可以將「有關人等」安置在特定地方。意思就是讓軍方拘留日僑，不用理由、罪名。內閣全部贊成，只有司法部長佛朗西斯．比德爾（Francis Biddle）一個人反對。外面支持比德爾的，有胡佛和塔虎脫兩個前總統，還有科羅拉多州州長拉爾夫卡爾（Ralph Lawrence Carr）。就這四個人，不但沒人聽，他們還飽受攻擊。

結果命令一發佈，軍方只給日本人四十八小時收拾行李，然後將他們載往加州到阿肯色州之間的集中營。總共關了十二萬的男女老幼。他們被迫放棄住家、房屋、店鋪、莊園。銀行存款、股票都沒收，連酒和剃刀也充公。而日裔完全沒有人抵抗、逃跑，不但乖乖被關，每天在集中營還升美國國旗，唱美國國歌。

另外妙的是，排日只在美國本土，像被日本偷襲的珍珠港所在地夏威夷，全島有十五萬日裔，並沒有像這樣大規模清理，只有一千二百人被拘留。

1943 年 1 月 28 日，因爲戰爭需要，當初主張把日本人關起來的陸軍部長史汀生向日裔招募參軍，當天就有一千二百人報名。整個二戰共有三萬三千名日裔組成的 442 聯隊，和第 100 步兵營都被派往歐洲戰場，他們成爲美軍歷史上得到榮譽最多的部隊。

整個二戰期間，沒有一個日裔叛逃，陣亡九千人。他們一共獲得 9486 枚紫心勳章、4000 枚銅星勳章、560 枚銀星勳章、56 枚陸軍特等勳章。在太平洋戰爭中，日裔軍人破解了日本軍用密碼，讓美軍洞悉山本五十六的行蹤，派出十六架戰鬥機突襲擊落山本的座機，輕易幹掉日本最神武的大將。

其實兩次大戰領導美軍打垮德國的將軍——潘興和艾森豪都是德裔。所以基本癥結點，還是「種族歧視」。

1944 年羅斯福總統開始爲日裔辯護，稱讚他們也是忠誠的美國人。到了年底，最高法院終於宣判拘留日裔美國公民是違反憲法。這時政府轉向，想要平息風浪，但民間排日的情緒卻停不下來，一直持續到戰後。

1983 年 2 月 24 日，對日裔美人是一個重大的日子。這一天美國政府正式承認在二戰期間拘留日裔是一項錯誤。1988 年雷根總統簽署「國民自由法案」，正式道歉，賠償給被拘留的日裔美人，一個人兩萬美金。1992 年布希總統再追加兩萬，形式上到此畫下句點。

拘留事件對日裔的社經地位有意想不到的改變，他們原來多半是經營園藝、漁業、雜貨店，結果全部泡湯。從集中營走出的新一代日裔，不得不放棄上一代過去的產業，而轉向在高等教育力爭上游，然後成爲醫生、律師、科技、金融各種專業人才。在戰前，日裔的白領階級只有白人的一半比例，戰後快速提升到比白人高。而在夏威夷沒有受迫害的日裔，到現在白領階級和戰前一樣，遠比白人低。今天美國一般家庭平均收入如果算 100 的話，日裔家庭有 132，僅次於猶太裔的 172。

這個事件是美國歷史上重大的人權汙點。幸好陸續有許多人，以良心、良知，點亮正確的方向，使美國知錯、反省、改變，才能從黑暗的路走回光明。

時間、歷史，當然會審判一切。但中間多少人的青春歲月、多少人的幸福夢想，都是無辜且白白的犧牲。

2.25 又笨又勤快

有個笑話說德國在一次大戰時，把人分四種來動員。一種是又聰明又勤快的，這種人就調去前方當指揮官，他可以帶兵打勝仗。另一種是又聰明又懶惰的，這種人留在柏林大本營，可以運籌帷幄，又不會把大家操過頭。還有一種是又笨又懶惰的，這種人也有用，全部叫去當士兵。你說一動，他才做一動，他不會亂搞亂動。最後一種是又笨又勤快的，這種人要先全部槍斃，否則敵人還沒有來，德國已經先被他搞垮了！

1914 年第一次世界大戰開打，說是「世界大戰」，其實是「歐戰」。是英國、法國、俄國和德國、奧國、土耳其開戰。美國認爲這是歐洲的互相殘殺，他們壓根不願介入。威爾遜總統也一再向國民保證，他絕對不會派子弟去歐洲白丟性命。美國雖然同情英國，給他們許多物資援助，但盡可能在軍事上保持中立。就連 1915 年 5 月，德國潛艇用魚雷擊沉一艘英國商船，上面有一百多個美國平民罹難，威爾遜總統也只是對德國警告，完全沒有改變中立立場，堅持絕對不會參戰。

大戰打到 1917 年，兩邊都殺得國疲力竭，德國感覺英國有美國物資援助，戰爭拖久，一定對自己不利。所以想要再啓動「無限制海戰」，就是不管是不是中立國的商船，只要是開往英國的，德國就會攻擊，他們想打斷英國的外援，好贏得勝利。

頭痛的問題是美國，如果打沉了美國船，萬一激怒美國參戰，那可就殺雞不成，反而掉在坑裡。大夥正在焦慮中，有一個人的腦袋燈泡突然點亮。這個人是德國的外交部長亞瑟·齊默曼（Arthur Zimmermann），他想如果美國自己的後院失火，那美國救火都來不及，就不可能插手管歐洲的事。那要放什麼火？齊默曼想要慫恿墨西哥向美國開戰，奪回德州、新墨西哥州、亞利桑那州，這些地方本來是墨西哥的領土。德國會提供軍事、物資和金錢的援助，還可以幫忙說服日本加入墨西哥，一起打美國。這豈不是異想天開？墨西哥怎麼可能打得贏美國？齊默曼也明白，他的目的只是希望墨西哥放火，牽制住美國，不讓美國來歐洲參戰，那就大功告成。至於墨西哥以後會怎樣？那是他家的事。

於是齊默曼就在 1917 年 1 月，把他的偉大戰略用「密電」傳送給德國駐美大使約翰·范·貝倫史朵夫（Johann van Bernstorff），要他把這封密電轉發給德國駐墨西哥大使，再轉呈給墨西哥總統。

這封密電被英國海軍情報單位截獲，問題是密碼是新的，由一萬個詞組構成，還有一千個數字碼對應。英國人當時還解不開，只感覺這封密電好似不尋常，但卻無法得知詳情。你說，齊默曼爲什麼不直接拍給駐墨西哥大使？幹嘛兜一圈？這就是齊默曼的妙計，如果直拍去墨西哥，怕英國人看破。所以故意迂迴一下，來掩人耳目。

問題是，德國駐美大使貝倫史朵夫用新的密碼譯出電文，他用舊的密碼拍到墨西哥。而舊的密碼已經被英國人破解，所以才要換新。好死不死，英國在墨西哥電報局有一個臥底，他拿到了這份用老密碼打的電文拷貝。

英國人立刻把電文解密，在 **1917 年 2 月 25 日**送到美國總統威爾遜的手上。電文的內容重點是：

一，德國要重開無限制海戰，美國船也照樣打沉。

二，德國要幫助墨西哥入侵美國，奪取德州、新墨西哥州、亞利桑那州。

三，最好邀日本一起來打美國。

威爾遜看到電文，當然是震驚加震怒。我不管你們打來打去，你德國竟然跑到本大爺頭上動土，孰可忍孰不可忍？3月1日，威爾遜公布消息，美國群情激憤。4月6日，美國國會通過戰爭決議，正式參戰。這開始才算「世界大戰」！結果大家都知道。

齊默曼和貝倫史朵夫正是那第四種「又笨又勤快」的雙人組，是不是應該先槍斃？

●德國外交部長亞瑟．齊默曼的一份密電，改變了一戰的歷史。

2.26 先見之明

凡事豫則立，不豫則敗。棋手下棋，在比什麼？比誰先看出對方未來的步數，誰就能得勝。司馬遷所道：「明者，達見於未萌；而智者，避危於無形。」

1993 年 2 月 26 日，紐約世貿雙塔大樓的地下停車場，一輛裝有 680 公斤炸彈的汽車，被恐怖份子引爆。造成 6 人死亡，1042 人受傷。

瑞克．李斯科拉（Rick Rescorla）是摩根史坦利的保全主管，他是越戰退伍的上校。摩根史坦利辦公室位在世貿南大樓，爆炸發生時，他是最後一個撤出來的人。其實在爆炸案發生前，他早就感覺地下停車場的保全不夠，很容易襲擊，但沒人在意他的警告。

這次事件發生後，李斯科拉以他軍事的涵養，判斷世貿雙塔大樓是一個最佳攻擊目標。他預測恐怖份子下次會用飛機來攻擊世貿大樓，所以爲了預防萬一，他計畫每年全公司的員工要做兩次「緊急逃生演習」。很多員工以爲他想像力太豐富，抱怨他太多事。但因爲他的堅持，而且他上次就算得準，所以公司同意按他的計畫執行演習訓練。這樣的訓練，進行了八年。

2001 年 9 月 11 日，果然飛機襲擊了世貿大樓，和李斯科拉預見的一樣，不同的是他沒想到是用民航機來發動攻擊。當第一架飛機在 8 點 46 分撞到世貿北大樓，紐約港口事務管理部要南大樓的人，留在原地不要亂動。李斯科拉大罵一聲，當機立斷拿起擴音器指揮，要全體員工立刻按演習逃生。結果第二架飛機在 9 點 03 分撞到南大樓時，短短十七分鐘他已經成功從高樓層，撤離了兩千五百多人，他的預見又再一次拯救了許多人命。

但是李斯科拉在南大樓起火爆炸後，主動回到大樓，全力幫助大樓內的人逃生，六十二歲的他堅持要最後離開，不幸因此遇難。如果不是他有先見之明；如果不是他堅持逃生演習，摩根史坦利的二千五百多個員工，不會那麼幸運的只有十三個人遇難。光有先見還不夠，一定要有所行動。音樂劇《戰士之心》Heart of a Soldier，就是將李斯科拉的英勇事蹟改編，作為對他的致敬。

● 李斯科拉是越戰退伍的上校，後來改做保全主管，在 911 事件時拯救二千五百條人命。這是他在戰場上的英姿。

2.27 只能再做一任

1951 年 2 月 27 日，美國通過憲法 22 號修正案，確定以後任何人在任何情境，做總統最多只能做兩任，絕不可再做第三任。

這個規則本來沒有寫在憲法裡，本來也不需要寫，它來自一個優良的憲法習慣。當 1808 年傑佛遜總統連任一次、做滿兩任時，許多人支持他再連任。但是他不要，他認爲一個人只在一個職位上，不會做得再好。只要做太久，一定做不好。總統做兩任，八年，實在太久了。偉大如華盛頓也只做了兩任，其他人不應該做得比華盛頓久。所以他堅持不再競選連任。從此建立了這個總統只做兩任的憲法習慣，即使沒有白紙黑字寫在憲法上，後來的總統只要做滿兩任，絕對不再競選。

問題是到了 1940 年，第二次世界大戰正在進行。羅斯福總統打破了一百五十年的慣例，競選第三任總統，也當選了。到了 1944 年，美國已參戰，戰爭到了最後、最要緊的關頭，所以他又當選總統，沒做完任期就死了。他一共當選四任總統，雖說戰爭中是特殊狀況。但一個人做太久，不管怎樣還是不好。所以戰後，國會就提出憲法修正案，到此確定以後不管怎樣，都不可以再有羅斯福的情況了。這個規則也成爲世界民主政治，有關職位任期的基本規則。

這個兩任不再選的慣例，只是傑佛遜許多偉大貢獻的一小件。他不只是偉大的政治家，還精通建築學、數學、園藝學、生物學、考古學、詞源學、密碼學、測量學，他是作家、律師、小提琴手。甘迺迪總統在一個宴請四十九個諾貝爾獎得主的晚宴上，說過一段名言：「我覺得今天晚上的白宮，聚集了最多天才和人類的知識。或許除了當年傑佛遜一個人在這裡吃晚餐的時候不算。」

傑佛遜不只聰明過人，他的遠見、言論、人格對民主政治而言，是一座高聳的燈塔。

他死前要求在他死後的墓碑，只能刻他寫下的文字，其他一個字都不能多。

> 美國獨立宣言的撰寫者
> 維吉尼亞宗教自由法及
> 維吉尼亞大學建立者
> 長眠於此

如果對民主政治有疑問，只要從傑佛遜留下的名言，就可以找到答案！

● 民主政治的燈塔傑佛遜

2.28 掃雷新尖兵

想出新辦法的人，在他的辦法沒有成功之前，人們總會說他是異想天開、神經病！

老鼠，是什麼東西？專門給人找麻煩的小傢伙。偷吃你的東西、疾病的傳染者，女生看到牠就是尖叫加噁心。如果現在告訴你老鼠能救人，救很多人，你會不會說異想天開、神經病呢？

內戰，是非洲許多國家最大的苦難；地雷，是最長時間的威脅。像莫三比克經過了十六年的內戰，到處都埋藏著地雷，但沒人清楚埋在哪裡？農人種田、小孩玩耍，隨時會踩到地雷，不是失去生命就是失去手腳。

「比利時安特衛普掃雷組織」簡稱 APOPO，就是爲幫助非洲國家清除地雷的民間組織。他們發現現有的掃雷方法都不理想，金屬探測器無法區分地雷和鐵釘，而且佈雷常是複式佈置，掃雷人員的危險性很高，所以耗時耗人。地方這麼廣，地雷這麼多，怎麼來得及清？武裝的推土機只能在平坦的土地使用，數量也有限。掃雷犬雖然靈敏，但因爲是複式佈雷，大狗容易傷亡。而且狗的訓練時間很長，狗的傷亡更會帶給搭配的掃雷人員心理創傷。

APOPO 的創辦人巴特威俊斯（Bart Weetjens）想出一個妙招，他小時候養過寵物老鼠，他覺得老鼠靈敏、輕巧、聰明、容易訓練。更棒的是數量很多很多，非洲本地就有。不像狗，能成爲工作犬的都是外地品種，牠們進入非洲常常水土不服，感染疾病。巴特認爲「老鼠」就是掃雷大軍的解答。

當然，掃雷專家都覺得他異想天開。但他了解老鼠，他堅持，說服比利時政府給了一筆補助。他挑選一種非洲到處可見的老鼠，讓老鼠聞火藥，然後給牠吃香蕉。再把火藥、汽油等不同氣味的物質，分別塞進多孔的金屬球，並埋在土裡。老鼠聞出火藥，在表面抓出記號後，就給牠香蕉當作獎勵。反覆訓練八、九個月，就能養成會掃雷的老鼠，巴特把牠們稱為「英雄鼠」。

2003年2月28日，APOPO的「英雄鼠」正式開始在莫三比克展開掃雷工作。英雄鼠佩戴紅色的圈繩，沿著繩子拉出的路線跑去，聞到地雷就會停下，然後在表面抓出記號，讓專家找到並破壞地雷後，訓練師會發出金屬哨聲，老鼠就沿繩子跑回來領取獎賞──半根香蕉。

以前兩個掃雷專家花一天的時間，可以清除二百平方公尺的地雷區。現在兩隻英雄鼠花兩小時就完工。光在莫三比克，英雄鼠已清除二百萬平方公尺的地雷區，成效奇佳。

根據聯合國的統計，現在全世界還有一億一千萬枚地雷等著清除，每二十分鐘就有一個人因誤觸地雷喪生或傷殘，一年有兩萬六千人受害，九成是平民。我們的金門、馬祖的海灘也有一大堆地雷待清。巴特說老鼠在海灘掃雷，效果應該一樣好。

APOPO現在不只掃雷，還幫忙解決非洲另一個大問題：肺結核。肺結核一年奪走兩百萬人的性命，問題不是檢驗不出來，而是檢驗的時間太慢，帶菌者被發現時，可能已經傳染給更多人。要命的關鍵是時間，如何能更快檢驗出被感染的人？答案是……對了，老鼠！APOPO訓練老鼠聞人的唾液，就能判定有沒有感染肺結核。一個專業人員用儀器一天只能檢驗四十個樣本，一隻老鼠一天可以檢驗一百個。給老鼠吃香蕉，牠就很開心，不用付薪水，而且老鼠有很多很多。既省錢又超有效率。

巴特說：「總結來說，人們可能會以爲這些專案是有關老鼠，但其實是有關人。這是有關脆弱社群對抗困難、昂貴和危險的人道任務。同時，使用的是當地的資源，源源不絕的資源。要持續挑戰你的認知。關於周圍的資源，不論那是環境、技術、動物或人，心懷尊敬與他們和諧共處，才能促進永續的志業。」

是的，不管我們想做什麼？有什麼夢想？儘管開始，不要停！你會有意想不到的聰明、力量和神奇！

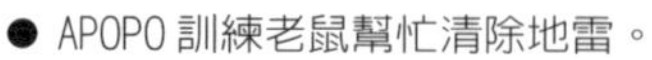

● APOPO 訓練老鼠幫忙清除地雷。

2.29 八十九歲的長征

一個八十九歲的老太太，如果身體健康，吃得下，走得動，應該要幹嘛？澆澆花、打打牌、看看電視、散散步？

桃莉絲·哈朵客（Doris Haddock），一個八十九歲的美國老太太，有一天從洛杉磯出發，她要橫越美國，一路徒步走到華盛頓。

走過加州的沙漠，一輛輛大卡車呼嘯而過，把她淹沒在捲起的沙塵中。狂風吹得她踉踉蹌蹌，心愛的帽子被狂風吹掉，翻滾在仙人掌叢中。她沒有停下腳步，繼續向前。

到了亞利桑那，酷熱、乾旱、嗆人的灰塵，也不能阻止她。西維吉尼亞的山路讓她鞋子都結了一層冰，即便雙腳在寒冷的鞋子裡淌血，也沒有擋住她。

走到路易斯安那，有人給她一根結實的橡木拐杖，她把枴杖掛上她的旗子，扛在肩上前進。她每天確定的，就是今天要搞定十六公里！

大家都叫她 D 婆婆，她從 1999 年 1 月 1 日出發，走了 5120 公里，在 **2 月 29 日**到達了華盛頓。她不要人家問她「究竟是如何做到的？」，她要大家問她「為什麼這麼做？」。對，為什麼？

D 婆婆對金錢操控美國政治，實在看不下去，她要用徒步橫跨美國的壯舉，喚醒大家來立法「禁止利益團體的政治獻金」。她想她這把老骨頭，走過一般年輕人都走不完的路，一定能吸引大家的目光，讓人們看清政治獻金浮濫的嚴重！

是的，正如她所料，她一出發就得到媒體關注，但剛開始大家都以爲是一日花絮。但她一天撐過一天，而且她不睡旅館，有時累了就從背包拿出睡袋，就地睡在路邊。當她走到城鎮，她還會向人們演講。

她在小石城，在馬丁·路德·金恩的講壇，宣揚她的改革理念。她把這次行腳，看做是一種沉思，一種以甘地和金恩的方式，來表達對世界的愛。

她沒帶食物，行腳時她不進食，一直走到有人給她東西吃；她不休息，一直走到找到棲身之處。她不擔心，因爲一路上隨時有人在爭著向她致敬、爲她服務。在街角，遇到有人爲她拉小夜曲；在路口，有樂隊爲她前導；在荒野的公路，有哈雷機車的騎士隨侍一旁接棒護送。D 婆婆走到華盛頓時，有二千多人等著歡迎她。當然也來了很多政客。

4 月 21 日，D 婆婆與二十九個支持者進入國會大廈，張開標語、演講，說要像掃門前的落葉一樣，把國會中的壞蛋都掃出去！

美國法律禁止在國會大廈、最高法院、國家圖書館集會、示威。違反者最高可判六個月監禁、五百元罰款。D 婆婆因此被起訴。5 月 24 日她在法庭認罪，被判監禁五小時，罰金十塊錢。

她的行動，終於促成了對政治獻金更嚴格的限制，「麥肯·費因勾」McCain-Feingold 法案。但她不滿意，感覺不徹底。骯髒沒有全清除，很快又會在暗處滋生。果然，接下來的 2000 年 11 月的選舉，估計選舉花的錢，是有史以來最多的一次。送錢要多，才能多花錢。花錢越多，送錢的聲音也就越來越大。

D 婆婆再次行動，這次不走路，她開車，去那些「搖擺州」，鼓勵女生出來投票。她總共開了 542 公里。

D 婆婆年輕時，本來夢想要登上舞台。後來做過鞋廠的秘書，升為經理。她對鞋子很內行，知道穿什麼走最舒適。她關心社會的熱情，從來不滅。1960 年她和老公跑到阿拉斯加，抗議美國核爆，成功阻止政府在那裡試爆氫彈。她不是老了沒事做，老瘋癲！

2001 年，民主黨在新罕普什爾州的參議員候選人，因為競選經理捲款潛逃，所以臨時宣布退選。此時離登記參選的期限不到一天。此時，D 婆婆跳出來宣布參選，沒人競爭，成為民主黨提名的候選人。

這時她已是九十四歲的超級婆婆。雖然結果沒勝出，但贏得了尊敬與轟動！

2007 年 1 月，她要歡慶一百歲生日前，最高法院居然否決了她當時推動的法案，其中最要緊的條文。D 婆婆再次行動，她不忙著慶祝大壽，而是忙著給九個大法官，她口中的「九個混蛋」寫信。威脅他們如果不改正，她要再以他們意想不到「驚人的新路線」來保衛民主！

可惜 D 婆婆在 3 月 9 日過世，活了一百歲！可惜我們看不到她再一次的英雄事蹟。但這一百歲的人生，真是叫我們見識到什麼是「老驥伏櫪，志在千里」！

生命力如此興盛，憂國憂民，卻不憂自己，到最後一天還在為大社會奮鬥，她根本沒空想到自己的「老」。

她活著的每一天都是如此精采！這不就是我們最羨慕的生命方式嗎？

● 為了喚醒大眾對政治獻金問題的重視，D 婆婆徒步橫跨美國。

3月

March

我們有時候不知道，

自己是一個齒輪，

當我們轉動時，

會帶動另一個齒輪，

又另一個齒輪，

產生想像不到的力量。

3.1 陰溝裡仰望星空

王爾德是愛爾蘭人，也是英國文壇的超級巨星！他寫的劇作《不可兒戲》、《溫夫人的扇子》、《理想丈夫》…… 每一齣都轟動。他寫的小說、童話、散文，都能造成洛陽紙貴。他擅長社交，打扮入時，倫敦的宴會派對最能聚集人氣的一句話就是：「王爾德也會來唷！」王爾德通過美國海關時，海關人員問他有沒有東西要報稅，王爾德說了這句名言：「除了天才以外，別無餘物！」

王爾德雖然有可愛的妻子，又生了兩個兒子，但他真實的性傾向是同性戀。所以當他遇到年輕俊美的大學生道格拉斯（Alfred Douglas），他發現找到了最愛。但是道格拉斯被他寵壞了，不但大肆揮霍，使王爾德債台高築，還不時要求公開他們的戀情。可是當時同性戀在英國仍是犯法的行爲。

1895 年 3 月 1 日，王爾德在俱樂部收到一張卡片，上面寫著「雞姦者」！卡片是誰寫的？是約翰．道格拉斯（John Sholto Douglas），他是王爾德的愛人道格拉斯的父親昆斯貝里侯爵。你看，當時社會觀念多保守。侯爵認爲他的兒子會變成同性戀，都是被王爾德帶壞的。

王爾德一氣之下，幹了件蠢事。他居然控告侯爵毀謗。問題是侯爵講的話可能不禮貌，但他說的是事實，事實不構成毀謗。麻煩的是事情鬧上法庭，那法庭就不能坐視王爾德的同性戀行爲。

但王爾德太過自信，他真的以爲以他的光環，可以征服全世界。所以他想要藉此機會，在法庭展現他過人的聰明才智，公開抨擊僞善的上流社會，並改變對同性戀不公平的法律。所以王爾德穿上華麗的衣服，胸前別了一朵花，如巨星降臨般來到法庭，發表精采的演說，旁聽的觀眾也不時給他喝采。要命的是，侯爵的律師根本不在意王爾德的表演，單刀直入就問他是不是「雞姦者」？以王爾德高貴的性情，他不屑說謊，但他迴避直接回答，引用柏拉圖、米開朗基羅、莎士比亞⋯⋯講一大串優美的文句。但問題是，法庭認定他「是」。所以他從原告變被告，罪名是「雞姦」。

朋友都勸他逃去外國，道格拉斯也要跟他走，但王爾德太高貴，他不要逃，他寫信給他的愛人說：「我必須留下來，這樣做才是高貴的！使用假名，喬裝打扮，一輩子遭通緝，這一切都不是我要的。即使身陷牢獄，只要有你的鼓勵，我就能高歌，我會在深淵中呼喚你！」

除了「高貴」讓王爾德不能逃走，還有他以爲：「我已沒什麼尙未受過的事，我將靈魂的精華浸入酒中，我好像生活在蜜池中，繼續如此生活是錯的。我決定打住，我必須往前走。花園的另外一半還有我要探索的奧秘。站在最高點是疲憊的，我已下定決心要向深淵，尋求新的震撼！」他感覺他沒有失敗過，爲了豐富人生經驗，他願意遭受挫敗！

問題是，他想得很美。眞實牢獄生活可不是人過的，更不是王爾德這種養尊處優的人所能承受。他在牢中兩年，受盡折磨。出獄後，眞的嘗盡人情冷暖。除了蕭伯納等幾個人爲他仗義執言，其他所有人避之唯恐不及，使他受盡屈辱。

王爾德選擇去巴黎，嘗試與妻子復合，失敗。道格拉斯到巴黎與他再續舊緣，但此時的王爾德已經風光不再，不再是昔日那個人人抬頭仰望的天才，而是一個受盡折磨、面容憔悴、身材走樣的中年人。任性，再一次讓道格拉斯離開王爾德。幸好王爾德第一個同性戀情人羅伯特·羅斯（Robert Robbie Ross）不計較王爾德移情道格拉斯，來到巴黎照顧他。1900 年王爾德最終死在巴黎，年紀只有四十六歲。死時只有羅斯和另一個朋友在他身邊。與他生前的風光，眞是一暖陽一寒冰。羅斯死後，與他合葬在巴黎。

時間過去了一百年，英國才在 1998 年 11 月 30 日在倫敦的特拉法爾加廣場，爲王爾德豎立銅像，彰顯這個飽受英國摧殘的天才。雕像下刻著王爾德的名言：

我們都在陰溝裡，但仍有人仰望星空！

● 俊美、優雅、天才集一身的王爾德

3.2 尋找甜秘客

把自己看成珍珠，你可能有被泥土埋沒之苦。不如把自己視為泥土，讓別人踩著你踏出一條路。

希斯托．羅利葛斯（Sixto Rodriguez）在底特律白天做建築工，晚上在咖啡館工作，時不時在小酒館拿著吉他演唱，唱的都是他自己的創作。有一天，來了兩個音樂製作人，丹尼（Dennis Coffey）和麥克（Mike Theodore），他們發現了羅利葛斯這個天才，他的曲風、歌詞、個人特質，就像搖滾先知，簡直是第二個巴布迪倫。他的創作在強烈的批判中，透露淡淡哀愁，在 1970 年那個反越戰的反省年代，和市場完全對味。

丹尼和麥克想這根本是在路邊撿到寶，立刻簽下他。出了首張專輯《冰冷眞相》Cold Fact，沒想到銷售眞的超冰冷。不可能，天才怎麼會被埋沒？ 1971 年再出一張《來自眞實》From Reality。結果前後只賣了六張唱片，這下眞的是踩到香蕉皮，跌在冰天水泥地。他們雖然不相信，想不通，但事實冷酷擺在眼前。羅利葛斯就此在美國歌壇人間蒸發，有人說他舉槍自盡，有人說他在小舞台上自焚而死。

想不到羅利葛斯的《冰冷眞相》，卻飄洋過海在澳洲大紅起來，他的原版唱片炒到三百美金一張，四十年前這可不是小錢，但有錢也買不到。接著又過大海來到南非，南非超誇張，他的唱片大賣破五十萬張。

南非當時實行種族隔離政策，保守壓抑的社會，使得白人青年也如同窒息。羅利葛斯像來自自由世界的新鮮空氣，南非年輕人急切的想要呼吸。南非人都以爲羅利葛斯在美國是和貓王、巴布迪倫、滾石合唱團齊名，哪裡知道美國沒人知道他是誰？

馬力克．班德傑勞（Malik Bendjelloul）是個瑞典紀錄片導演，他2006年到非洲旅遊，想順便尋找拍片的題材，在南非偶然遇見外號叫「小甜客」的史提芬．西格曼（Stephen Sugar Segerman），因爲羅利葛斯的《冰冷眞相》專輯中有一首最受歡迎的歌，名爲「甜蜜客」Sugar Man，南非人人會唱，所以大家叫他「小甜客」，他當然是羅利葛斯的超級粉絲。他非常訝異班德傑勞不知道他們的「歌神」，便放「甜蜜客」給他聽，班德傑勞一聽，全身如同觸電！奇怪，這麼偉大的歌手，怎麼會沒紅呢？羅利葛斯是誰？他在哪裡？是死？是活？班德傑勞找到了拍片的題材。

他們開始尋找「甜蜜客」，用盡各種方法，找不到。當時製作專輯的兩個製作人，也不知道甜蜜客的下落。後面他們想出一個怪招，他們和牛奶商合作，把「尋找羅利葛斯」的訊息印在牛奶盒上，大海撈針，碰碰運氣。有一天，在南非的西格曼接到一個年輕女子從美國打來的電話，電話中說：「我是羅利葛斯的女兒伊娃，你們找我爸爸幹什麼？」

哈，甜蜜客沒有死，絕的是伊娃不知道她爸爸曾是出過唱片的搖滾歌手。班德傑勞接到消息，立刻飛去底特律找甜蜜客。沒想到羅利葛斯超低調，他過著隱居般的生活，他白天做建築工，住在一個不起眼的房子。沒有電腦、沒有車、沒有電視，不可思議的生活在美國汽車大城。羅利葛斯不想曝光，不想再被發現，不想拍紀錄片。

班德傑勞不死心，他自己先籌錢拍其他的部分，每年飛來底特律找羅利葛斯。來了三次後，羅利葛斯終於答應讓他拍。羅利葛斯也因此答應小甜客西格曼的邀請，到南非開演唱會。

1998年3月2日，南非人等待四十年的「神」，踏上南非的土地。他出現在演唱會舞台上時，現場數萬觀眾起立歡呼，長達十分鐘之久。羅利葛斯對歌迷講的第一句話是：「謝謝你們，讓我活著！」

羅利葛斯發片那年十九歲，失敗，他毫無所謂。他大學讀的是哲學系，畢業後他一直在做建築工，每天搬石頭、背磚塊、扛木條、蓋房屋。他以藍領工人維持生計，但平日他都帶三個女兒去博物館、美術館、圖書館，跟孩子講故事、講文學、唸詩，生活中盡是人文藝術。他從不提起過去曾是搖滾歌手，從不自怨自艾，對人親切，對事平淡。有錢都給女兒和朋友，自己只維持基本生活。他對女兒說，人只需要食物、衣服、住所就夠，其他都是多餘。

而勞動規律的生活，使得他年近六十，重新站在舞台上，仍然體力充沛。一首一首歌唱下來，音樂、節拍完全精準到位零誤差。而且他上場前，並沒有和配合的樂隊排練，因爲他個性隨緣隨喜，不要排練。他想眞眞實實、自自然然把歌唱給愛他的歌迷聽。

說到導演班德傑勞，拍這部紀錄片，總共花了六年時間。到了第三年，他拍片的錢就用光了，怎麼辦？他用最便宜的工具，許多片段，你想不到他是用 iPhone 拍的。影片回顧羅利葛斯的年輕歲月，他用動畫來表達，做動畫很貴，你想不到他是在自己家的餐桌上，一張一張，全部自己親手畫完。最後眼看就要破產，幸好他遇見好萊塢的製作人西蒙齊恩（Simon Chinn），片子才能收尾，完成了Searching for Sugar man ，台灣翻成《尋找甜秘客》。

《尋找甜秘客》一公開上映，票房大賣、佳評如潮、得獎無數。前後得到了三十一個大獎，包括 2012 年的奧斯卡最佳紀錄片。

導演邀羅利葛斯去參加奧斯卡頒獎典禮，他婉拒。得獎時，他在家睡覺，是女兒打電話告訴他，他才知道。片子得獎後，甜蜜客聲名大噪，演唱會邀約不斷，從一場六千人到一萬八千人，一年在美國就有三十場。他當然收入大增，光在南非的收入就有七十萬美金。但羅利葛斯一毛錢也沒有放進口袋，他把錢都給了三個女兒和老朋友，還是過著平淡、平凡、平靜的生活。

他真的好像在城市散步的「搖滾耶穌」，讓我們看見質樸的人生價值。

●「甜蜜客」希斯托 · 羅利葛斯

3.3 黑暗中的光明

火炬能發光發熱，照亮人間，但要有人點著才行。

安（Anne）的父母從愛爾蘭移民到美國，都是文盲，家境貧困。更糟的是父親有酗酒的問題，一發酒瘋，行為非常粗暴。安從小生活在這種恐懼不安的環境中，沒有受到基本的照顧。所以她五歲時得了沙眼，缺乏治療，造成雙眼幾乎全盲。七歲時母親過世，父親把她和弟弟丟到孤兒院，不久唯一的弟弟也因體弱得病而死。她的人生理應是一片黑暗，毫無未來。

在孤兒院裡，安也沒有受任何教育。有一天，當慈善團體的理事來院內訪問，她抓住機會，勇敢衝出來，請求給她教育的機會。這個舉動感動了理事，便把她送去波金斯盲人學校（Perkins School for the Blind）。她自己點著自己的火炬，在黑暗中找到一點光明，辛苦、奮力的向前走。安在學校比別人加倍努力，成績非常優秀。不只突破眼睛嚴重弱視的障礙，她更把自己的經驗轉化成教育其他盲人的學習方法。

所以當又盲、又聾、又啞的小女孩需要教育時，學校便決定推薦安去，當時安只有二十歲。**1887 年 3 月 3 日**，安來到小女孩家，見到六歲的海倫。海倫在十九個月大時得了急性腦炎，失去聽力和視力。但她天資聰明，稍稍長大便能用自創的手語和家人溝通。但隨著年齡成長，她對世界的好奇，和她想表達的東西，都不是原來簡單的交流可以滿足。

所以海倫的脾氣就變得越來越暴躁。動不動就摔東西、打別人，而她的父母不忍心孩子的處境，每次她一發脾氣就給她糖果安撫她。安了解後，先糾正海倫父母的錯誤，然後以無比的耐性，一點一滴改變海倫的行爲。

她先與海倫建立新的溝通方式，她在海倫的手心上拼字 d、o、l、l，娃娃，這是她送給海倫的見面禮物。但是海倫這時還沒有學過「一對一」的概念，就是 doll 這個字是對應娃娃。接著，安又教她 m、u、g，馬克杯，海倫的腦子就混亂了，她在挫折後，把沮喪變成怒氣，像火山一樣爆發，把娃娃摔爛！安不動氣，但不妥協，她不隨海倫鬧性子，繼續一個字一個字反覆教她。過了一個月，有一回冰涼的水流過海倫的手，她突然意識到安在她手心上寫的字母，她反應，在安的手心上寫出 w、a、t、e、r，這是她學會的第一個字，「水」。從此海倫的腦子打開了一道大門，她找到和世界溝通的方法。

安繼續教她更多字，讓她擴大探索世界的範圍，並教會她點字和生活的禮儀。海倫從此變成完全不同的樣子。

海倫十歲時父母又爲她請了莎拉．傅樂（Sarah Fuller）老師，教她說話。方法是海倫用中指放在老師的鼻子，食指放在嘴唇，大姆指放在喉嚨，來學習說話。在老師細心教學，加上安的陪伴之下，又聾又啞又盲的海倫學會了說話。

海倫的奇蹟不只是學會說話和閱讀，1904 年她從哈佛大學畢業，拿到文學學士的學位，這是歷史上第一個獲得高等學位的聾盲人，這時她已經不是啞子了。她不只精通英文，還能夠流利運用法文、德文、拉丁文和希臘文。她成爲一個舉世聞名的作家、演講家、教育家。是的，她就是《時代雜誌》選出「人類十大偶像」的海倫凱勒。而她的家教安，就是蘇利文（Anne Sullivan）。蘇利文啓蒙了海倫凱勒，爲她打開通往世界的大門，也守護她走上開闊的人生之路。她們師生相伴了四十七年，直到蘇利文女士過世爲止。

正如海倫凱勒要求「國際獅子會」成爲協助失明人士戰勝黑暗的武士時，說：「我爲你們開啓機會的窗，我正敲著你的大門。」蘇利文女士不只爲她開啓機會之窗，敲開她的大門，還爲她點燃火炬，照亮人間。偉大的靈魂背後，有另一個偉大的靈魂在扶持。

● 蘇利文女士與海倫凱勒

● 蘇利文女士

3.4 聰明人的致命錯誤

聰明的人，有時也會犯致命的錯誤。

美國第九任總統威廉・亨利・哈里遜（William Henry Harrison）小時候個頭很嬌小，像一個在路邊乾癟的空罐頭，看到忍不住就要踢一腳。

鎮上的人常常捉弄他，總是拿出一個一角和五分的硬幣，放在他的面前，問他：

「威廉，威廉，一角、五分，你要選哪一個？」

威廉總是看了看，想一想。然後拿走五分錢。在場圍觀的人就哈哈大笑，再試一次，他還是選五分。這下逗得大家更樂，冬瓜西瓜他傻瓜，傻瓜不懂一角大！

人們總是這樣尋他開心，他也總是說你笨你就笨，不要一角要五分。

有一天，有位善心的太太實在看不下去，在他被捉弄後，把他拉到一邊，問：

「小威廉，你爲什麼讓他們這樣欺負你？你眞的這麼笨嗎？一角和五分你都不知道哪個多嗎？」

小威廉先想一想，再看了看左右，沒人，他輕聲的說：

「我當然知道哪個多？哪個少？可是我如果選一角，那以後還會有誰丟錢給我呢？」

神童！神童！不是哈里遜多聰明，而是他小小年紀就知道人有多笨！他不當美國總統，誰當！

哈里遜當上總統後，在**1841 年 3 月 4 日**就職，那天天氣很冷，他沒穿大衣。居然發表快兩小時的演講，這是美國總統最長的就職演說。他還創下另外兩個紀錄，就是他因此受凍，得了感冒，引發肺炎，一個月後他就死了！他是美國第一個在位就死掉的總統，也是在位任期最短的總統。

怎樣？是不是很致命？

此外哈里遜還創下另一個紀錄，他的孫子班傑明．哈里遜（Benjamin Harrison）後來也當上美國第二十三任總統。其他有父子檔的，而祖孫檔的就只有哈里遜。

還是那句話，不是智商低的人叫傻子，會做傻事的人，才叫傻子！

● 美國第九任總統威廉．亨利．哈里遜

3.5 慈悲的發明富豪

「天啊，火車到底什麼時後才會來？」

「對啊，都誤點快五個鐘頭了！」

「各位旅客，因爲兩列火車發生意外相撞，鐵路中斷，請各位到售票口退票，不便之處，請多原諒！」

「搞什麼鬼？哪天不出事，偏偏今天出事！」

「是呀，好好的一天給攪亂了！」

旅客們嘴巴一邊抱怨，一邊急著移動腳步，趕著去退票，趕著改搭汽車走。忙亂中一個二十六歲的旅客喬治，卻從容的走近警察，說：「請問火車爲什麼會相撞？」

「我知道是有一列火車應該在支線停住，等主線的列車先通過，結果煞車出問題，沒煞住，就從側邊撞上去。」

「煞車出什麼問題？」

「你知道火車怎麼煞車嗎？」

「不清楚，請教你。」

「火車開動、行駛，一點問題都沒有，最麻煩的就在煞車。每節車廂都有一個獨立的煞車器，每個煞車器都有幾個煞車工負責。當火車要停下來的時候，煞車工就跳下車廂，然後聽到車長的命令，把煞車器接上車輪。」

「這樣很難同時接上吧？」

「就是啦，每個工人的反應，不可能快慢一樣，有的車廂煞住，有的還沒有，輕微的會發生碰撞。嚴重的話就會出軌。要是煞車器沒接好或失靈，就會發生像今天的意外。」

「那煞車工不是很危險？」

「根本是玩命，斷手、斷腳是常有的事，丟掉小命的可多呢！」

「如果能發明一種不用煞車工的煞車器，那不只使火車安全，更可以救很多人的命！」

「是啊，最好有人能發明。人怎麼能只想出火車頭怎麼動，不想後面的車廂怎麼停？」

喬治的爸爸是一個農具製造商，喬治從小在工廠中就展現他對機械的天才，這次搭車誤點，使他決定要發明一種火車煞車器，由司機直接控制，不要使用煞車工，免得煞車工人遭到意外，造成殘廢或失去生命。

他想出利用壓縮的空氣爲動力，每節車廂安裝空氣煞車器，由司機統一控制，只要一拉開氣門，所有車廂就能同時煞車，容易、安全、不會有人犧牲。他把這個構想告訴鐵路巨頭范德比爾特（Cornelius Vanderbilt），結果大老闆不客氣的說這是異想天開、癡人說夢，根本不想改善火車的煞車系統。於是他便在 **1872 年 3 月 5 日**，將火車空氣煞車器申請專利，成爲 19 世紀最重要、最偉大的發明之一。後來，所有的火車都使用這個系統，也開創了工業「標準化」的生產方式。

喬治名叫喬治．威斯汀豪斯（George Westinghouse），也可以翻成「西屋」，他一生發明了 361 項專利，是一個發明奇才，也是一個心地善良的老闆。他許多發明都是出自慈悲助人的起心。他的一句名言：

我發明的東西越多，越覺得有更多的東西需要被發明。

另一個感覺他胡說八道的人，就是同樣是發明天才的愛迪生。他們兩個的交流電和直流電大戰，是電業史最決定性的關鍵，後來由主張使用交流電的威斯汀豪斯獲勝。現在我們在家一開瓦斯就來，也是由他所發明設計的。

● 火車空氣煞車器的發明人喬治·威斯汀豪斯

3.6 建築在別人痛苦上的收視率

千萬不要把快樂建築在別人的痛苦上，我們以為只是丟出一個小玩笑，但接受者可能像接到一座大山，無法承受。猶太人可以講猶太人的笑話，其他人講，就不厚道了。

曾經流行一種電視節目，就是把有問題的素人找來，讓他們在電視機前，說出自己的秘密心事，或公開說親人、朋友的秘密，讓觀眾享受看見別人真相、不堪的快感。

但是為了收視率，節目製作單位常常做假、灌水，來製造戲劇效果。例如曾有一個姊姊在電視上，當著妹妹的面，說出她曾和妹妹的老公，有一腿！大演倫理親情三角愛情大悲劇。問題是告白者的妹妹並不在現場，她在電視機前。電視上的姊姊是真的，妹妹卻是「假的」。所以告白者的妹妹的老公，完全沒有和姊姊發生過關係。真實的真相是，姊姊為了賺錢，就上電視編故事，出賣妹妹和妹夫，而找一個不相干的小演員來演妹妹。節目播的就是一般肥皀劇的情節，只不過它找素人來演，然後告訴你這是真人真事，讓你自以為震撼。

但是，大家拿錢，演演戲，騙傻瓜觀眾，好像沒什麼問題，但真的如此簡單嗎？節目播完就沒事嗎？問題是沒拿到錢的怎麼辦？就是那個被姊姊出賣的妹妹和妹夫。看到節目的人，並不知道那個妹妹是假冒的，但「名字」會傳出去。不認識的觀眾對名字沒有感覺，因為不相干；但親朋好友就不同，真名真姓，那事情就是真的，故事變事實！可憐的妹妹和妹夫，就此陷入暴風圈，被人指指點點，甚至因此變成壞人，丟了工作。什麼叫冤？這就是冤！

「珍妮瓊絲秀」The Jenny Jones Show 就是這類節目，他們在 **1995 年 3 月 6 日**，邀請強納森．史密斯（Jonathan Schmitz）上節目，製作單位告訴他，有一位暗戀他多日的朋友，今天要在節目上向他公開告白。史密斯以為是他喜歡的女同事，欣然同意上節目，滿心歡喜的等待「驚喜」。

沒想到，從布幕後走出來的，不是他期待的女同事，也不是其他女性朋友，而是一個「男生」。這個男生叫史考特．艾曼朵（Scott Amedure），他是史密斯的朋友。他是同性戀，喜歡史密斯，今天要跟他告白。

史密斯當下傻住，他心裡很不是滋味，但他不知如何反應好？他極力控制自我，壓抑情緒，沒有發飆，也沒有顯露生氣。而他又不想給艾曼朵難堪，也不想表現出厭惡，怕別人誤會他歧視同性戀。他只希望節目時間快到，好結束一場惡夢。

可是節目過後，艾曼朵誤會了，他以為史密斯的平靜表現，表示他有機會；有進一步發展的可能。

而史密斯呢？節目是錄完了，但他的眞正惡夢才開始。電視一播，親朋好友有疑問的、有驚訝的、有指責的、更有許多來嘲笑的傢伙。偏偏艾曼朵看史密斯沒和他聯絡，便主動留了一張有暗示性的字條給他。

3 月 9 日史密斯看到字條，火藥庫被一根菸蒂點燃，他越想越氣，便到銀行領了錢，買了一把槍，跑到艾曼朵家，對著艾曼朵開了兩槍，艾曼朵一命嗚呼。然後他再去警察局自首。可憐的史密斯被判二級謀殺罪，判刑二十五年。

但眞該死的是誰？艾曼朵的家人控告電視公司，說他們誤導史密斯和艾曼朵，造成這場悲劇。1999 年法院判電視公司敗訴，要賠二千五百萬美金。上訴二審，結果翻盤，電視公司逃過一劫，無罪定讞，不能再訴。

有時候，你在法院得到的是判決，不是正義。

所以你看電視時，要自己小心，他們爲了賺錢，眞的敢亂搞。就跟你買東西來吃，就是有人會加毒澱粉、塑化劑，然後沒感覺自己是壞人！

有些人爲了眼前一點小利，就什麼事都做得出來！

3.7 罪孽

面對太陽，陰影就在背後。反過來，背對太陽，我們就看到自己的陰影！

1987 年 3 月 7 日，駐守在小金門島上的 158 師，南塘營區 472 旅，步 1 營步 2 連東崗據點。傍晚時，哨兵發現有不明的漁船靠近，回報上級得到指示，按戰備程序實施警告射擊，先用五零機槍朝海面射擊。

當時霧很大，漁船好像是迷航，沒有理會警告，還是往岸邊靠。兵器連得到命令對船發射 66 火箭筒，火箭彈擊中漁船。這個武器是針對坦克，它可以穿透裝甲，但不會引發大爆炸。漁船雖被擊中穿透，但船體並沒有解體，所以船還是上了岸。有三名男子先後跳下船，高舉雙手，大聲喊叫，講的是華語。結果遭到射擊槍殺，之後船上好像沒有動靜。

這時，外號「歪頭」的 472 旅鍾姓旅長帶著旅部人員來到第一線，歪頭於是帶領劉營長、張連長和一隊士官兵上前查看，連長帶人上船檢查，發現原來船艙中全是手無寸鐵的「越南難民」。其中有四名婦女、六名兒童、有死有傷，夾層中還有一個毫髮無傷的老婆婆。所有難民被趕下船，集中在海邊。

老婆婆意識最清楚，上岸後，跪地不停求饒。其他人都在呻吟哀嚎。令人髮指，最可怕的悲劇這時才要上演。連長「回頭」向旅長請示，「歪頭」一點頭，「砰」的一聲，對準老婆婆的額頭開槍，頓時腦漿四溢！士兵全都嚇呆、嚇傻、嚇壞，在接連的槍聲下，老人、小孩、婦女，還有一名孕婦，十九個人二十條人命全遭殺害。

第二天，長官下令營部連衛生排士兵就地掩埋，結果仍有少數存活。長官下令用圓鍬擊殺，可憐那唯一的孕婦躲過前一天的槍殺，還是逃不掉被圓鍬活活打死。其他還有兒童更慘，是在奄奄一息中被活埋。

有些衛生兵拒絕執行這種任務，為了怕消息外洩，旅長派旅部連二十六名軍士官兵接管營部連。師、旅部下令封鎖現場，以例行驅離「匪船」上報。

當天確實有一艘中國船接近，他們真的把「匪船」擊沉，造成四人死亡，成為國際知道的「三八事件」。很可能故意擊沉中國的漁船，想混淆三月七日發生的慘劇。

紙包不住火，掩埋屍體的沙灘，因為土層太淺，屍體受到海水沖刷，加上天氣熱，造成腐壞。野狗聞到氣味，把屍體挖出來啃食。附近的居民也聽到傳聞，然後有人說看到穿越南服裝的鬼魂在岸邊遊蕩。於是紛紛燒香燒紙，祭拜安撫鬼魂，消息傳開。

到了五月，香港的媒體已經有報導，我們駐外單位向國內回報。高層要求國防部、參謀本部、總政戰部向金防部查詢。金防部知道事情外洩，緊急將部隊換防，意圖再遮掩。可見官官相護，層層勾串。

但是五月大批的大專兵陸續退伍，回到台灣。有人實在良心不安，便向剛成立不久的「反對黨」民進黨陳情。民進黨立委張俊雄約見國防部長鄭為元，詢問有無濫殺越南難民。因為事關國家形象，所以沒有先質詢，想要先了解真實情況。國防部還說沒有接到金防部有關戰報。六月初，民進黨立委吳淑珍，在立法院質詢，國防部的發言人張慧元發出

「嚴正聲明」，駁斥質詢內容爲「破壞國家形象」。

其實，政府此時已經知道「屠殺事件」確有其事，而是以「小金門守軍擊沉中共漁船，處置失當人員依法究辦」而了事。撤換金防部司令趙萬富、政戰主任張明弘。小金門的師長龔力，鍾旅長、劉營長、張連長軍法處分。但他們只被輕判而且可以緩刑。

之後，蔣經國晉升了六名上將，準備要讓軍隊將領大換血。可惜他在 1988 年 1 月 13 日過世，來不及完成整頓。

趙萬富在蔣經國死後，還因郝柏村的提拔，又升官到副參謀總長。

《馬太福音》裡耶穌說：

不要怕他們，因爲掩蓋的事沒有不露出來的，隱藏的事沒有不被人知道的。

現在「三七屠殺慘案」的事實，已經眞相大白。問題是法律的標準、人道的標準，當時犯罪的人和掩蓋罪行的人，有沒有得到應得的處置呢？

因爲時間過去，人們也就淡忘。但是如果我們不追究，不讓正義彰顯，而讓犯罪的人可以逃過，甚至逍遙法外，升官發財。那他們昨天殺的是越南難民，今天，就會殺死江國慶、洪仲丘和許許多多無辜子弟。明天你能肯定他們不會殺害你的孩子嗎？

每次講到三七屠殺慘案，我總是難過、心痛和羞愧！因爲這是我們台灣人的恥辱，尤其我們一直自詡台灣人是善良、敦厚的。當然這是喪心病狂的人所做的罪行，並不是所有台灣人所爲。但如果我們不面對它，讓它在陽光下，時時提醒我們台灣人曾犯的錯誤，曾造的罪孽，而想忽視它，遺忘它。那這類可怕的惡行，會如影隨行永遠壟罩著我們，不時殘害我們，和我們最愛的親人。

別說我把事情講得太嚴重！江國慶、洪仲丘⋯⋯那些仍然石沉大海的謎案，不正是我們姑息惡行的後果嗎？

惡行和灰塵一樣，我們要時時撣開、吸塵、擦拭，否則它就會時時累積，變成一個沙坑，隨時把你埋葬！

3.8 義賊

我們都崇拜「義賊」，因爲他們言必信，行必果，既敢表現道德勇氣，還有聰明果敢的行動力。最吸引人的是他們具有「反叛精神」，像俠盜羅賓漢藐視諾丁漢郡長，梁山好漢不鳥朝廷狗官。他們無視於社會的規範、既有的法律，他們的思考不會受框框限制。

美國的 60 ～ 70 年代，正是覺醒的時代，民權運動和反越戰運動正在改變美國政治與社會。有作用力必有反作用力，保守反動的勢力，當然也會強力反撲，尤其自認是統治階層的既得利益者。當時聯邦調查局局長胡佛，就對他們眼中的「反政府分子」展開大規模的監控和騷擾，侵害他們的人權。

邦妮．蘭斯（Bonnie Raines）是三個孩子的媽媽，孩子分別是八歲、六歲、二歲。她是托兒所的老師，老公約翰．蘭斯（John C. Raines）是大學的教授。夫妻倆都是「自由主義」的支持者。邦妮有一次揹著孩子去參加反戰示威，發現有人用相機在拍她，更恐怖的是連她的女兒也拍。其他的反戰朋友，也感覺有人在秘密監視他們。大家都斷定這一定是胡佛指使他的爪牙幹的，可是要有眞憑實據，才能取信大眾。於是一位物理學教授戴魏森（William C. Davidson）帶頭，發動蘭斯夫妻和一位開計程車的佛賽斯（Keith Forsyth）一共八劍客，準備進入聯邦調查局，盜取機密文件，揭發非法監控。

蘭斯家是他們的秘密基地，經過仔細研究，他們鎖定聯邦調查局在費城郊區的辦公樓爲目標。然後開始設定計畫、分派任務、反覆演習，跟演電影一樣逼眞。佛賽斯負責撬開門鎖，他還去參加「開鎖」的函授課，天天練習，經過一個月後，他已經和職業小偷一般厲害。

邦妮被分派做最危險的先鋒，她負責去調查局探底，確定路線虛實。她先打電話去調查局，騙他們說她是一個研究生，想寫一篇論文，題目是有關在調查局工作的女性。有時候時時懷疑別人的人，最好騙！調查局就請她來面談。她進入辦公大樓，裝白癡在裡面迷路，確確實實的把有放檔案所在的房間，和進出路線摸得一清二楚。

1971年3月8日，八劍客發起突襲，爲什麼選在這天行動？因爲當天晚上阿里和佛雷賽要爭奪拳王寶座，他們料定全美國人都會盯著拳賽，調查局的人員一定也會疏於防範，這樣才好下手。果然當他們潛入調查局分部大樓時，根本沒人在看守，所有人都把注意力放在那場世紀大戰。

他們輕易的偷了一千多份文件，坐上預備好的車子，安然的撤退到車程一小時外的農場倉庫。當他們檢視文件時，驚呼連連，聯邦調查局監控的人數之多、範圍之大，遠遠超乎他們的想像。棒的是下達監控命令的文件，都有高級主管和局長胡佛的簽名。鐵證如山，看他們怎麼抵賴？

他們把秘密文件複印，再以「調查 FBI 公民委員會」的名義，寄給各大報社。這下胡佛黑暗勢力的秘密勾當，全部攤在陽光下。更讓胡佛丟臉的是，號稱打擊犯罪的聯邦調查局，竟被素人小賊來去自如，搞得灰頭土臉。平日胡佛橫行霸道，這下被打了耳光，媒體自然揶揄訕笑。胡佛堅稱這不是普通賊犯下的案子，這一定是可怕的間諜組織所爲，背後有大陰謀，八成是共產黨在搞鬼！

爲了扳回顏面，胡佛派出二百名精銳幹員，打死也要抓到這批不知天高地厚的小賊。頭號要犯鎖定邦妮，因爲她曾露過臉。可是調查局費盡資源、用盡力氣，就是抓不到八劍客，他們當時連到底是幾個賊都不知道！死追窮追搞了五年，案件的追查時效已過，卻連一個賊影也沒有，只好不了了之。

事情經過四十三年，才由《華盛頓郵報》的記者追出了當年的眞實過程。這些「俠盜」、「義賊」才現身在大眾面前，述說當年八個「公民」，是如何站出來對抗政府「非法」、「不義」的行爲！

●阿里和佛雷賽兩大拳王晚年再次相會，當年他們萬眾矚目的爭霸，讓八劍客有機會潛入調查局大樓。

3.9 讓鮭魚回家

大自然對人類很寬容，只要我們醒悟，改變行為，放下屠刀，大自然就會給我們「奇蹟」！

美國華盛頓州奧林匹克半島有一條艾爾華河（Elwha River），每年有三十萬隻鮭魚會從大海回來逆流而上，到艾爾華河的上游產卵。路程有一百一十三公里，鮭魚有六種，最大的可重到五十公斤。河的下游住著印第安克拉拉姆部落，他們在此生活超過二千七百年。艾爾華河的鮭魚是大自然恩賜給他們的「奇蹟」。

但白人來了，他們要興建人造的「奇蹟」。1912 年他們在艾爾華河建了第一座大水壩，壩身高三十三公尺。1926 年在艾爾華大壩上游十三公里的葛萊恩斯峽谷，又建了一座高六十四公尺更大的水壩。為什麼在這裡蓋水壩？主要是為了發電，供電給鋸木廠。

這兩個大壩阻斷鮭魚洄游的路，三十萬條鮭魚消失了。只有少數的鮭魚游到下游八公里處產卵，一年不到三千條。不只鮭魚回不了家，還嚴重破壞生態，靠鮭魚維生的熊、老鷹、鯨魚數量銳減。動物倒霉，人也很慘。克拉拉姆部落不只捕不到鮭魚，他們祖靈的聖地，也因此淹沒。這人造奇蹟的大壩，根本就是人造的人文生態浩劫。

二十多年前，克拉拉姆部落和環保團體一起推動拆除大壩的運動。經過無數的遊說、抗爭，終於使聯邦政府屈服。1992 年通過拆除計畫，但小布希總統拖著不動手，又引起抗爭、遊說，一直到 2011 年才由歐巴馬總統下令開始動工拆除，經費三億五千萬美金。

2012年3月9日，艾爾華河的百年大壩終於拆除完畢。克拉拉姆部落長老七十歲的羅伯特．艾佛森（Robert Elofson）說：「我感覺好累，但好開心，我沒有想到我能活著看到我祖父口中描述的艾爾華河！沒有想到我們能再重回祖靈的聖地！」

是的，更大的奇蹟回來了！大群鮭魚再度從大海游回艾爾華河，你不能想像牠們等了足足一百年，居然能把回鄉的記憶一代一代傳下去，不知傳了多少代，至今仍然記得這條回家的路線。

你能說這不是「奇蹟」嗎？我們能不感恩大自然對我們的「寬容」嗎？

● 拆除中的艾爾華河大壩

3.10 領導

如果你騎的馬不好，怎麼辦？換一匹馬來騎。

如果你開的車不好，怎麼辦？換一輛車來開。

千萬不要鞭打自己或喝汽油，一流的領導者不會自己騎自己，自己開自己。但是人一旦變成領導，常常忘了自己該做的事，超出範圍去表現，結果人仰馬翻、車也翻！要不然就是忘了自己是人，忌妒馬跑得比自己快，結果把馬殺了，害自己沒有馬可騎。

林肯不只是一流的領導者，而且是偉大的領導者。先講他如何一流？

1832 年林肯年輕時，美國和印第安人爆發黑鷹戰爭。他也想建功立業，所以自己募了一群志願兵。人是他找的，自然由他領導，因此他被任命爲上尉。林肯眞不是帶兵的料，他在操練時，整列的士兵並排向前移動，要通過一道門，身爲指揮官的林肯應下令轉換隊型，成縱隊走，那士兵就可以魚貫過門。沒想到，他不知該如何下令？眼看整個橫列就要撞上牆壁，「立正！」他突然下令，「部隊聽我說，解散後兩分鐘在門的另一邊，重新集合！」

很白癡吧？對，林肯也發現自己帶兵是白癡，於是不再有投身軍旅的夢，轉而學習法律，成爲傑出的律師，接著投入政治，成爲美國總統。

林肯一當選總統，南北戰爭就開打了。他知道自己沒有軍事才能，於是懇請最負盛名的羅拔·李將軍來當聯邦軍總司令。但是李將軍是維吉尼亞人，他無法率領聯邦軍打回自己的家鄉。於是他婉拒，並且成了南軍統帥。

哇！誰能打敗李將軍呢？沒有，林肯先後任命的大將軍，他們擁有的兵力、武器、資源都比李將軍多得多，但一個個被他打得落花流水。最讓林肯心痛的是，不是前方下層將士不勇敢，而是後方的指揮司令無能，這些人做官可以，作戰不行，害一個個年輕的生命白白犧牲。反正他的總司令是各有所短，不是笨就是怕死，不然就是又笨又怕死！但是身為最高統帥的林肯，有沒有忍不住自己親身指揮，或越級指揮呢？沒有，他即使明知大將軍下的命令有問題，他也忍住不干涉。但他沒有怠忽統帥的職守，他努力要找到理想的韓信。

1864 年 3 月 10 日，林肯任命格蘭特（Hiram Ulysses Grant）為聯邦軍的總司令。戰局開始改觀，格蘭特針對李將軍資源不足的弱點，逐步縮小包圍圈，逼迫南軍決戰，使得南軍漸漸失去優勢。

這時有人來跟林肯打格蘭特的小報告，說他嗜酒如命，常常喝醉，才打幾個小勝仗就自以為是，以後一定會因為貪杯誤大事。林肯聽了以後說，請問你知道格蘭特喜歡喝哪一種牌子的酒？我要再送他幾箱酒！

格蘭特最終打敗了李將軍，結束了南北戰爭。美國聯邦獲得確保，黑奴得到解放。而戰爭的轉捩點，就在格蘭特的任命。這是林肯的一流，再來談他的偉大。

有一回，有人來向林肯密告，說財政部長蔡斯（Salmon Portland Chase）正在佈局競選總統，準備取林肯而代之。這樣吃裡扒外，一定要撤換。林肯說了一個故事，說他少年時在家鄉種田，家裡有一匹馬很懶，常常怎麼吆喝、怎麼拉牠都不動，林肯不願用鞭子抽牠，但耕田被牠搞得又辛苦又耗時間。有一天，這匹懶馬突然勤快起來，田一下就耕完，他非常奇怪，仔細一看，才知道是一隻大「馬蠅」叮在馬的屁股上，馬痛得直往前跑。他說「總統」這個職位，就像那隻「馬蠅」。蔡斯爲了想當總統，一定會把財政部長做得更好！所以他沒有撤換蔡斯，繼續讓他做部長。

林肯的過人之處，在於他能任用能力比他強的人，他的團隊不論文武，都自認比林肯厲害。可是只有林肯能把他們集合在一起，爲國效力。而且他們也明白，如果不是林肯領導，他們不可能跟另外的人共事。而林肯從不猜忌，而且主動打消猜忌的火苗，這是他的領導眞正偉大之處。

他的「仁者無敵」、「智者無忌」，正好給中國傳統的權術當頭棒喝！

●南北戰爭時期，被林肯任命為聯邦軍總司令的格蘭特。

3.11 指紋獨一無二？

你現在說：「地球是圓的。」沒什麼了不起，這大家都知道，沒有人會驚奇。但如果你生在古代，最好不要這麼說，否則人家會以爲你有神經病。而且會認爲你是邪魔歪道，把你關起來，放火燒死你。眞有這麼嚴重嗎？哥白尼生前不敢說，伽利略被關起來，布魯諾被燒死。

人類進步最大的障礙就是對已知的知識，視爲理所當然，毫不懷疑。

2004 年 3 月 11 日，西班牙的馬德里發生鐵路連環大爆炸，這是一起恐怖攻擊，炸死了 191 人，炸傷 2050 人的大慘案。幾小時後，西班牙警方在爆炸點外二十哩的地方，找到一輛疑似嫌犯留下的車子，上面藏有雷管和炸藥。更關鍵的是，採到一枚「完整的指紋」。西班牙警方在他們的指紋資料庫搜尋，找不到任何符合的對象。他們向國際尋求協助，美國聯邦調查局將指紋送進資料庫，發現一個相符的指紋。

是誰？主角名叫布蘭登．梅菲爾德（Bradon Mayfield），他住在奧瑞岡州波特蘭市。不愧是聯邦調查局，反應神速，毫不遲疑，立馬殺到波特蘭，逮捕梅菲爾德。

梅菲爾德是誰？他是什麼聖戰組織的成員嗎？不是，他是波特蘭一名小律師。

爲什麼聯邦調查局的資料庫會有他的指紋？他有犯罪紀錄嗎？沒有。梅菲爾德高中畢業後，加入美軍，被調到美軍駐德國的愛國者飛彈部隊服役。

一年後退伍，退伍前留下了他的指紋。之後他回到美國讀法律，成爲一個生意普通的律師。

問題來了，馬德里發生爆炸案時，梅菲爾德在哪裡？他人在波特蘭，而且他的護照在前一年秋天就已經過期，他過去幾年都沒有離開過美國。他當兵時待過歐洲沒錯，但他從來沒去過西班牙。

問題是，指紋明明和他的相符，怎麼會錯？不愧是聯邦調查局，別人會搞錯，聯邦調查局不會錯。如果有錯，一定是梅菲爾德的錯。指紋就是指紋，相符就是相符。調查局不放人，就是不放人。

兩個星期後，西班牙警方抓到了眞正的凶手，三個凶手中有一個傢伙的指紋，和前面找到的指紋兩相符合。這下聯邦調查局才放了梅菲爾德，心不甘情不願的向他道歉，和解了事。

你看，長期以來指紋的辨識比對，一直是辦案的終極證據。一般常識都以爲世界上沒有人的指紋會是一樣的。其實這個定論大有問題，因爲指紋的比對是要靠鑑定人員辨識，辨識人員的專業能力和個人對案情的主觀，都會影響結果，有可能會發生錯誤。而且辨識人員一般不會百分之百相符才做判斷，只要「應該是」或「百分之九十是」，指紋就變成「鐵證」。更何況，指紋眞的是獨一無二的嗎？眞的是找不到兩個人會一模一樣或相近的嗎？這在科學上還是大有疑問的。

所以過去不知道因此而產生多少錯誤？就好像以前沒有DNA 的檢驗，後來有了，光在美國就發現好幾件誤判冤獄。梅菲爾德還好是個律師，不然搞不好已經招供畫押，那就眞是非倒霉不可。

同樣的，當時西班牙的執政黨在事件發生後，第一時間就說本案是西班牙的分裂份子「巴斯克埃塔組織」幹的好事！結果不是，眞的凶手是摩洛哥伊斯蘭教的聖戰份子。大爆炸那天正好是紐約 911 事件後的 911 天，這和巴斯克要獨立無關，是聖戰團要報復西班牙派軍隊參加美國攻打伊拉克。當時西班牙正好快要大選，執政黨就想賴給巴斯克埃塔組織，好爭取選票，結果弄巧成拙，首相阿斯納爾和他領導的人民黨大敗，被社會黨取代。

●西班牙發生爆炸案後，鑑識人員在現場採證。

3.12 誰是賊？

黃金，沒有光照時，是不會閃閃發亮。寶藏，未必是黃金。沒有眼光和知識，偉大的寶藏可能只是一堆垃圾。

「敦煌藏經閣洞」是世界文化史最重大的發現之一。藏經洞的文獻約有五萬件，分爲佛教經卷和典籍文書兩大類。經卷的部分有三萬件，多半是一卷一卷的卷軸。最早的在前秦苻堅元年，公元 359 年，一直到南宋慶元二年，公元 1196 年，歷經 897 年。每一卷、每一本都是手寫手抄，所以是「孤本」、「絕本」。除了有最老的佛經《法句經》，還有些佛經連在印度原始梵文本都已經找不到。可見有多珍貴！

除了佛教經卷，還有大量以前沒見過的儒教典籍，和大量的文學作品，像唐代大詩人韋莊的《秦婦吟》長詩，就不曾在其他書籍收錄。還有僧侶爲了向大眾傳講佛經，把經文道理和故事編成通俗易懂的詩歌，講一段、唱一段，這些講唱稿本叫「變文」。因爲宋眞宗時期明令禁絕，而在敦煌藏經洞有大量的出土，大大補充中國文學的寶庫。

藏經洞內還有中國第一部藥典《新修本草》、第一部針灸專書《吐蕃灸法殘卷》、第一部針灸圖譜《灸療圖》、第一部染髮劑方《染髭發方》、第一部治療心臟病的《輔行訣臟腑用藥法要》、第一部漢語劇本《釋迦因緣劇本》、第一部應用文寫作大全《敦煌書儀》、第一部歌詞本《敦煌歌辭》、第一部天文圖《全天星圖》、第一部數學著作《立成算經》…… 還有最古老的兒童讀物、最早的廣告、曆書，都是文史研究中最高價値的文獻。

藝術上也發現經卷中大量優美的繪畫，像唐代印本《金剛經》，這是世界最早的印刷品，卷首的「釋迦牟尼說法圖」就是中國現存最早的版畫。還有失傳千年的琴譜、舞譜、棋譜。更找到失傳的文字，如同回鶻文、粟特文、突厥文、於闐文、古藏文。有了敦煌藏經洞的文獻，文化史就有了更古老的線索，和更完整的樣貌。

第一個發現藏經洞的是敦煌的道士王圓籙，時間是 1900 年 6 月 22 日。他在清掃第十六窟時，發現牆壁後面有個密室，洞內堆滿經卷。他曾拿出一些經卷送給官員和地方有力人士，但沒什麼人特別當作一回事，有官員還認爲古老經卷的書法寫得比他自己差，感覺不出什麼價値。比較有感覺的是 1904 年時的敦煌縣令汪宗翰，他在調查藏經洞後，命令王圓籙將藏經洞就地封存，不准移動經卷。這批寶藏就在黑暗的洞中默默不發光。

1907 年 3 月 12 日，出生匈牙利的英國考古探險家史坦因（Marc Aurel Stein）來到敦煌。他曾發掘古樓蘭的遺址。聽說敦煌有壁畫值得挖挖，便帶著一個叫蔣孝碗的師爺充當翻譯，一路經和闐、尼雅、樓蘭來到敦煌。他在敦煌聽一個商人說起王道士，3 月 16 日他們來到莫高窟，正好王圓籙出門去化緣，不在。莫高窟上寺裡的小和尚給他看了一卷經卷，史坦因雖然不懂漢文，但他發現這個經卷如此古老，又很精美，直覺可能還有寶貝，便決定等王道士回來。

但他不浪費時間，先回敦煌拜訪地方官員，和他們打好關係。並且雇了一批工人，先到敦煌西北的長城遺址，挖了一批漢代的竹簡。

5 月 15 日，他回到敦煌，正好千佛洞在辦一年一次的廟會，他看香客眾多，為了不引起注意，便待在敦煌縣城等廟會結束，人潮散去，恢復往日平靜。5 月 21 日他來到莫高窟找王道士，他透過蔣孝碗和王圓籙商量，想看看更多經卷，他可以捐一筆錢給王道士，幫他修理洞窟道觀。王道士因為有官府的封存命令，又怕讓人知道他收了錢，所以不敢馬上答應，但他也沒有拒絕。史坦因便在莫高窟搭起帳篷，開始考察石窟，拍攝壁畫和塑像的照片，假裝不在意「經卷」，吊王道士的胃口，由蔣孝碗私下和王道士交涉。

有一天，史坦因表示他很有興趣看看王道士要修的洞窟，王道士很興奮的帶著他參觀，並講壁畫上的唐三藏，拉著滿載佛經的馬，站在大河邊，一隻巨龜游過來，要幫唐三藏運佛經過河。聽到這裡，史坦因表示他本人就是研究玄奘的《大唐西域記》，他是唐三藏的忠實崇拜者。後來，王道士拿了一卷玄奘署名翻譯的經卷給史坦因看，史坦因感性的說這來自印度的佛經，現在印度已經看不見了。他如果能把玄奘翻譯的經卷，帶回印度，讓佛經重歸舊土，那就眞正是意義太重大了。

王道士也是有血有肉有性情，跟著感動起來。便在一天夜裡，拆掉封存藏經洞的磚牆，帶史坦因進入藏經洞。史坦因透過王道士的油燈發出的一點光亮，看見了一堆一堆龐大的經卷，偉大的千年寶藏靜靜的佇立在眼前。

為了不讓人注意，他們不敢明目張膽進入藏經洞挖寶。而是等到夜裡，由王道士搬出一捆經卷，拿到一間小屋，給史坦因翻閱。數量實在太龐大，加上史坦因看不懂漢文，所以他決定揀選外觀精美的經卷和絹本、紙本的繪畫。這個期間，王道士又出門化緣幾天，為的是打探一下狀況，他發現一如往常，沒有人知道史坦因正在進行的事。他於是放心回來，最後和史坦因談成交易。

史坦因用 40 塊馬蹄銀，相當於 200 兩白銀。換得了 20 箱經卷寫本和五箱絹畫、刺繡、紙本藝術作品。在 6 月 13 日率領一支駱駝和馬匹的運輸隊，離開敦煌。9 月 25 日他又派蔣孝碗秘密到敦煌，再從王道士手中拿來 230 捆、3000 多卷的手抄經卷。經過一年六個月的運送，9000 多卷的經卷和 500 幅藝術品終於在 1909 年 1 月到達倫敦大英博物館。

獅子捕到獵物，當然會引來其他的獵食者。史坦因走後，1908 年 2 月，法國的考古探險家伯希和（Paul Pelliot）來到敦煌。伯希和有一個武器是史坦因缺的，就是他會說流利的中國話，漢文的功力很深。所以王道士馬上和他熱絡起來，加上史坦因搬走大量的經卷，卻一點兒麻煩都沒有，王道士的膽子當然也大了起來，而且這個法國人顯然比較慷慨。王道士帶他走進藏經洞，伯希和跟史坦因一樣驚嘆，他估計裡面還有幾萬件寶貝，不可能全搬走，也不能待太久。於是他沒日沒夜的待在漆黑的洞中，用一盞油燈，在昏暗的光線下，開始翻閱經卷。總共在洞裡三個星期，最初十天，他每天看一千卷，可見他的漢學功底有多深厚。

他還和他的考古隊員，將莫高窟所有洞窟編號，詳細記錄每一個洞窟的結構、裝飾、壁畫，並繪製平面圖，拍攝照片。後來完成《伯希和敦煌石窟筆記》，這是文化考古史上的重要里程名著。

最後，他以 500 兩銀子，從王道士手中搬走 6000 多卷寫本經卷和 200 多件佛畫。1908 年 5 月，共裝了 10 大箱離開敦煌，最後運到了巴黎。伯希和不只中文造詣深，他還懂波斯文、藏文、蒙古文等 13 種語文，所以他搬走的都是最最重要的經典。

獅子啃不光的肉，土狼、禿鷹也會跟過來搶。接著日本人、俄國人、美國人都先後跑來，買走了大批敦煌文物。史坦因又回來搬走一批。

回頭講伯希和，1909 年他在北京，拿了幾本敦煌的珍本展示給大學者王國維、羅振玉，還有直隸總督端方看。他們看了之後，才知道出了大事，中國的寶藏這下怕是全流出去了。1909 年 8 月 22 日，朝廷由學部左丞喬樹楠下令陝甘總督毛實君封存莫高窟的藏經洞，不讓外國人再來。1910 年朝廷下令新疆巡撫何彥昇將敦煌剩下的文物運到北京。可怕的是，運送並未裝箱，只是用蓆子草草包捆，用大車運，沿途大小官吏，不知偷走多少？更可怕的是負責押運的官員把國寶運到北京，卻不直接送到學部覆命。而是車隊先開到何震彝的私宅，何震彝和他的岳父李盛鐸、加上劉延琛、方爾謙四個人把裡面珍貴的部分偷走，把剩的再送到學部交差。爲了交差，符合起運時的登記數量，他們便把許多經卷撕成兩份、三份好湊足數目，而且還把其中精美的繪圖抽去。

所以敦煌的國寶流到全世界，雖然有 2/3，約 35000 件之多，但都保存完整。只有現存在中國的部分，出現撕裂的斷卷殘篇，不完整的破碎經卷。

要不要嘆氣？

沒錯，中國的國寶被外人拿走，當然情感上會痛心。但理智來看，如果不是史坦因、伯希和，現在搞不好根本不會有「敦煌學」。再說王道士有沒有受騙？以敦煌經卷的價值，當然是無價的寶藏，但在王道士眼裡，他並沒有吃虧，他搞不好還自認聰明，賺了一大筆。全怪王道士嗎？當然不，他不可惡，只是愚昧。而其他大小官員也是愚昧不堪。眞正可惡的是，等外國人肯定了敦煌經卷的價值，其他中國官員再從中偷竊，而爲了私利不惜破壞國寶，這才是眞正的「劫掠」，才是眞正的「文化浩劫」，眞正的悲劇。

你在大英博物館看到敦煌的寶貝，有沒有想過如果它們沒被搬到英國、法國、美國……，現在我們還看得見嗎？

●道士王圓籙。

●伯希和查看敦煌莫高窟中的珍貴寶物。

●史坦因領軍的探險隊抵達塔里木盆地。

3.13 三十八位目擊者

事情不管是眞？是假？只要人們願意相信，那明明是假的，也會變成眞的。

1964年3月13日，在紐約的皇后區，有個叫凱蒂．吉諾維斯（Kitty Genovese）的女子在一條路燈明亮的大街上，半夜被殺身亡。這件凶殺案轟動一時，是因爲凱蒂被凶手刺中一刀，一邊逃命，一邊尖聲大叫救命。路旁公寓大樓內的居民聽到呼救聲，有人開燈，跑到窗戶邊看到底發生什麼事？凶手因此遲疑不敢下手，但過了一會兒，凶手發現人都站在窗前，好像沒有什麼動靜？便追上前，再補了凱蒂第二刀。凱蒂的叫聲更大，之後有更多窗戶亮燈，更多人站到窗前。凶手再度遲疑了一下，凱蒂死命的爬，接著凶手追上去再殺，這下凱蒂的慘叫聲更加淒厲，然後變得無力，接著死於非命。大街無聲，只剩下關窗戶的聲音，之後街上寂靜，靜得可怕！

《紐約時報》報導了這起凶殺，頭版頭的標題：「三十八人目擊謀殺案卻沒有報警，皇后區女性被殺案反映出冷漠無情！」報導中說：「有差不多半個小時，住在皇后區的三十八位奉公守法的紐約市民，隔窗看著一個年輕女子在街上被人追殺三次。凶手一再動手時，沒有一位市民打電話報警。只有在女子被殺死之後，才有一個人打電話報警。」

《紐約時報》還出版了一本書，叫《三十八位目擊者》。

凱蒂被殺一案引起了廣泛的討論，心理學家紛紛指出城市充滿著「疏離感」，每個人只顧自己，對別人的死活毫不在意到幾乎冷血的程度。越大的城市，疏離感越重。進而發展出社會心理學上的「旁觀者效應」Bystander Effect，指出個人因爲認知到團體的存在，就把個人本來要做某件事的行動力減弱了。團體越大，旁觀者效應越強，個人行動力越弱。像凱蒂案，如果只有一個人看到，他就會去報案，因爲他會認爲自己有責任。但當有很多人看到時，每個人都會想也許別人會報案，我最好別找麻煩，因此最後沒有人報案。

很有道理，對吧？「凱蒂被殺案」從此出現在每一本心理學的教科書上，「旁觀者效應」成了必讀的課程。我少年時讀到此案，也震撼不已、深信不疑。

沒想到這個理論風行了四十年之後，2007 年英國布里斯托大學的三個學者發表論文指出：當年《紐約時報》報導的凱蒂案根本是編故事。根據警方的紀錄，凱蒂並沒有被追殺二次，地點是發生在陰暗的街角。根本沒有人開燈立於窗前觀看，因爲那裡根本看不見什麼窗戶，當然沒有三十八位目擊者。確實有人報警，警察趕到現場時，凱蒂還沒死，送到醫院急救，後來傷重不治才死的。《紐約時報》的報導登出之後，有人就提出證據說明這件事的許多情節是無中生有，但沒人理會。凱蒂案就這樣一傳再傳，旁觀者效應也就如此一教再教，學生們一學再學，變成了心理學的基本常識。

我現在如果跟人說起此案，跟他們說明「眞實的事實」，你想會怎樣？沒錯，幾乎每個人都是這樣反應：「眞的嗎？」、「不是吧？」、「不可能是假的吧？」……嘿！我又不賣報紙，幹麼騙他們？

3.14 製造眞相

製造一個謊言，你就得生一連串的謊言來支撐它，有時候你想停，也停不下來。

尼斯湖有沒有水怪？這個傳說從 6 世紀就有文獻紀錄，但眞正引起大家重視，是從 1934 年 4 月 21 日，英國《每日郵報》Daily Mail 刊出婦產科醫生羅伯特・威爾森（Robert Wilson）所拍水怪露出尼斯湖面的照片開始。這張「醫生的照片」登出後，底片還被送去 RAD 攝影實驗室檢驗，證明沒有變造，等於說照片是眞的。從此就不斷有人說他目擊尼斯湖水怪，科學刊物、科學節目也經常討論這個話題，更有科學家把尼斯湖水怪重塑出來，很多人都相信眞的有。

1994 年 3 月 14 日，九十歲的史柏林（Chris Spurling）在死前，說出眞相。那張拍到水怪的「醫生的照片」是造假，他就是主謀。事情要從 1933 年說起，當時《每日郵報》花錢請史柏林的繼父尋找尼斯湖水怪，他找不著，但又想賺錢，所以自己在湖邊做水怪的「假腳印」。結果被人拆穿，這下人丟大了。他的繼子史柏林爲了幫繼父挽回聲譽，便夥同威爾森醫生一起，找來一個玩具潛水艇，把玩具的蛇頭裝上去，然後放到湖面去拍照。再由威爾森醫生去發表，所以底片當然沒有合成，照片是眞的，只是照片裡的水怪是假的。

這張照片引起大轟動，掀起了尼斯湖水怪的熱潮。史柏林繼父的面子就找回來了，他繼父曾開心的說：「他們想要水怪，那就給他們吧！」

「人之將死，其言也善」。不一定，但其言也「眞」吧！

因爲你幹了一起驚天動地的大事，不管是好是壞，沒人知道是你幹的，聲名都被另一個人拿去，是不是很「悶」？所以死前講出來，過癮！

通常會講眞話的，一個是小孩，一個是老人。像《國王的新衣》只有小孩會說國王沒有穿衣服，小孩不怕講眞話是因爲他不知道要怕什麼？要在乎什麼？老人講眞話是因爲沒什麼好怕了，他不在乎了。

後面就更有趣，雖然史柏林承認做假，但許多人認爲史柏林在說謊，他也許被人利用，也許背後藏有陰謀。反正有些事你不用看見才相信，你相信就會看見。所以你的謊言一旦被人相信，當你說出實話時，人們反而以爲你在說謊！

●威爾森拍攝露出湖面的尼斯湖水怪。

3.15 棄醫從文

多數人從來沒有發揮他們眞正的潛力，並不是他們沒有機會、或準備不足。而是因爲他們害怕改變！

改變，尤其是要放棄現有利益和安全的改變，正是生命中得到偉大成功的鑰匙。騎著驢是找不到馬的，因爲馬跑得比驢快。我們必須從驢背上下來，才能有機會跳上馬背！

周樹人在 1902 年到日本留學，在東京弘文學院讀了兩年日文，轉學到仙台醫學專門學校，就是現在東北大學的醫學院，他是這所學校第一個外國留學生。

他希望能成爲一個救人濟世的良醫。有一天，學校放「日俄戰爭」的記錄片給學生看。片子當然是展示日本如何打敗強大的俄國，皇軍如何神勇……他看到片中有中國人幫忙俄國，刺探日本軍情，結果被日本兵逮住，要被槍斃，旁邊站著一堆看熱鬧的人，也是中國人。

開槍瞬間，看片的學生同聲高呼「萬歲！」，接著拍手叫好！所有人情緒高昂，只有周樹人一個人全身冰涼又火冒三丈，他是觀眾中唯一的中國人！

「日俄戰爭，爲何在中國土地上作戰？救國救民需先救思想，救思想以作家貢獻爲多、爲先！」

他決定改變。**1906 年 3 月 15 日**，周樹人從日本仙台醫學院退學，醫生不做了，改當作家！

1918 年 5 月 25 日，周樹人在《新青年》發表了第一篇小說「狂人日記」，奠定了中國新文學運動的基石。他的筆名叫「魯迅」。

1921 年他發表小說《阿Q正傳》，是現代白話文文學最重要的傳世傑作。

他的小說，改變千千萬萬中國人的思想。

● 魯迅本名周樹人

3.16 拔一條河

沮喪是一種「病毒」，讓人無力、無氣、無意、無望，而且它會快速傳染。反過來，信心是一種「益菌」，它讓人有力量、有勇氣、有意義、有希望，它也會感染。

所以綿羊領導的獅子軍團，戰力與綿羊一樣，獅子領導的綿羊軍團，戰力可以雄霸四方。

2009 年的八八風災，重創台灣南部山區。像屏東小林村，整個被山崩滅村。而附近高雄甲仙鄉路斷、橋毀，好像變成一座孤島。

天災過後，人命雖然還在，但面對重建的緩慢，未來生計無望。有力氣的年輕人都只好到外地打工，連媽媽也不得不放下孩子，由阿公和阿嬤照顧，出外工作來養活家人。

大人不好受，小孩也難過。大雨沖毀了甲仙國小的校舍，也沖走學生的快樂和自信。在甲仙經營超商多年的林德和發現，店裡的失竊率升高了 20 %，從監視帶看出大部分是學生幹的。雖然學校有糾正學生的行爲，也告知家長管教，但林德和感覺效果不大。

而且他感受到以前的小朋友進店裡來，總會和他打招呼。只過了一個暑假回來，小朋友的態度就變了。原來是風災後，父母外出打工，小朋友便疏於管教，原本的禮貌被冷漠取代了。

他便和甲仙國小的老師商量，合辦「閱讀集點」活動，只要把看書的心得在課堂上分享給同學聽，或寫下來公佈，經過老師認證給點，集滿點數後就可以到超商換東西吃。結果，學校圖書的借閱率暴增五倍。全校同學才不到二百人，一個學年下來借書六千本。

同時學校也想藉運動來提升孩子的信心，凝聚同學的向心，老師發現同學們最喜歡「拔河」。

2012 年 3 月 16 日，甲仙國小的第一支拔河隊成立了，由張永豪老師擔任教練。居然第一次出去比賽，就拿到高雄市冠軍，還要代表高雄去全國比賽。

師生士氣大振，更加努力訓練。但是校舍還在重建，沒有場地克難一點也還過得去。沒有防滑鞋、防滑墊，手會破皮、肚子會破皮，但這些困難都不能阻礙他們往前進。

可是，去參加全國大賽，五十個小朋友需要經費七、八萬，沒錢很麻煩。這時統帥芋冰店老闆陳敬忠，皇都飯店的小老闆陳誌誠透過臉書發起募款，希望甲仙國小的校友可以小額資助小學弟、小學妹去比賽。才四天就募到七萬多，不只孩子興奮，甲仙的大人也受到感染，跟著情緒熱烈。甲仙人不論是否留在甲仙，都是愛這塊鄉土！

甲仙國小拔河隊一路過關，來到決賽，可惜最後卻敗給高雄鳳鳴國小，沒有得到冠軍。隊員坐在遊覽車上，難掩失落。當車子在晚上回到甲仙，開到甲仙大橋時，忽然響起鞭炮聲，混雜著歡呼聲！大人都在等著歡迎拔河隊回家，亞軍也很了不起，在甲仙人的心中，等於冠軍。是這些孩子用他們的汗水和熱情，苦練奮戰，使大人體會：「小孩站起來了，社區還不能站起來嗎？」

是孩子，是他們在鼓舞大人！一個甲仙的媽媽說：「當大家都在一片哀嚎的時候，孩子用很認眞的力量，讓大家看到站起來的轉機！」

說的好！甲仙國小在 2013 年就拿到九個比賽的冠軍，現在學校總共有五支拔河隊。在甲仙，孩子都以參加拔河隊爲榮，大人都以他們爲榮！失去的笑容、自信、希望都被拔河隊「拔」了回來！

● 甲仙國小拔河隊戰績輝煌，大大小小的獎盃都記錄著他們努力的成果。

3.17 誰想害死列寧？

讀歷史，最叫人扼腕的就是「該死的人沒死，不該死的人卻早死」。偏偏「早死的」是唯一有力量弄死「該死的」。結果害得後來不該死的無辜，死得人山人海。

列寧是「全世界無產階級和勞動人民的偉大導師和領袖」，他的名字也很長，叫弗拉基米德・伊里奇・列寧。他的太太名字也很長，叫娜婕絲達・康斯坦丁・諾芙娜・克魯普斯卡婭，不是四個太太喔，是一個太太的名字。

他在 1917 年發動「十月革命」，奪得政權，創立了蘇俄。1918 年 8 月 30 日，他被一個叫范妮・卡普蘭（Fanni Kaplan）的女生，在近距離開中兩槍，差點沒命。卡普蘭刺殺列寧的理由，是因爲他「背叛革命」。但卡普蘭是個盲人，所以沒有人想到要防她，她總共開了三槍，因爲她瞎，所以第三槍沒有打中。

列寧雖然命大沒死，但槍傷嚴重，影響他的健康，導致他在 1922 年 5 月就中風。12 月第二次中風，1923 年 3 月第三次中風，因而臥病不起。但他在床上，還是能控制大局，只是生命正在加速消逝。

這時在政治局掌權的三個人是史大林、季諾維也夫、加米涅夫。**1923 年 3 月 17 日**，史大林給另外兩個人寫了一張便條：

絕密

致季諾維也夫、加米涅夫：

娜婕絲達・康斯坦丁・諾芙娜剛剛給我來電話，秘密的告訴我，伊里奇的狀況非常糟糕，他病情發作，因此「不想、不能繼續活下去，要求氰化鉀，一定要！」她說想給他氰化鉀，但沒有勇氣，因此要求史大林支援。

史大林

記得這名字嗎？就是列寧的太太告訴史大林，列寧想服氰化鉀自殺，但是太太沒勇氣，不敢給，想求史大林協助。

回函來了：

絕不能這樣做。費爾斯特醫生說還有希望——怎麼可以這樣做呢？就算沒有希望也不行，不行，不行！

季諾維也夫

加米涅夫

史大林有沒有就此打消此意？沒有，他在 3 月 21 日寫了一封信給政治局的全部委員：

絕密

致政治局委員們：

星期六，3 月 17 日烏里揚諾娃同志非常秘密的通知我，弗・伊里奇要我，史大林，負責爲弗・伊里奇弄到一份氰化鉀交給他。

和我談話時，娜婕絲達・康斯坦丁・諾芙娜還說：「弗・伊里奇遭受極大痛苦，難以繼續活下去。」她堅決要求「不要拒絕伊里奇的請求」。有鑒於娜婕絲達・康斯坦丁・諾芙娜的特別堅持，也鑒於弗·伊里奇的要求，我同意了。在同我談話期間，伊里奇兩次把娜婕絲達·康斯坦丁·諾芙娜叫去，並激動的要求「史大林同意」。

我無法拒絕，只好說「請弗·伊里奇放心並相信，在必要的時候，我會毫不動搖的執行他的要求。」弗·伊里奇就確實放心了。

不過，我要聲明，我沒有力量執行弗·伊里奇的要求，不得不拒絕這一使命。不管它是多麼人道和必要！

僅此通知中央政治局的委員們。

好，烏里揚諾娃是誰？是列寧太太的另一個別名，所以角色很單純，沒有增加人。史大林在幹麼？他爲什麼急於讓列寧死掉？

列寧在 1922 年 5 月第一次中風，就寫下一份遺囑交給他的太太，裡面評論蘇共六個可能的接班人史大林、托洛斯基、季諾維也夫、加米涅夫、布哈林、皮達科夫。其中對史大林的評語是「他能不能永遠、十分謹愼的使用這一權力，我沒有把握。」

到了 12 月他第二次中風，列寧在隔年的 1 月 24 日口授記錄做一個補充：

史大林太粗暴，這個缺點在我們之間，在共產黨人的友誼來看，還可以容忍。但是，在總書記的職位上來看，便是不可以容忍的了。因此，我建議同志們想個辦法把史大林從這個位子調開，另外指定一個人擔任總書記。

到了 3 月 5 日，列寧知道太太被史大林辱罵、恐嚇，憤怒不已，寫了一封信向史大林「絕交」。

史大林嚇得要死，趕緊回信向列寧道歉，可是這時列寧又第三次中風，所以沒有看到史大林的道歉信，他不可能原諒史大林。而且這次中風很嚴重，列寧已經沒辦法講話，所以史大林說：列寧把太太叫去兩次，要太太去求史大林給毒藥的這些話，是不是分明在瞎編？

一個你認爲粗暴的人，一個你要拔掉他權力的人，一個辱罵恐嚇你太太的人，一個你跟他絕交的人，你會堅持要他給你毒藥，毫不動搖的把你毒死？你會這樣做嗎？

中再大風，就算瘋了，也不會吧！而且當列寧臥病無法起身後，每天要他太太念一本小說給他聽，念哪一本呢？傑克倫敦寫的《熱愛生命》Love of Life。天天聽這樣奮鬥勵志故事的人，是想死還是想活？再清楚不過了。

蘇共政治局當然不同意讓列寧自殺，但列寧這時已無力回天。他拖到隔年的 1 月 21 日才死，然而史大林已經控制一切。列寧死後，果然如他說的沒錯，史大林把其他人都一一整死，然後害死了無數、無數、數不清的生命！沒有史大林，不只俄國，包括中國，世界的歷史都會改觀。

邱吉爾講的好：「俄國人民摔進泥沼苦苦掙扎，對於他們來說，最壞的事情莫過於列寧的誕生，而第二壞的事情就是他的死亡啊。」

但話說回來，列寧的下場也是他自己製造的，「共產黨」起初充滿理想色彩，所以最先加入或同情他們的人，都是有悲天憫人的情懷。共產黨是在列寧手裡變成一個「極權」、「恐佈」統治型態的政黨，爲達目的不擇手段。所以列寧在位，誰會是他最得力的助手？當然是殘暴的史大林。

史大林的權力、機會也是列寧給他的，等到列寧發現控制不了史大林，已經太晚了。後世都稱這種極權、恐怖統治的政黨叫「列寧式」政黨，只要是列寧式政黨，那產生出來的偉大領袖，一定是史大林、毛澤東、金日成這類「偉大領袖」。所以是「結構」造成的悲劇，不僅僅只是挑錯人而已。

● 列寧和史大林

3.18 看到黑影就開槍

看到黑影就開槍，不只會浪費子彈，搞不好還會打中自己人。

1960 年 3 月 18 日的下午，在瑞士的美國大使亨利・泰勒（Henry J. Taylor）打開一封神秘的來信，裡面有另一個信封，上面寫著要給聯邦調查局局長胡佛。泰勒大使請中情局 CIA 的伯爾尼站長一起拆信，信是用打字的：

我願意對有關共產黨在西方的間諜活動，提供有價值的情報。如有需要，請在《法蘭克福日報》的人物專欄登一則收到信件的啓事。

斯尼帕

是惡作劇？還是眞的有共黨間諜要投誠？或者是蘇聯特務機關 KGB 的圈套？斯尼帕又是誰？他們找來專家分析，確定打字的字型、墨水都是東歐生產的，最後決定「不入虎穴，焉得虎子」，就在《法蘭克福日報》登一則啓事：

斯尼帕，信收到，歡迎繼續聯絡。

一場持續十四年的諜對諜大戲就此展開。CIA 陸續收到斯尼帕的來信，中間確實有可靠的情報。他們爲斯尼帕建立兩個信箱，和一個在柏林公共浴室的秘密投遞點，並給了他一個緊急電話。才到聖誕節前夕，斯尼帕就帶著他的情婦，向柏林的美國軍事代表團投誠。他當然不叫斯尼帕，他的眞名是米哈伊爾．戈列涅夫斯基（Michael Goleniewski），他可大有來頭，他是波蘭軍事情報部副部長，也是 KGB 在波蘭的大臥底。

樹上掉下來的大魚，戈列涅夫斯基的叛逃，給了 CIA 一個大驚喜。喜的是，他幫助 CIA 揪出一堆潛伏在西方的蘇聯間諜；驚的是，他告訴 CIA，他們的高層內部有鬼，他就是被這個鬼向 KGB 通報，否則他不會如此快就被 KGB 盯上，而不得不叛逃。

事隔不到一年，1961 年 12 月 22 日的中午，CIA 駐芬蘭赫爾辛基的站長，聽到門鈴聲，開門一看。一個又矮又肥的傢伙對他說，他是 KGB 的少校，他叫阿納托利．戈利欽（Anatoliy Golitsyn），他要投誠。又是一個驚喜？這回驚嚇更大，戈利欽把他知道的全盤托出，CIA 才發現許多事情都判斷錯誤，被 KGB 耍得團團轉，爲什麼？因爲 CIA 的內部有鬼！

這下可不得了，CIA 派出了第三號人物詹姆斯．安格爾頓（James Jesus Angleton），他親自盤問戈利欽，戈利欽告訴他 CIA 最少潛伏了幾百個大鬼、小鬼，而且鬼與鬼之間並無聯繫，彼此也不知道對方是鬼。

有時候你說得越誇張，越有人相信，何況那是冷戰時代。一點風吹草動，就能造成鬼影幢幢。

安格爾頓決定展開「清鼠」行動，戈利欽這下成了他的照妖鏡，他根據戈利欽所言，大膽假設，拉掉了大批他懷疑的人馬，包括對蘇聯情報的主管、副主管。反正臥底這種老鼠，是寧可錯殺一百，也不可漏掉一個。

藉著整風，安格爾頓也成了 CIA 最有實權的人。就在他們以爲老鼠清得差不多，1964 年 2 月又出現一個叛逃者，此人叫尤里．諾森科（Yuri Nosenko），他是 KGB 派在柏林的頭子。他帶來更大的驚嚇，他說 KGB 根本沒有滲透 CIA 的高層。他說的跟戈利欽相反，也就是清鼠行動其實沒有殺到外來的老鼠，反而害了自己的貓。

戈利欽當然反咬，指諾森科一定是 KGB 故意派來的諜中諜，因爲戈利欽幫助 CIA 清鼠成功，他們派這個毒藥來毒貓。怎麼辦？誰說的是眞的？

CIA 對諾森科進行「測謊」，測謊器顯示他心跳劇烈，這證明他有問題。問題是測謊前，警衛闖進他的房間對他大吼大叫，罵他是騙子。把他剝個精光，叫他站在牆角，說這是「例行檢查」。這樣他心跳不劇烈，那才有鬼咧！

諾森科被關起來，不給牙膏牙刷，一週才給洗一次澡，刮一次鬍子。肚子餓不讓他吃飽；天氣冷不給他毛毯。虐待他，叫他招供。可憐的他以爲自己是「投奔自由」，沒想到被關了 1277 天，足足關了三年半。

到了 1966 年 8 月，新任 CIA 副局長發覺這個案子有問題，要求必須結案，結果安格爾頓寫了一份九百頁的報告呈上來。九百頁，誰看？只能看結論，結論是諾森科是壞蛋！

1967 年 11 月諾森科被移監到華盛頓，CIA 的另一個副局長趁這個機會，對他進行另一次「測謊」。這次沒有先來個「例行檢查」，他通過測謊，再做，也通過。詳細檢驗那九百頁報告，裡面太多臆測，而且查證諾森科確實是 KGB 的高級軍官。

這下 CIA 分裂成兩派，互相指責，問題是沒有證據能證明是戈利欽，還是諾森科是壞蛋？ 1969 年 3 月諾森科被 CIA 聘爲反情報的顧問。這代表安格爾頓失勢了，有人甚至說眞正的鬼，是安格爾頓，而戈利欽和諾森科只是被利用來製造煙霧！

安格爾頓在同事眼中是一個「怪」人，他沒有愛好，也沒有朋友，永遠是一張撲克臉。不，是一張帶著懷疑的撲克臉。連他結婚三十多年的妻子，都不知道他眞實的身份，還以爲他在「郵局」工作。會不會他才是眞正的大老鼠？

1974 年新任的 CIA 局長，決定不能再這樣亂下去，在 12 月要安格爾頓退休。他離開前，還是提出警告，CIA 老鼠還在。不管怎樣，這場清鼠行動，就此落幕。

不管 KGB 到底有沒有人滲透進 CIA 當老鼠，CIA 自己就把自己搞得一團亂，而且亂成兩半，互鬥多年。

「懷疑」可能才是最厲害的老鼠，最有利的武器！

3.19 瘋狂

上帝要毀滅一個人，必先使他瘋狂！

我不認爲上帝會這樣，因爲人瘋狂起來，在自我毀滅之前，可是會先把上帝的傑作毀滅掉！

希特勒本來想做藝術家，但資質有限，考不進維也納美術學院，只好放棄。後來他掌握德國大權，併吞了奧地利，光榮回到他在奧地利的家鄉林茲（Linz）。這時他的藝術大夢又膨脹起來，他想要把林茲打造成一個超越佛羅倫斯的藝術之都。所以他想要建一座世界最大的博物館，展現他的藝術品味。

光有硬體的建築不夠，還要有豐富偉大的館藏才行。這些藝術品去哪裡找呢？利用戰爭去掠奪。於是他成立了一支特種部隊 ERR，專門在他佔領的地區，大肆搜刮珍貴的藝術品，準備充實他那偉大的林茲博物館。

1944 年 6 月，戰事十分吃緊，德國在盟軍的夾擊下，節節敗退。希特勒下令把搜刮來的藝術品搬回後方，分批藏在不同的礦坑中。其中最珍貴的一批，包括有布魯日的米開朗基羅「聖母抱子像」、根特祭壇的七片畫板、梅爾維爾的「天文學家」…… 就送進奧地利一個叫「奧爾陶斯」的鹽礦坑。

到了 1945 年，戰爭的勝敗已經很明朗。德國全面戰敗投降，只剩時間早晚的問題了。但希特勒拒絕承認現況，他還在地下碉堡指揮虛幻的大軍。這時的他雖然已到末路，想翻盤是不可能，但還是有力量造成更大的創傷和遺憾，因爲還是有一小群死忠於他的人，會執行他所有瘋狂的命令。

1945 年 3 月 19 日，希特勒簽署了早就預備好的命令，在他和德國毀滅時，把他搜括的藝術品，全部銷毀陪葬。這很像羅馬皇帝尼祿，當年想要燒掉羅馬，好整個重建，所以稱爲「尼祿命令」。

這樣做當然是既瘋狂又沒有意義，但是瘋狂的人心中只有自我，我享受不到的東西，也不留給別人爽。美好的東西隨我毀滅，讓你們永遠遺憾，誰叫你們要毀滅我。偏偏狂人不是只有一個人的力量，再怎麼山窮水盡，總有一群笨蛋追隨著他，不這樣他們會失去活著的意義！

所以駐守在奧爾陶斯的納粹，接到命令後，立刻進行佈署。他們運了大量的炸藥進入礦坑，準備隨時毀滅所有的藝術珍寶。

首先是礦工們感覺不對，他們發現搬進礦坑的箱子，裡面裝的不是雕像，而是炸藥。他們很害怕如果納粹把鹽礦炸了，以後他們要靠什麼生活？

這時出現了兩個英雄，一個是主管藝術品的艾默里奇·波西米勒博士（Emmerich Pöchmüller），另一個是礦工的工頭歐托·霍格勒（Otto Hogler）。波西米勒先對上面的毀滅命令，陽奉陰違，儘量拖延時間。他暗中想好一個計畫，把礦坑裡的通道炸癱，出入通道一律封閉，這樣任何人都無法進入礦室破壞藝術品。但是要小心的是，如何炸得剛剛好，只把隧道封閉，而不會造成礦坑內部的崩塌，讓藝術品損壞。

他把計畫告訴工頭霍格勒，霍格勒決定幫忙。霍格勒利用礦工們怕以後失去生計的心理，指揮他們把炸藥搬出礦坑，藏在附近的樹林，然後進行封閉隧道的工作。礦工以爲這樣做是爲了保護鹽礦，並不知道是爲了保護藝術品。波西米勒和霍格勒帶領一群人，連續工作了 20 個小時，終於設好了 386 枚雷管和 502 個定時開關。

5 月 5 日天剛微亮時，波西米勒一聲令下，炸藥引爆，奧爾陶斯鹽礦 137 條隧道全部封閉。納粹沒有機會毀滅這些藝術品了，但藝術品在礦室內是不是完好？只能祈禱上帝保佑！當納粹德軍知道礦坑被封閉，立刻要派兵過來，想殺光在奧爾陶斯不服從命令的奧地利人。幸好美軍在 5 月 8 號開到了奧爾陶斯，得知有大批藝術品藏在礦坑中。美方的藝術品搶救專家在 8 月 12 日抵達，開始挖掘工作。總共清除 879 台推車的瓦礫碎石，6 月 14 日所有的隧道再度暢通。礦室的藝術品也都完好如初。

事情到此還沒完，這批藝術品逃脫了被希特勒摧毀的命運，但可能又要落入另一個魔掌。美國杜魯門總統向史大林讓步，同盟國對德國佔領要遵照 2 月雅爾達會議的劃分，意思是說現在很多美軍佔領的區域，要讓出來交到蘇聯手中。奧爾陶斯如果交給蘇聯，這批各國搜刮來的寶物，就要拱手交給史大林。史大林可不是吃素的，他咬在嘴邊的肉只會獨呑下去，不會物歸原主。

於是美方藝術搶救專家喬治・斯托特（George Stout），指揮所有專家，不眠不休，日夜將藝術品打包。搞到斯托特的手指關節腫脹受傷，他在日記裡寫著：「我們所有的『手』都在抱怨！」東西實在太多，所以一直到了 7 月 1 日的最後期限，他們都還來不及裝運。幸運的是，美國和英國認爲雅爾達會議的結論只適用德國，但奧地利是另一個國家，雖然在戰前被德國呑併，但不適用於雅爾達會議。這樣又爲搶救工作爭取到一點時間，終於在 7 月 6 日，八十輛大卡車載著八千多件「包紮」完好的藝術品，和上千箱書籍、檔案離開奧爾陶斯，然後各自送回原來的地方。

今天，我們能在布魯日聖母教堂看到米開朗基羅的「聖母抱子像」，能在根特聖巴夫教堂看到祭壇上的畫板，要歸功那些在戰時盡力搶救無價之寶的英雄。他們不像殺敵的將軍，功勳那麼容易被看見，但他們的作戰，對人類文明的貢獻，其實更加深遠！

● 根特祭壇的畫板

● 米開朗基羅的「聖母抱子像」

3.20 領導不會錯

偉大的領袖忙著指導人民，沒有時間吸收新知，所以腦袋空空。但腦空不是眞的空，而是腦中裝滿舊垃圾，新的東西進不去。當偉大領袖用無知空空的腦，忙著指揮人民時，災難就來臨了。

1955 年冬天，毛澤東指示，要把麻雀、老鼠、蒼蠅、蚊子看成「四害」，必須消滅。1956 年秋天，在青島召開「麻雀問題」討論會，當時許多專家學者站出來說，麻雀不能算害鳥，反對貿然行事。1957 年 1 月，當時的教育部副部長、生物學家周建人在《北京日報》發表「麻雀害鳥，無須懷疑」的文章，主張「麻雀是害鳥，害鳥應當撲滅，不必猶豫。」

中國科學實驗生物研究所副所長朱洗起來反對，他舉出 1744 年，普魯士腓特烈大帝就幹過這種蠢事。他出賞金，殺麻雀，結果麻雀少了，但果樹的害蟲因爲少了天敵，就大量繁殖。果樹的葉子都被蟲吃光，長不出果子。腓特烈大帝急忙收回命令，派人到別的國家，花大錢買麻雀運回普魯士。

他舉現代的作法，像紐約、澳洲也曾爲了減少蟲害，從國外引進麻雀。「我們如果公平的衡量利弊得失，應該承認麻雀在某些季節確實有害，但更多時間是有益的。」

可是「偉大的」毛澤東已經定調麻雀會耗損農作物，是農民的敵人，牠是四害中的老四。偉大領袖怎麼會錯？於是中國展開除四害的運動。

1958 年 3 月 20 日，殺麻雀的運動從四川展開，短短三天殺滅麻雀 1500 萬隻，摧毀麻雀巢 8 萬個，掏捕麻雀蛋 35

萬顆。這是毛主席英明領導的大捷、大勝利。

這下其他地方哪敢落後，殺麻雀轟轟烈烈的幹起來！甚至所有人被動員，一天多次定時拿著飯鍋、臉盆，只要是金屬敲得響的東西，都拿出來集體敲打，發出可怕噪音，驚嚇麻雀。讓牠們無法停在樹上，只能一直飛，飛到累死。就這樣大打大鬧，到了11月，全國共捕殺麻雀19.6億隻。中國文聯主席、科學院院長郭沫若還寫了一首《咒麻雀》的詩，發表在《北京晚報》。抄給你看，看你噁不噁？

麻雀麻雀氣太官，天垮下來你不管。
麻雀麻雀氣太闊，吃起米來如風刮。
麻雀麻雀氣太暮，光是偷懶沒事做。
麻雀麻雀氣太傲，既怕紅來又怕鬧。
麻雀麻雀氣太嬌，雖有翅膀飛不高。
你眞是個混蛋鳥，五氣俱全到處跳。
犯下罪惡幾千年，今天和你總清算。
毒打轟掏齊進攻，最後方使烈火烘。
連同武器齊燒空，四害俱無天下同。

怎麼樣？噁得厲害吧！詩也寫得夠爛吧！

1959年春天，麻雀是死絕了，但像上海、揚州這些城市也跟著爆發嚴重病蟲害。鄉村田地裡，也是蟲害蔓延。嚴重歉收，饑荒發生。到了7月毛澤東還是說：「有人提除四害不行，放鬆了，麻雀現在成了大問題，還是要除。」這樣繼續搞到1960年，問題嚴重到不收拾不行。

但毛主席不會錯，不能錯。如果有錯，那一定是別人的錯。所以就把原來的「四害」，老鼠、蒼蠅、蚊子、麻雀，改成老鼠、蒼蠅、蚊子、蟑螂。四害沒有錯，是有一害錯了。麻雀不殺了，但死罪可免，活罪難逃。改成「轟」麻雀，所以麻雀是害鳥，基本上還是沒錯的。

而當時反對打麻雀的學者，在緊接著來的「文化大革命」中，都被打成假藉「反打麻雀」，其實是反大躍進、反黨最高指示、反毛主席，因而受到殘酷迫害。而反對打麻雀的頭號份子朱洗，還加上污衊毛主席，把毛主席和腓特烈大帝相提並論，暗示毛是專制君王，公開反主席。但朱洗已在1962年生病死了，鬥不了活人，鬥死人。他們掘開朱洗的墳墓，曝屍挫骨。

權力使人腐化，絕對的權力帶來絕對的腐化。

同樣，權力也會使人白癡，絕對的權力也會帶來絕對的白癡。要記住愛因斯坦那句話：

天才與白癡的差異是，天才是有極限的！

●成車的麻雀被當作戰利品，運往除「四害」的展覽會展示。

3.21 被虧待的英雄

不要小看一根釘子，它如果釘中要害，會讓整根木頭或整塊石頭，應聲裂開。

1943 年 3 月 21 日是二次大戰決勝的關鍵日。這一天發生了什麼戰役嗎？

先說英國的陸軍打不過德軍，所以被趕出歐陸。而德國的海軍那就遠遠不是英軍對手，所以無力跨海。但德國發展出一套「海狼」戰術，就是全力使用潛艇，目的不是要跟英國海軍打，而是用潛艇來打商船、貨船，只要把從美國來的補給貨源打斷，那英國沒有糧食、油料、武器…… 彈盡援絕，也只好認輸投降。所以德國神出鬼沒的潛艇，是英國最大的痛。光是在 1943 年 3 月 1 日到 20 日，短短幾天德國潛艇就擊沉了重達六十二萬七千噸，共一百零八艘英國輪船。

但在 3 月 21 日以後，戰局翻轉，德國潛艇擊沉盟軍的船隻大幅下降，而德國潛艇被捕殺的數量大幅上升。英軍是黃金交叉，德軍是死亡交叉。是哪位英軍名將使出什麼絕招？還是德軍犯了致命的錯誤？都不是，造成這個交叉點的人是一位數學天才，涂林（Alan Mathison Turing）。

二戰爆發，涂林接受英國政府的徵召，在布萊契利公園組織一個秘密工作站。由他領導一群傑出的學者專家，研究如何破解德軍的密碼。涂林發明了第一台軍事解碼器，命名爲「炸彈」Bomben。這台由十二組電路連接的計算轉輪，可以二十四小時分析所有攔截到的德軍電報，透過字母順序來破解通訊的內容。這其實就是人類的第一台「電腦」，涂林等於是電腦的發明人。

1943 年 3 月 21 日，涂林終於成功的破解德軍的密碼系統，最快幾分鐘，最慢一小時就可以完全解碼。所以英軍完全掌握德軍潛艇在海上的佈署和行動，這等於是明眼貓抓瞎老鼠，德國潛艇當然死定了。只是每次英軍行動，都還得裝慢，不可反應太快，有時還得放過，故意裝不知道，免得德軍發現密碼已被破解。

涂林的小組等於是軍事單位，但他個人對只講究紀律不知道變通的軍人，非常不屑。他毫不掩飾自己的聰明，處處顯露自負，以及對軍方笨蛋的不耐煩。而且他也不避諱自己同性戀的傾向，但當時同性戀還是違法的，保守的軍方更是感到難堪。

涂林和他的團隊雖戰功卓越，戰後卻沒有得到「表揚」。政府要求他們保密，涂林本人雖然得到「帝國騎士勳章」，但他爲什麼受勳？受獎原因隻字不提。爲什麼要保密？戰爭不是都結束了嗎？眞正的原因是「政治」。

因爲英國政府破解德軍密碼，清楚掌握德軍的行動。但爲了不讓德軍起疑，有時要做出犧牲。例如有一次英軍知道德國要夜襲，進行大規模轟炸。本來應該先撤離當地居民，但如果撤離人民，德軍發現白炸，一定會驚覺密碼被破解。所以邱吉爾下令不動，結果那次轟炸死傷許多英國平民，這是可怕的代價。但戰後如果把事實講出來，英國政府就算不怕面對法律的訴訟，至少得面對道德良心的壓力。所以眞正立了大功的一群英雄，卻沒有得到英雄的禮遇。

戰後涂林進入國家物理實驗室。他不只超越美國，製造了運算能力更強的電子計算機，更深入到「人工智慧」，他斷言到 2000 年時，電腦的能力一定會超過人腦。看來他確實是先知。

但偉大的天才和先知，卻遭到世間無情的屈辱。在 1952 年 1 月 23 日，涂林的家遭小偷。他報警後也引來媒體的關注。涂林與上門採訪的記者閒聊時，不經意說出自己是同性戀。涂林本來就沒有要掩飾自己的性傾向，但他不知道媒體會掀起惡浪。事情經報紙一報，保守衛道的力量從四面八方向他撲來，要逼他辭去各項要職，抹掉他的學術成就。最後涂林受不了壓力，在 1954 年 6 月 7 日自殺身亡，死時才四十一歲。

英國政府爲了避免尷尬，所以也對涂林在大戰中的貢獻避而不提。一個眞正的英雄，一個拯救無數國民生命的英雄，卻在國民的無知下被逼自殺。這是眞正的悲劇。要不是有涂林，英國可能已經在納粹的封鎖下，不得不投降言和；至少要損失更多更多生命財產。同樣的，如果涂林活得更久，那麼人類在電腦上的進步，不知要加快多少呢！

● 涂林破解密碼，扭轉二戰戰局。

● 涂林發明的解碼器

3.22 瓦倫達效應

傳說后羿是古代的神射手，他射箭能在百步之外，百發百中。有一天，大王找后羿來，對他說：「如果你今天射中箭靶，我就賞賜你黃金萬鎰。如果射不中，那就要削減你一千戶的封地。」

后羿搭箭拉弓，想著射中有黃金，射不中要削地。瞄了又瞄，一箭射出，偏了，沒中。大王問旁邊的大臣：「平常后羿總是百發百中，爲什麼今天失常呢？」

大臣解釋說：「后羿平日射箭，是用一顆平常心，箭術可以正常發揮。今天他射箭的結果利害關係太大，所以無法專心，當然射不好。」

專注力是關鍵，但要專注在「過程」，就會有好「結果」。如果把心專注在「結果」，那「過程」就會砸鍋。

卡爾·瓦倫達（Karl Wallenda）是走鋼索的「后羿」，他六歲就踏上鋼索表演。他的高空特技演出一次比一次驚險，一次比一次受歡迎。他的神乎奇技，創造許多記錄，他走鋼索好像比走平地還穩。

1978 年 3 月 22 日，瓦倫達在波多黎各聖胡安表演，他要走過橫跨兩棟十層高樓的鋼索。這次演出，現場邀請很多美國的知名人士，演出成功會帶給他重大的名聲和利益。

上場前他不斷對自己說：「這次表演太重要，不能失敗，絕對不能失敗！」

爲了讓表演更刺激，更有看頭，瓦倫達決定撤掉保險繩索。他有自信百分之百會成功，他從小到大從沒出過錯。

當他在眾人歡呼聲中起步，順利的走到鋼索中間，剛剛表演了兩個難度不高的動作……結果在驚呼聲中，從三十七公尺的高空，失足摔落。除了現場觀眾，經過電視，全世界看到悲劇發生。

事後，瓦倫達的太太說：

「我知道這次一定會出事，因爲他在出場前就不停說：這次演出太重要，絕不能失敗的話。以前他每次成功演出，他都只想著如何走好鋼索，不去想演出以後，會造成的結果和差別。」

這就是瓦倫達失手的原因，他太患得患失，太看重「結果」。而不是像平常一樣，只專注在表演的「過程」。心中有多餘的雜念，使得他原有的技術和能力無法正常發揮。從那天後，心理學家就把這種患得患失而導致失敗的現象，稱爲「瓦倫達效應」。

史丹佛大學的研究，人腦中的圖像、畫面，會刺激神經系統，然後製造你極力想避免的事實。假如你穿著拖地長裙和高跟鞋上台頒獎，你不斷告訴自己千萬不要踩到裙子，以免跌倒。可是當你越這樣想，大腦越會送出高跟鞋踩到裙子的情景，於是情景就會控制你的行動，把你送往你最害怕的方向。嘿、嘿、它就越會發生，你就偏偏摔個七葷八素。

英國首相柴契爾夫人在與鄧小平談判後，走出中國人民大會堂，不留神摔了一跤。這著名的一跤，可能是她在來之前，就不斷的告訴自己，人民大會堂的階梯陡又多階、又沒扶手，穿著高跟鞋，下階梯可要小心，萬一摔跤可難看……結果反而摔了一跤。

還有像頂尖職業選手，其實大家技術都是差不多，最後取勝的關鍵就是心理素質。常常發生本來不被看好的選手，爆冷門打掛排名在前的選手，就是因爲一個怕輸，一個根本沒想到贏。所以能保持常勝的頂尖好手，都是有很高的心理素質，能專注在每一球、每一動作，不讓「瓦倫達效應」有機會產生作用。有點像六祖慧能所說：「本來無一物，何處惹塵埃」的境界。

要知道，急於成功，不會成功。害怕失敗，就會失敗。

●卡爾・瓦倫達

3.23 問情深幾許

如果莎士比亞的姊妹也有自己的房間，那麼，她們也可以成爲莎士比亞！

這是維吉妮亞．吳爾芙（Virginia Woolf）的作品《自己的房間》中的名句。吳爾芙是英國文學綻放的一樹奇異的花，她是現代主義文學和女性主義的先鋒。而她本人卻是極端纖細、敏感、沉靜……而且是性冷感、同性戀、精神病……那麼是誰爲她打造了「她的房間」呢？

是她的先生利歐納（Leonard Woolf），他爲維吉妮亞打造的不只是一個房間，而是一座出版的城堡。如果沒有他的深情、勇氣、犧牲、包容，我們不可能看見維吉妮亞．吳爾芙這樹奇花。

維吉妮亞的哥哥在讀劍橋大學時，集合一群思想前衛的朋友。他們愛好文學、藝術、音樂，更重要的是「思想」。他們在一起談論、辯論如何創造新的藝術形式，來追尋眞理。聚會的地點就是維吉妮亞在布魯姆斯伯里（Bloomsbury）的家。這就是著名「布魯姆斯伯里文人團」的由來，利歐納也是其中的一員。

利歐納第一次遇見維吉妮亞是在她哥哥劍橋大學的宿舍，那時十八年華的維吉妮亞穿著一身潔白，頭戴大盤帽，手握一支陽傘，像一尊大理石雕像，端坐在椅子上。利歐納不只被她優雅典麗、靈秀脫俗的樣貌所迷眩，更從她藍灰色的雙眼，看到她聰穎、敏銳、細緻又帶點諷刺的自我氣質。

他當然第一眼就愛上她，但卻不敢高攀。他在 1904 年去印度，出任錫蘭的地方長官。

1909 年維吉妮亞接受同樣是布魯姆斯伯里派的名士史崔契（Lytton Strachey）的求婚，可是史崔契覺得自己有同性戀的傾向，這樣結婚會對不起維吉妮亞，想要取消婚約，又怕傷害維吉妮亞，於是寫信給利歐納，請他回來倫敦幫忙緩頰圓場。

利歐納回到倫敦，見到維吉妮亞，這次他再也壓不住愛意，決心追求她。利歐納向政府申請延長假期，但沒有得到批准。所以他毅然辭職，放棄大好政治前程，留在倫敦改行從事寫作。維吉妮亞被他感動，決定嫁給他。她在寫給朋友的信裡說：「我們無休止的談了七個星期，情投意合，心無二念。」要知道利歐納在婚前，就知道維吉妮亞是性冷感，有同性戀傾向，而且有精神病的病史。維吉妮亞並沒有對他隱瞞，他不顧親友的反對，執意要娶她爲妻，他相信愛可以克服一切。

利歐納寫小說也是才華橫溢，他的第一本小說比維吉妮亞還早兩年出版。他寫的書很受好評，也很暢銷。看起來他雖然放棄政治前途，文學前途也一樣看好。但是他與維吉妮亞婚後一段時間，維吉妮亞的精神病嚴重復發，等她情況穩定，利歐納爲了方便在家照顧她，並讓她可以無所限制的創作，在 **1917 年 3 月 23 日**，兩人買下了一台二手的印刷機，在家裡成立自己的出版社和書店，專門出版販賣維吉妮亞的作品，出版社取名叫「霍加斯」Hogarth Press。

從此，維吉妮亞的作品便源源不斷，文壇的聲譽日漸上升，劍橋大學還要頒給她榮譽學位。但她爲了抵制英國大學對女性不平等的待遇，謝絕接受。利歐納不只光出維吉妮亞的書，還出了一堆維吉妮亞好朋友的書。重要的有曼殊菲爾的《序曲》、艾略特的詩集《荒原》、俄國作家高爾基、杜斯妥也夫斯基的小說……還差一點出到喬埃斯的《尤里西斯》，因爲篇幅太巨大而且會吃上淫猥官司而作罷。所以，利歐納不只要專心照顧維吉妮亞，還要努力經營出版社，只好放棄寫作。只要維吉妮亞滿足就好，他不在乎自己可能擁有的光環，一切都是爲了維吉妮亞。這是利歐納的深情與犧牲！

維吉妮亞也明白利歐納的付出和愛，她在日記寫道：

倘若現在死去，
那麼此刻是最幸福的了，
因爲恐怕
我心中的滿足是如此絕對，
在未來的命數中，
再不會有類似的欣慰！

旁人描述利歐納對待維吉妮亞：「好像保護一只異常珍貴的明朝瓷瓶，明知瓶子有裂縫，更加格外用無邊的謹慎來照顧！」

而這個裂縫終於在 1941 年 3 月 28 日，崩裂了。維吉妮亞在奧斯河邊，放下手杖、帽子，口袋塞滿石頭，緩步走入河中，自殺隨波而去。她留下一封信給利歐納：

最親愛的：

我感覺確切又要發瘋了。我覺得我們不能再度過一次那種可怕的時光。這次我再不會復原了。我開始聽到聲音，不能集中精神。因此我這樣做似乎是最好的辦法。你給了我最大可能的幸福。你在各方面都盡了最大的努力。這可怕的疾病來臨以前，我想不出有任何一對夫妻比我們更幸福。

我無力再奮鬥了。我曉得我會妨礙你的生活。沒有我，你可以工作。我知道你會的。你瞧，我連這都寫不妥當。我不能閱讀。我要說的是，這輩子幸虧有了你，我才有這些福氣。你對我十分有耐性，非常的善良。我的意思是——人人都知道。如果我的病有救的話，那救我的人一定是你。如今一切都離我而去，只有你的善良還確實存在。我不能再繼續糟蹋你的生命。我想沒有人比我們在一起時更快樂的了。

最摯愛的人終究擋不住精神病魔的折磨，棄他、棄世而去。利歐納有懷念，但沒有懷憂。辦完維吉妮亞的葬禮後，重新拾筆，再度開始寫作。後來成爲著名的歷史傳記作家。

愛情，要問的不是眞不眞？而是問情深不深！

有些感情確實是眞的，但如果太淺，一下就踩到底了。

●英國作家吳爾芙

3.24 一千次敲開幸運門

我們有時候不知道，自己是一個齒輪，當我們轉動時，會帶動另一個齒輪，一個又一個另一個齒輪，產生想像不到的力量。

1975年3月24日，一個剛由業餘轉職業，沒什麼人知道的白人拳擊手查克．韋波納（Chuck Wepner），挑戰世界拳王阿里（Muhammad Ali）。賽前大家都一面倒的預測，不出兩三個回合，阿里就能擺平韋波納。

誰也沒想到韋波納居然和阿里打得難分難解，在第九回合還把阿里擊倒在地。兩個人纏鬥了十五個回合，阿里才以些微的比數，技術得勝。韋波納因此得到「如岩石堅硬的拳手」的外號，英文是 The Real Rocky。

有一個想當明星卻星運欠佳的窮小子，看完這場韋波納奮戰到底、毫不放棄的拳賽，觸動他的靈感，花了三天的時間寫出一部電影劇本。

他拿著劇本到處找人、找電影公司投資，有些人看上了劇本，卻沒辦法接受他的條件，就是他自己要演男主角。如果不讓他演男主角，寧願不拍。就這樣，他被拒絕了一千次以上。

終於有電影公司點頭，但只願意出資一百萬美金。他使用這少少的預算，自己製作，自己演，只用了短短二十八天就把片子拍完。這部電影名叫《洛基》Rocky，男主角就是席維斯．史特龍（Sylvester Stallone）。

結果片子意外大賣座，票房收入超過兩億兩千五百萬美金。而且獲得奧斯卡金像獎十項提名。史特龍被提名爲最佳男主角和最佳原創劇本獎。結果奪下最佳影片、最佳導演、最佳剪輯，共三座大獎。《洛基》連續拍了六集，史特龍因此成爲好萊塢的大明星，後來又拍了著名的《第一滴血》系列電影。

上帝當然會給我們機會，會幫助我們。關鍵是天助自助者，機會往往就在眼前，關鍵是我們會不會抓住。

幸運來敲門時，通常很溫柔、很輕聲，你要細細聽。懷才，一定要遇！

●《洛基》的電影海報

3.25 人生是含淚的微笑

跌倒的時候，不用急著爬起來。

也許這是上天給我們的機會，讓我們能換一個高度看世界，好發現以前不曾看過的豐富。

威廉．西德尼．波特（William Sydney Porter）不到二十歲就做過歌手、演員、藥劑師、繪圖員、記者、出納員。他二十一歲時因妻子的鼓勵，立志要成爲作家，但一直沒寫出什麼名堂。混到二十九歲，受雇在奧斯汀的第一國民銀行當出納員，但是他工作有個問題，他對金錢、數字不太在意。很多顧客反應，以爲他在裡頭算錢、算帳，其實是在畫圖。他心裡有另一個夢想，想做畫家。他如此心不在工作，終究給他帶來麻煩。有幾筆他經手的錢不見了，他提不出解釋，丟了工作不要緊，還被起訴，指控他盜用公款。他堅稱他沒有偷拿一分錢，但還是被拘押。他的岳父把他保出來，其實案情不嚴重，但他就在傳訊前一天，棄保逃出美國，躲到南美的宏都拉斯。

波特在那裡開始寫長篇小說《包心菜與國王》Cabbages and Kings，這部小說並不成功，唯一可算成功的地方就是他創造了「香蕉共和國」Banana Republic 這個詞彙。波特逃亡六個月後，知道留在美國的妻子病重，他便跑回奧斯汀照顧妻子，等到他的妻子死後，他不想躲了，向警方自首入獄。他最後被判有罪，刑期五年。

1898 年 3 月 25 日，他被關進俄亥俄州哥倫布的監獄。

波特入獄後爲了賺錢照顧女兒的生活，開始動筆寫短篇小說。因爲短篇小說寫作的時間較短，在獄中可利用片段的時間很快完成。最要緊的，短篇小說可發表的報刊很多，可以很快拿到稿費。他爲了不讓女兒知道他在坐牢，所以用了筆名來發表作品，這樣讀者也不知道他是囚犯。這是他人生的低谷，但卻是世界文學一個偉大的起飛。

以前寫長篇不成功，寫短篇卻深受讀者喜愛。後來因表現良好，關了三年得到假釋。出獄後，他搬到紐約，成爲職業作家，專寫短篇小說。他寫作的速度極快，很少修改，很可能都是在牢裡練就的工夫。他曾說：「一篇小說一旦開了頭，就非得一口氣寫到底不可，要不然就再也寫不下去。」

獄中生活，不只讓他找到創作的方向，也讓他接觸到社會底層，跟平時不見陽光的地方。所以他常以小人物爲創作題材，發掘平凡中的深刻面。作品中常出現堅守榮譽的窮人、救人的賊、放人一馬的警察 …… 但他筆鋒並無尖刻，而總是以幽默的手法，讓讀者在會心而笑中，看透社會的眞相，思索人生的眞諦。

他作品最大的特色，就是總在結局時峰迴路轉，出現驚奇的發展，讓人拍案叫絕。

波特一生共創作了三百多篇短篇小說，最知名的有《最後一片葉子》、《瑪琪的禮物》、《財神與愛神》、《紅毛酋長的贖金》…… 被公認爲「美國現代短篇小說之父」，與莫泊桑、契訶夫並稱爲「世界三大短篇小說之王」。

不錯，他就是歐亨利。

波特在獄中完成短篇作品後，卻爲了用什麼名字發表而傷透腦筋。這時，他想起在宏都拉斯常常去的「煙廠酒吧」，還有酒吧老闆亨利。有一天，波特又來到煙廠酒吧，他跟老闆說：「喔，亨利！我要跟之前一樣的！」接著，轉身跟櫃檯旁邊的兩位朋友聊天。波特從口袋裡掏出一篇稿子說：「你們看，這是我寫的。可是我不想用自己的名字，該用什麼筆名才好呢？」

朋友回答他：「乾脆叫『歐・亨利』吧，你不是時常把這個名字掛在嘴上嗎？」

波特笑了，當時他並沒有把這個玩笑放在心上。但在監獄裡，他又回想起了那一刻，於是他拿起面前的稿子，在上面簽上了——歐・亨利。

這就是波特筆名的由來。他那讓人一驚、一歎的獨特結局法叫「歐亨利式的結尾」。

1898 年 3 月 25 日，這一天波特跌了人生的一大跤，卻是文學世界一大豐收的開始。正如他所寫的：

人生是個含淚的微笑！

● 美國小說家歐亨利

3.26 用種子控制你

大人物在街頭對清道夫說：

「你的工作又髒又苦，我同情你。」

「謝謝你，大人物先生。不過我想請問你，你的工作是什麼？」

「我的工作是政治，我是管理眾人之事的人。」

清道夫於是繼續掃地，笑著說：「我也同情你！」

2013年3月26日，美國總統歐巴馬簽署一份法案，這份厚厚的文件在第七十八頁藏著「孟山都保護法」。有了這些條款，基因改造的食品公司以後不需要「標示」基改食品，種植、銷售有安全疑慮的種子，也不再受法院過去的限制。

如果往後出現對人體有害、對環境汙染的情況，就能避開法院的制裁。而孟山都正是最大的基因改造公司，這個法案最大的得利者。

說孟山都是「基改食品」公司，不如說它是「基改毒品」公司。怎麼說？

孟山都會先向農民洗腦，基改種子的好處。它不怕蟲、不怕農藥、抗寒耐熱，長得又比較大，收成比較多。好，只要農民種了基改作物，孟山都還會搭配農藥、肥料送給你。果然收成很不錯，可是第二年、第三年呢？

農民發現怎麼東西長不出來？這時孟山都就要賣你新的基改種子，跟你收「專利」費。你說我不種了，老子種別的。不行，土地只要種了基改作物，就會被破壞，再種正常的作物，怎麼種就是長不出來。

所以你只好乖乖向孟山都買種子，而孟山都的種子，要搭配孟山都的農藥、肥料才有效，以前這些是免費送你。現在，嘿嘿，也要收錢。這跟賣毒品有什麼不一樣？

農民完全被孟山都掐得死死。更扯的是，別人種的孟山都基改作物，收成時如果被風吹到你的土地，那你這塊土地就中毒，以後種正常作物也不會活。

要是基改種子「飄」過來，在你土裡長出來，孟山都也來跟你收錢，因爲你侵犯它的「專利」。

也就是說吸毒要給錢，吸「二手毒」也要給錢。

孟山都用這一套，摧毀的不只是農民，而是大片大片的土地。特別嚴重的是在阿根廷、印度，現在也進到中國。而且它的種子還不斷換一代、二代、三代……跟手機一個模式，掐住你之後，再漲價。你錢不夠，先借你，陷入惡性循環的絕境，許多開發中地區的農民只好自殺。

孟山都最早是做除草劑，1949 年 3 月 8 日，它在維吉尼亞耐挫鎮（Nitro）的工廠發生儲存槽爆炸的事件，有 226 名員工受到一種外洩氣體的汙染，孟山都宣稱只是一點皮膚過敏，但它花了 300 萬美金和解了事。這個不明化學物質到 1957 年才被確定，就是世紀劇毒「戴奧辛」。

越戰時，美軍使用最惡名昭彰的「落葉劑」，也是孟山都的產品。落葉劑不只摧毀 500 萬畝的叢林、50 萬畝良田，汙染了越南 20%的森林。最最令人髮指的，越南有 100 萬平民受到汙染，造成死亡、病變、傷殘，而且還生下 50 萬畸形的孩童。有的生出來沒有眼睛或沒有手腳，非常恐怖。美軍自己也有超過 10 萬名士兵受害。

現在，孟山都在基改作物上，擁有超過 70%的市場佔有率，光在美國它就佔有 90%的市場，它是環保界認定的頭號大惡魔。

但道高一尺，魔高一丈，惡魔當然會花錢、用力去買通政客，爲它鋪路，爲它打造保護傘，這就是「孟山都保護法案」的爸爸，問題是誰是它的媽媽？誰爲它接生？政客有很多面具，揭開面具，底下的面貌，也不是單一的。

幸好，藏在厚厚法案文件中的魔鬼，還是被環保人士抓到。經過多年的抗爭，終於孟山都保護法案已在 2013 年 9 月 30 日廢止。

雜草要常常拔，毒草更要時時抓！

再可愛的政客都有可能是惡魔紮的「雜草人」啊！

3.27 森林是什麼？

「一棵樹好比十個孩子，它給我們十件很有價值的東西：氧氣、水、能量、食物、衣服、木材、藥草、房子、花朵還有遮蔭。」這話說得好，說這話的人是印度一位婦女高拉・德維（Gaura Devi）。

她生活在印度喜馬拉雅查漠利地區，十二歲就結婚，二十二歲就成了寡婦，從來沒有上過學。在她快五十歲時，地方政府為了經濟開發，和伐木公司合作，開始伐木開路。路開成了，就能把木頭往外運，就會再砍更多樹。這樣不要多久，村人賴以維生的森林就會消失殆盡。

高拉明白他們雖然是人，但和野生動物一樣無助，任憑政府和大公司宰割，隨意就可以把他們生存的土地破壞精光，而沒有人在意村民的死活。未來，沒有了樹林，村民無法採集樹葉餵牛，也沒有燃料燒飯。但他們是如此弱勢，要怎麼辦？

1973年3月27日，當伐木工人要來砍伐高拉村子的森林時，高拉號召村裡的婦女，由她帶頭，每個人用手緊緊把樹抱住。不用武器，用身體來保護樹林。工人辱罵她們、毆打她們，但她們不鬆手。工人沒辦法，只好撤退。伐木公司當然不會這樣就罷休，他們趁著村裡的男人都出外工作時，決定突襲砍樹。幸好工人到達樹林時，被一個小女孩發現。她拼命跑回村子，告訴高拉。高拉立刻帶領三十幾個婦女和小孩，衝到樹林，擋住工人，抱住大樹。高拉站在一個持槍的工頭面前，說：「兄弟，這片森林是我們母親的家，不要砍它們。否則土石流就會毀了我們的房屋和田地！」

她告訴伐木工人，除非他們把她殺了，否則別想砍一棵樹。這下工頭只好再收手。從此高拉組織村民，大家輪流站崗，保護樹木，夜晚也不鬆懈。

高拉的抱樹、救樹的方法，類似甘地的「不抵抗運動」，用和平、非暴力的手段，來抵擋暴力。但說實在，這也是貧苦弱勢者唯一的武器，雖然簡單、必需有絕大的勇氣，但很有力！所以很快就傳開了，其他村莊也紛紛學習。只要伐木公司來砍樹，村裡的婦女就會緊緊抱樹，保護森林。成爲舉世聞名的「抱樹運動」Chipko Movement, Hug the Trees。

政府和開發商就此死心了嗎？哪有這麼容易？他們爲了賺錢，力道也不小。「女人」擋著，行不通。改用「錢」下手，向「男人」來下手。印度是個男女不平等的國家，鄉村地區更是男人說了算。於是政府和開發商便以利誘，和村委會達成協議，承諾給村子道路、學校、醫院、電力……更重要的還有「回饋金」，來交換砍伐森林。村委會全是由男人組成的，他們受不了誘惑，當然全都簽了協議。但是村子的婦女反對，她們才不會上當。典型的對話就像：

「你們這些笨女人！你們知道森林代表什麼？是樹脂、木材、錢啊！」

「是的，我們當然知道森林是什麼？是土壤、水和乾淨的空氣！」

不管男人達成什麼協議，這一次女人不再忍氣吞聲，她們就是用身體去抱住樹，不讓男人砍。這是女人唯一而有力的武器。

正面衝突沒辦法，政府和開發商還有怪招。例如用「放電影」當武器，山區的村民大半沒看過什麼電影，所以如果有放電影、免費看，大家因爲新奇都會跑去看。所以用放電影來個調虎離山，當村民電影看得正高興，伐木工人就乘機砍樹。

就這樣道高一尺、魔高一丈。有時候村民也會被偷襲，護樹失敗。但大部分都能保持原來森林的完好，運動持續擴大，城裡有良心的知識分子、學者、記者、文化人也加入聲援，更引起國際的注意。最後印度的中央政府承諾在喜馬拉雅山區，十五年內停止砍伐，拯救了五千平方公里的森林。

「抱樹運動」不僅保護了印度一部分的森林，它更激發印度婦女的意識，給她們前所未有的自信。整個運動的骨幹是婦女，這個空前的成功，對印度婦女投入社會改造，提升女性地位有深遠的影響。高拉率領柔弱的女人抱樹、救樹，正義、無畏的形象更深植人心。

要知道，上帝的作爲，往往出於微弱之手。

一根蠟燭，在黑暗的時候，在罪惡的世界，也能發出巨大的光明！

● 高拉帶領村裡的婦女將樹緊緊圍住，保護樹木不被砍伐。

3.28 九歲種一百萬棵樹

如果猴子聽得懂人話，你跟猴子說：「現在給你一根香蕉，還是等一下給你六根香蕉？你會選哪樣？」猴子會選擇現在拿一根。

如果你讓孩子選，孩子一定會選等一下拿六根。因爲猴子比孩子笨，牠不知道有未來，而孩子就是未來。

是的，菲力斯（Felix Finkbeiner）認爲大人和猴子很像，你不能相信他們會拯救未來。大人滿腦子都是現在。孩子要靠自己來創造未來。

菲力斯住在德國慕尼黑附近的小鎮波金（Pöcking），2007年他才九歲，爲了準備星期一在班上的報告，他在 Google 上查到旺加里．瑪塔伊（Wangari Maathai）的事蹟。瑪塔伊出生在非洲肯亞，她是農民的女兒，後來拿到獎學金到美國學生物。回到肯亞後，在 1977 年發起一個名爲「綠腰帶」的運動。就是要大量種樹，給非洲大陸種出一條綠色的腰帶，挽救長期的濫伐、濫墾對水土的破壞。並且希望藉此運動鼓勵當地的婦女挺身出來參與社會的改革。到了 2004 年，在她的推動下，已經種了超過四千五百萬棵樹。因此得到了諾貝爾和平獎。

菲力斯發現，瑪塔伊能達成這麼大的成果，並不是得到很多金錢的支持，她得到的資源其實非常少，卻成就了偉大的事蹟。他想：「小孩也可以做點什麼事！」

他在班上講有關地球暖化的報告，同學都很喜歡。老師鼓勵他講給校長聽、到每個班上去演講。菲力斯得到越來越多的迴響，他覺得不能光嘴巴講，不做事是沒用的。

兩個月後，他跟爸爸要了一點錢買種子，在 **2007 年 3 月 28 日**種下他的第一棵樹，開始了他的「爲地球種樹」Plant for the Planet 的第一步行動。

不到一個禮拜，「爲地球種樹」很快就擴散到其他學校。很多小學生打電話給菲力斯，想要加入這個運動。他們開始架網站、設計活動。要做的事情越來越多，光靠課餘時間，根本不夠用。菲力斯問爸爸：「如果我們有錢，可以請一個員工嗎？」他爸爸說：「有錢當然可以，但我不會出錢。」

菲力斯找到有環保認證的汽車公司豐田 Toyota，他打電話向豐田募四萬歐元，要用這筆錢爲組織雇一個全職的員工。豐田的德國總經理佛伊瑟（Lothar Feuser）一口答應，他很好奇把錢給一個九歲的小孩，會帶來什麼樣的改變？

拿到錢後，菲力斯開始去演講、去宣傳。他在豐田的全德國業務員年會中演講，不只募到一萬一千歐元，並且促使這些業務員在自己的銷售區域，與當地的學校合作，共同去推動種樹的運動。這下「爲地球種樹」有了全國性的組織。

過了一年，2008 年 4 月菲力斯要開記者會，宣布他們已經種了五萬棵樹。前一天晚上，他爸還對他說：「如果明天沒什麼人來，不要太失望喔！」結果第二天的記者會，會場媒體擠爆。「爲地球種樹」運動上了全國媒體。6 月菲力斯到挪威參加聯合國兒童會議，被選爲聯合國環境計畫理事會的理事。他在演講中說：「如果現在的大人是錯的，那我們的種樹運動，在未來就可以大大改變大人的錯誤；如果他們沒有錯，那我們種樹也不會白種，因爲那會使我們的未來更美好！」

才過了三年，菲力斯的種樹運動已經種了一百萬棵樹。他的爸爸回憶說：「當初菲力斯種的第一棵樹是棵酸蘋果樹。我當時以爲事情不會成功，早知道會這樣，我就會買一棵好一點的樹。」

●「為地球種樹」運動的發起人菲力斯

3.29 小農民保衛大環境

一枝筷子，一折就斷。

一把筷子，力氣再大都折不斷。

詹金(Jen King)是美國緬因州蒙特維爾鎮(Montville)一個小農場的老闆。他堅決不種基因改造作物，但他一個人抗拒還是不行。因為基因改造作物會擴散，別人田裡種了基因改造作物，如果風把它吹過來，掉到你的田裡。慘了，你的土地就被汙染。再種原本自然、正常的作物就長不出來，整個土地中毒就毀了。

所以你要健康快樂，必須你周圍的人也健康快樂，否則你一個人休想健康快樂。

於是詹金結合志同道合的農夫，一起推動反基因作物的立法。

2008年3月29日，蒙特維爾鎮的鎮民通過法律，禁止鎮上所有的田地種植基因作物，已經種了基因作物的，必須在兩年內清除完畢。

所以你在蒙特維爾鎮，不管你在超市、餐廳、學校都買不到、吃不到基因作物。鎮民和農民簽訂長期契約，生產自然的多品種農產品，農民有穩定收入。居民不但少了中間剝削，比以前更省錢，而且吃得安全、活得健康。其他鎮的居民也都跑來蒙特維爾鎮買東西、吃東西。

蒙特維爾成功抗拒基因改造食物，接連有四個鎮跟進。在緬因州125萬英畝的農地中，只剩6100英畝還有基因改造作物。眼看就要全州淨化，成功的抗拒大型農業公司的基因改造作物，並且進一步保護農村的自主、自由，保障小農民的生存權，保護居民的健康權。

我們呢？台灣現在不只有栽種基因作物，最嚴重的是進口的大豆幾乎全是基因改造，這些在美國本來只准許做飼料，不可以給人吃。但我們都進這種基改的大豆，大量做成豆腐、豆皮、豆干、素雞、素鴨等各種食品。請吃素的人注意，這吃基因改造大豆，已經不是「種」和「種」之間配種的新品種，而是從「界、門、綱、目、科、屬、種」拉到植物界與動物界的互通。基因改造作物裡面有「老鼠」的基因。所以你吃豆類製品，嚴格說來並不素。爲什麼這麼壞？還不都是爲了錢？

從蒙特維爾的案例，其實我們一樣也可以從小鎮做起，只要有一個鎭率先實行「無基因改造作物」，那整個台灣就可能有救。緬因州比台灣大 2.3 倍，所以有什麼難？

難在你只看見一隻筷子被折斷，你不相信一把筷子，人家折不斷。

3.30 幸運餅眞幸運

運氣，其實一點兒都不神秘，它就是機率，是可以計算的。我們以爲神秘的部分，是它爲什麼發生在別人身上，不發生在我身上？

威力球（Powerball）是美國獎金最高的一種樂透彩，現在得獎的最高紀錄是一張彩券中了三億六千五百萬美金。

「親愛的，今天的菜如何？」

「很好呀，我最喜歡來中國餐館，不是爲了中國菜，而是最後的幸運餅。」

「是嗎？快看看裡面有什麼？」

「哇，裡面寫的是易經，老天給你什麼，一定要接受，否則會倒霉！」

「有道理。」

「你的呢？」

「噢，裡面是一組號碼，22、28、32、33、39、40。」

「這是叫你按照這個號碼去買威力球。」

「有這麼準嗎？」

「剛剛不是說了嗎？老天要給你的，你要乖乖拿！」

「好吧，我們等會兒就去簽。」

2005年3月30日，這一天開出的威力球，產生了最多的大獎得主。總共有一百一十個人中了貳獎。獎金共計一千九百四十萬美金。開獎單位本來以為有人作弊，認眞調查後才知道，原來中獎的人都是在中國餐廳吃飯，飯後得到「幸運餅」。

而這些幸運餅是由紐約雲吞食物公司製造的，他們在一千個幸運餅中放進了22、28、32、33、39、40這組號碼，結果有一百一十人都按幸運餅的指示去簽注，所以都中獎。可惜最後一個開獎的號碼是42，否則就會有一百一十個人中頭獎。

那你下次簽樂透，要不要按照幸運餅的指示？

難說，因為這是幸運餅開始風行兩百年以來，第一次簽中樂透。

3.31 一通電話走向偉大

不要害怕偉大！有人因他的思想而偉大，有人因他的作爲而偉大。有時候，偉大會突然降臨。問題是，你能不能勇敢承受而不被它壓跨！

她是牛津大學教授的太太，兩個男孩的母親，正在寫博士論文，一邊兼顧家庭。在平靜幽雅的牛津，過著正常的幸福生活。

1988 年 3 月 31 日，她接到媽媽打來的越洋電話，媽媽病重住院。她立刻告訴先生、孩子，要回去故鄉照顧媽媽，如果病情好轉，她很快就會回家！她的故鄉是亞洲一個佛教國家，外人都以爲那裡是平靜的稻田、祥和的佛寺、善良的農民，不會有大事發生的保守國家── 緬甸，正如同她給別人的第一印象。她是翁山蘇姬。

蘇姬的爸爸翁山將軍是緬甸的英雄，他領導人民反抗英國殖民，並抵抗日本侵略。二戰後，他領導緬甸獨立運動，但不幸在 1948 年獨立建國前幾個月，遭人暗殺身亡。緬甸人都尊敬翁山爲國父，當時蘇姬才不到三歲。

1964 年蘇姬進入牛津大學，認識麥克．艾里斯（Michael Aris），他是一個教授，研究西藏文化的專家。蘇姬在 1967 年畢業，1972 年與艾里斯結婚，接著生下了兩個兒子。

現在她急著回到緬甸首都仰光，探視病重的母親，路上她掛念老公的起居、孩子上學、午餐吃什麼…… 她以爲她很快就會回到牛津，完成她的博士論文。

她不知道她那彷佛與世無爭的國家，正掀起民主自由的浪潮。她回到仰光以後，才發現軍政府的專制腐敗，竟使一個以稻米出口為主的國家，四十四萬人民卻處於半饑餓狀態。讀過小學的人不到30%，學生與工人結合起來抗議，示威活動越來越大。1988年8月8日，仰光舉行最大規模的示威，有一百萬人上街頭，好像革命的時候要到了！

這時候，大家發現蘇姬在仰光，她是民族英雄的女兒。原來與各方毫無瓜葛，所以學生、教授希望她出面來和軍政府談判。她對政治沒有興趣，一心只想回英國和老公、孩子在一起。但她出於同情、人情，便答應寫信給軍政府，願意做雙方的調停人，希望能和平解決衝突。

軍政府感覺可以接受她的調停，頭頭尼溫將軍答應引退，以平息民怨。其實是緩兵之計，暗地悄悄佈置。不耐煩的學生，受不了政府一再拖延、欺騙，衝突升高。罷課、罷工、罷市蔓延全國。幕後掌控政權的尼溫，決定動手血腥鎮壓。光在仰光就有數千人被殺，被捕的人塞滿監獄。

人民這時把希望轉到蘇姬身上，暴政壓迫使她再也無法保持中立、沉默。她從一個中間人，變成民主、自由的領導者。當她出現在仰光大學，學生和群眾高呼「蘇姬」的名字。荷槍實彈的士兵就等在路旁，情勢非常緊張。蘇姬頭上別著鮮花，身穿緬甸傳統長袍，臉上掛著自然的微笑，緩緩邁步走向已經上刺刀的士兵，她站在林蔭大道。最後一刻，帶隊長官下令收槍，群眾情緒高昂沸騰。而蘇姬卻用她溫和、堅定的語調演講：

要懷疑，要常懷疑，

不要輕易接受現狀，不要過份信服傳統，

如果你自覺有些事情是錯誤的，就捨棄它；
如果你知道某些事是值得的，就接受它。
不要在恐懼中保持沉默，因爲腐敗就是來自恐懼；
不要忘記你心中那份渴望自由的熱情，
抬頭挺胸終究是你我心中不曾消滅的希望！
如果你相信宿命論，相信輪迴，相信因果，那就是了，
因爲種瓜得瓜，種豆得豆；
這樣，你就能夠把握自己的命運。

翁山蘇姬成立「國家民主聯盟」，奔走全國各地，尋求各方共識，與山區反抗游擊隊溝通，並尋求與軍政府對話的管道。她想要用和平、非暴力的方式，完成民主革命。軍政府這才驚覺這個身材苗條、氣質高雅的女人，有他們懼怕的影響力！ 1989 年 7 月 20 日，翁山將軍遇刺紀念日的第二天，軍警包圍蘇姬在湖邊的老家，要求她立刻離開緬甸。

蘇姬拒絕！於是她被控意圖顚覆政府、叛亂，而被軟禁在家！並且拆除電視、電話、傳眞，斷絕她一切對外聯絡。蘇姬的身份特殊，所以還要敬她三分，只是軟禁。其他人可沒這麼好待遇，國家民主聯盟的主要成員大都被關進大牢，受到無情的虐待。蘇姬得知消息，開始第一次絕食，她要求把她也關進仰光監獄，她要和那些學生、教授一起坐牢，受同等的對待。絕食持續十二天，最後軍政府承諾絕不虐待政治犯，她才恢復進食。

1990 年 5 月緬甸舉行大選，被關在家裡的翁山蘇姬、幹部都在坐牢的民主聯盟在 485 席國會議員中，得到 392 席，贏得 82% 的支持，大勝！結果呢？軍政府不承認這次選舉，

採取更嚴厲的壓制，蘇姬持續被囚禁。她的先生艾里斯多次申請來緬甸看她，都被拒絕。緬甸軍政府想要孤立蘇姬，利用她對丈夫、小孩的牽掛，逼她離開。在煎熬中，先生成了她最大支柱。艾里斯在國際不斷奔走，1991 年諾貝爾和平獎頒給了這個身型優雅纖細、眼神美麗堅毅的勇敢女子。諾貝爾和平獎委員會對她公開讚揚：

「翁山蘇姬是繼甘地以來，亞洲人民勇氣傑出的最佳例證！她以非暴力的方式，爭取民主和人權，已成為對抗壓迫的最重要象徵！」

蘇姬沒有去領獎，因為她知道她一離開緬甸，就再也回不去。所以由先生和兩個兒子代領。在國際的壓力下，緬甸軍政府終於同意發給艾里斯和兩個兒子簽證，1992 年 5 月 2 日，分別多年的夫妻、母子，終於能夠相見。接著軍政府表面解除對她的拘禁，但仍用便衣人員二十四小時監控她。蘇姬也明白改變沒有那麼容易，所以她始終留在仰光。

到了 1999 年 3 月，另一個大考驗來臨，艾里斯的前列腺癌惡化，他一再要求能獲准前往仰光與妻子相見。但軍政府就是不發簽證給他，而且反過來說因為「人道」考慮，不應該讓艾里斯千里奔波，他們樂意讓蘇姬回到英國探視將不久人世的丈夫。

蘇姬明白如果她不回英國，可能再也看不到深愛她的丈夫，但也清楚一旦她離開緬甸，也休想再回來。一邊是深情摯愛， 一邊是同胞同志。她內心時刻拉扯、不斷掙扎。還有孩子，孩子先失去母親的照顧，現在又要失去父親。她痛苦到幾次想要放棄，直奔英國去見心愛的人。但都被艾里斯力勸下來，他把生命的動能都給了蘇姬，幫助她能堅持而不動搖。艾里斯在 3 月 27 日過世，這是對蘇姬最大的打擊！但也讓她更看透世事，她的身影、微笑更堅定、更有力量！

表面看來，因爲軍政府的嚴厲控制，加上國際壓力的降低，緬甸好像又停滯不前。但因爲蘇姬的堅持，有這個精神中心散發強大磁場，使得改變一直在進行。又是一個十年，中間經歷大大小小的抗爭，千千萬萬的犧牲。翁山蘇姬終於在 2010 年 11 月 14 日眞的獲釋，已經六十七歲的她，終於爭到民主的春天。軍政府逐步放鬆，釋放大批政治犯，也進行了民主選舉。黎明已經到來，世界都在等待，看翁山蘇姬如何帶領緬甸走向未來。

很多人把她比做「女性的曼德拉」。是的，曼德拉是天生的領袖，而翁山蘇姬是在偶然間站上了時代的舞台。但必然的是，當偉大來臨，你必須做選擇。不要害怕，你只要勇敢去接受，自然會有力量一步一步把你推向偉大！

● 緬甸民主鬥士翁山蘇姬

4月

April

或許，我們認為天大的奇蹟，

在小孩來說是那麼理所當然。

因為他們天真的翅膀，

還沒有退化。

4.1 愚人節被開除

如果你在愚人節被開除，會怎樣？上帝關了一扇門，會爲你開一扇窗，是嗎？

其實上帝根本沒有關門，是你不該走這條路。

溫芙蕾小姐在田納西大學二年級時，就被當地的電視台起用，成爲該台的兩個第一，第一個女播報員和第一個黑人播報員。1976 年她順利進入 ABC 在巴爾的摩的電視台，坐上主播的位置。和王牌主播傑利．透納（Jerry Turner）搭擋。主播六點新聞。這對二十二歲的她來說，眞是天上掉下的機會，上帝的恩典。她也把它當作世界最重要的事，一心想成爲第二個芭芭拉華特絲（Barbara Walters）。

但是問題來了，電視台長官不喜歡她的名字，他們感覺她的名字沒有人會記住，他們要她改名，給了她一個新名字叫蘇芝 Suzie。長官對她說：「蘇芝很好，是一個友善的名字，你不會討厭它，現在開始記住蘇芝吧！」不錯，她從小也不喜歡自己的名字，但蘇芝眞的適合她嗎？就算沒有人會記得也無所謂，她並不想改名字。

問題還沒完。長官不喜歡她的髮型，他們送她去沙龍做造型，變身改造。結果她的頭髮被燙得像沙漠中隨風滾動的雜草球，害得她不得不剃光自己的頭髮，很慘！可是光頭黑女人在電視前報新聞，應該更慘，只好戴假髮。

禍不單行，倒霉不只雙胞胎。跟她搭擋的男主播透納，一直向長官反應，她太小咖。雜草怎麼配紅花？鳳凰不能配烏鴉。

而眞正的問題是她做主播，很痛苦。長官要求她要「優雅」，不可以脫稿加入自己的喜怒哀樂。但她每次播到車禍、災難、戰爭的新聞，內心沒辦法無動於衷。她怎麼裝，就是裝不了優雅。她感覺自己像個機器，只是一個傻傻的芭芭拉華特絲。但是父親跟她說：「這是你一生的機會，你最好堅持下去。」長官跟她說：「這是晚間新聞，你是主播，不是社工，堅持你的專業。」可是，堅持很不快樂，很痛苦。

電視台也很痛苦，他們感覺溫芙蕾的名字、髮型、專業都不行，想開除她。但不想違反合約，不想賠她一筆錢。有了！打到冷宮去，時間到了不續約。**1977 年 4 月 1 日**，她被拉下主播台，只撐了八個月，夢想就像被大卡車輾過的酒杯，碎到只剩粉屑。她被塞到一個冷門時段的節目，主持脫口秀。沒想到她的「不專業」在脫口秀節目反而能自由的發揮，節目在她手裡起死回生，變成熱門節目。她就此從脫口秀一路登上雲端。再也沒有人嫌她的名字難記，溫芙蕾小姐的名字叫作歐普拉（Oprah Gail Winfrey）。

烏龜和兔子賽跑，除非有意外，當然一定輸。但如果比賽游泳，那兔子就沒搞頭了。海豚不要比爬樹，企鵝不要比飛，要走自己的路。找到自己的戰場，在大海中盡情的游！

● 改變跑道成為脫口秀女王的歐普拉

4.2 二壘安打造就一個小說家

在眞實的人生中，人過了青春少年時，只會每天庸庸碌碌的過日子，沒有時間去聆聽「天命的召喚」。

可是這種「召喚」還是會出現在意想不到的地方。

一個功課不好卻熱愛閱讀的日本男生，他喜歡的都是西方文學，他從來沒有在傳統日本文學得到快樂。

大學畢業後和太太開了一間爵士酒吧，酒吧生意還不錯，足夠他們生活無憂，他也不曾想要幹別的工作。音樂、愛妻、酒吧對他的人生已經算圓滿。

1978 年 4 月 2 日，他在東京澀谷神宮球場，看養樂多隊打廣島隊，當養樂多隊的第一棒洋將大衛．希爾頓（Dave Hilton），揮棒擊中第一球，球飛往左外野形成二壘安打那一刻，他的腦中閃過一個念頭：

我可以寫一本小說！

他不知道爲何會有這樣的「召喚」？因爲他雖然喜歡看書，但從來沒有寫過任何東西。

球賽結束後，他到文具店買鋼筆和稿紙。從這天以後，二十九歲的他聽從、跟隨這個「召喚」。

每天晚上酒吧打烊後，在廚房的餐桌前，花兩個鐘頭寫小說。

因爲寫作時間很片斷，所以句子和章節都很短，反而變成這部小說的特殊風格。

六個月完成了第一本小說《聽風的歌》，投稿到《群像》文學雜誌，意外獲得「新人文學賞」，開始一路寫下去。

1987 年出版《挪威的森林》，光日本就暢銷四百萬冊，更成爲國際知名的日本代表作家。是的，他就是村上春樹。

一個「在一堵堅實的高牆和一顆撞向高牆的雞蛋之間，我永遠都站在雞蛋這一邊。」的作家。

● 2009 年獲頒耶路撒冷文學獎，村上春樹發表著名的「高牆與雞蛋」的得獎致詞。

4.3 沒人看好的發明

現代人出門必帶的三樣東西是什麼？鑰匙、錢包、手機。尤其是手機，許多人沒帶手機，彷彿失去大腦、失去靈魂，比丟掉小孩還恐慌。

而且很快的，錢包和鑰匙的功能也將被手機吸進去。有趣的是，這個人所發明卻倒過來控制人的東西，當初發明的人卻不認爲，它會爲人類生活帶來翻天覆地的改變。

電話業的巨無霸，就是所謂發明電話的貝爾所創造的「貝爾電話公司」Bell Telephone Company，也就是 AT&T。稱霸電話業百年，他們一直固守傳統有線電話，不相信「移動」電話有什麼搞頭？

馬丁．庫柏（Martin Cooper）當時是摩托羅拉公司的設計師，他習慣做打破傳統的設計，他相信移動電話才符合萬物的自然規律。他領導一個小團體，花了六個星期時間，完成了世界第一台手機基地站。

1973 年 4 月 3 日，他們在街上用第一台手機，打第一通電話給對手「貝爾實驗室」，向對手宣告勝利。

這麼重大的日子，當時的人卻沒有什麼感覺。貝爾公司根本不把手機放在眼裡，還預估到 1995 年，手機的用戶也不會超過九十萬戶。庫柏本人也相信手機使用量有限，「因爲在我們有生之年，它還做不到足夠便宜。」

庫柏的發明雖然成功，但摩托羅拉一直到 1983 年 6 月 13 日，才推出第一台手機上市。並不是摩托羅拉也不看好市場，而是他們等美國政府，足足花了十年的時間，來審理這個怪東西，好不容易才批准。

第一代的手機外號叫「鞋機」，因爲它眞的像一隻鞋，重794 公克，長 33 公分，售價 3995 美金，可以通話一小時，只能儲存三十個電話號碼。

誰也沒想到，這個像鞋子一樣笨重的磚頭，居然全世界因它而改變。連手機之父馬丁．庫柏自己也沒想到。

當然，莎士比亞、愛因斯坦、賈伯斯的爸爸，也不知道他們生出的產品，會改變世界。

● 馬丁．庫柏與世界第一隻手機

4.4 體驗是最好的學習

人生重要的道理，最好讓小孩子從小學會。

否則長大一定型，就不容易改變。問題是，要怎麼教小孩才能學會呢？

1986 年 4 月 4 日，美國民權領袖馬丁．路德．金恩，遇刺身亡。這件事撼動了美國，造成社會巨大的傷口。

愛荷華州瑞斯鎮（Riceville）一個小學老師珍．艾略特（Jane Elliott），兩個月前才在她三年級的班上，和孩子談有關「種族歧視」的問題，並且選金恩博士爲「當月英雄」。孩子都知道金恩是誰，但瑞斯鎮所有居民都是白人。三年級的小朋友並不理解到底發生了什麼事？更難懂爲什麼有人要殺金恩博士？

這一天，艾略特老師強烈的感覺，她有責任在第二天上課時，教育孩子這個事件的意義，去縫補撕裂國家的傷口。多一個孩子理解，傷口就多補上一針。問題是怎麼教，才能讓孩子懂呢？

第二天上課時，她把學生分成兩半。一半是藍色眼珠的，一半是褐色眼珠的。然後她告訴學生，藍眼珠的人比較優秀，是比較棒、比較好的人。所以藍眼珠的要坐在教室前面，而褐眼珠的人天生比較差，所以從今天起，只能坐在教室後排。

因爲藍眼珠的學生比較聰明，所以下課玩耍的時間比較長。褐眼珠要待在教室裡面多唸書，而且每個人要戴一條圍巾，這樣就能清楚知道誰是褐眼珠，不會搞錯。

艾略特老師發現，這麼一來學生立刻起了化學變化。兩組學生下課時，都各自分開，不會玩在一起。藍眼珠的看褐眼珠都帶著一種看不起的眼光，沒事就嘲笑、捉弄褐眼珠的小孩。

隔天，她突然宣布，昨天老師搞錯了，原來褐眼珠的人才是比較優秀的。所以一切要顛倒過來，藍眼珠的學生要坐到後排。

「萬歲！」褐眼珠的學生爆出一陣歡呼，他們把圍巾扯下來，丟到藍眼珠的頭上。

藍眼珠的學生這下摔到地獄，很多孩子都哭出來，感覺自己又笨又討人嫌，難過得想死。

反過來褐眼珠這下翻身了，今天烏雲全散，快樂、高興得要命。連回答問題寫作業，都比昨天快一倍以上。

然後，老師才告訴大家，這是她的實驗，都是她編的。藍眼珠和褐眼珠其實沒有差別。實驗的目的是讓他們了解什麼是「種族歧視」？還有歧視如何造成仇恨？

雖然學生過了冰火冷熱、殘酷的兩天，可是對他們一生卻有深遠的影響。十五年後美國公共電視，做了一個特別節目，訪問當年艾略特班上的小朋友。他們清楚記得那兩天的種族實驗課給他們的震撼和啓示。他們都說他們從那天起，眞正了解什麼是歧視，還有被歧視的人，心裡是什麼感受。他們都深深感謝艾略特老師對他們的教導。

一個好的老師，不只是把學生教會，而是讓學生體會。

4.5 善良帶來的機運

如果我們以一顆善良的心去幫助需要幫助的人，那我們就會發現，「機運」如清水，沒有地方不可流；「機運」如陽光，小小縫隙都能穿過。

1945 年二次大戰接近尾聲，巴頓將軍的第三集團軍在 3 月渡過萊茵河，4 月 4 日佔領了圖林根地區一個叫「默克斯」Merkers 的小城。太陽下山後，美軍一輛吉普車在巡邏，發現兩個婦女在街上，其中一個是孕婦，快要生了，她們想去鄰村找接生婆。這本來沒他們的事，幾個美軍好心把她們帶上吉普車，一路送到鄰村，還提供藥品來協助接生婆。

忙了一整晚，生產順利。好人做到底，**4 月 5 日**清晨，美軍又把她們和嬰兒送回家。在回默克斯的半路，經過「凱瑟羅達礦井」Kaiseroda Mine，這是一個鉀鹽礦。車子路過井口時，美軍好奇的問：「這是什麼礦？」

「這是藏黃金的礦井！」其中一個婦女說。

美軍回營後，立刻報告長官。該地指揮官威廉．拉塞爾中校（William A. Russell）馬上帶了一個坦克營到默克斯，把鹽礦所有入口都保護起來。隔天，上面加派了一個坦克營和一個步兵團過來。7 日早上，美軍進入礦坑，在地面下七百多公尺的坑道中，發現五百五十個大麻袋，裡面裝滿德國馬克的現鈔。再深入，看到一堵磚牆，入口是一扇厚重的銅鐵門，怎麼打也打不開。巴頓將軍得知礦坑內只有現鈔，沒有黃金，便把人馬調到前方去打仗，只留下一個營來駐守。

4 月 18 日，拉塞爾中校找來工兵營的工程師，再度進入礦坑，銅門果然堅固，撬不開，也炸不開。山不轉路轉，門不開，炸牆啊！結果他們只用半根黃色炸藥就把磚牆炸開。這下他們發現了阿里巴巴的寶藏！裡面有1100公斤的金塊、8189塊金錠，幾百袋的黃金器皿，幾千袋的各國金幣、4000公斤的銀錠、40袋銀條、55袋銀盤、110袋鑽石珠寶。最大的收獲是有大量的珍貴藝術品，都是從歐洲各國博物館和猶太人手裡搶奪來的。還有幾大袋「金牙」，是從猶太集中營囚犯口中所拔下的「財寶」！

原來納粹從1942年8月26日起，就把國家銀行的黃金和掠奪來的藝術品陸續運到默克斯，藏在礦坑中，總共運了76趟。1945年戰事吃緊，德國本來要把這一大批財寶搬到別的地方，但沒想到巴頓將軍進兵神速，所以來不及運走，美軍已經佔領默克斯。被發現的默克斯寶藏，是納粹所掠奪數量最大的寶藏。

● 藏有最多財寶的默克斯礦坑

4.6 五歲蚊帳大使

天眞，是會做傻事呢？還是天眞會讓你看不見困難，而傻傻的去做，融化所有的鐵石，創造奇蹟？

或許，我們認爲天大的奇蹟，在小孩來說是那麼理所當然。因爲他們天眞的翅膀，還沒有退化。

這一天是 **2006 年 4 月 6 日**。

凱瑟琳（Katherine Commale）看到美國公共電視播的非洲紀錄片，片中說非洲平均每三十秒，就有一個小孩因爲瘧疾而死亡。才五歲大的她，蜷縮在沙發扳著手指數數，一、二、三……三十，當她數到三十，一臉驚恐說：「媽媽，一個非洲小孩死掉了，我們一定要做點什麼！」

媽媽上網查資料，告訴凱瑟琳：「瘧疾很可怕，小孩得到瘧疾很容易沒命。」

「那小孩爲什麼會得瘧疾？」

「瘧疾是靠蚊子傳染的，非洲蚊子太多。」

「那怎麼辦？」

「現在有一種泡過殺蟲劑的蚊帳，有它就可以保護人不被蚊子咬。」

「那他們爲什麼不用蚊帳？」

「因爲這種蚊帳對他們來說，太貴了，他們買不起。」

「不行，我們必須要做點什麼！」

過了幾天後，媽媽接到幼稚園老師的電話，老師說凱瑟琳沒有交點心費。

媽媽問她錢呢？凱瑟琳說：「媽媽，如果我在學校不吃點心，平常不吃零食，也不再買芭比娃娃，這樣夠不夠買一頂蚊帳呢？」

媽媽帶她去超市，花了十塊美金，買了一頂大蚊帳，可以給四個小孩用。然後打電話問在非洲做慈善的組織，看看如何把蚊帳送過去。

巧的是，給她找到一個「只要蚊帳」Nothing But Nets 的組織，他們專門送蚊帳去給非洲的孩子。凱瑟琳親手把蚊帳寄過去，一個禮拜後，她收到「只要蚊帳」協會的感謝信，信裡說她是年紀最小的捐贈人，還告訴她如果捐十頂蚊帳，可以獲得獎狀。

凱瑟琳要求媽媽和她去跳蚤市場擺攤，把她的舊書、舊玩具、舊衣服拿來賣，賣了錢好捐蚊帳。

可是賣了一天，生意不好。凱瑟琳想：「我捐錢買蚊帳，『只要蚊帳』協會就給我獎狀。那別人買我的東西，給我錢，他們也應該得到獎狀才對啊！」

於是，她開始自己做獎狀，媽媽幫她買材料、爸爸幫她整理工作間，弟弟幫她畫愛心。每張獎狀都有凱瑟琳親筆寫的「以你的名義，我們買下一頂蚊帳，送到非洲」，當然還有她的親筆簽名認證。

只要你捐十元美金，買一頂蚊帳，就可以得到一張獎狀。鄰居看到她的獎狀，覺得又天眞又感動，獎狀很快就賣掉十張。凱瑟琳把錢寄出，收到「只要蚊帳」協會寄來爲她特製的「榮譽證書」，他們封她爲「蚊帳大使」。

協會的人還告訴凱瑟琳，她捐的蚊帳是送到一個在加納叫「斯蒂卡」的村子，那裡有五百五十戶人家。天啊，只有十頂蚊帳，怎麼夠用？

凱瑟琳的鄰居不只跟她買蚊帳，他們的小孩也都加入，幫凱瑟琳做獎狀，成爲一支「凱瑟琳的隊員」。社區的牧師也請她去教堂演講，她只講了短短三分鐘，就收到 800 元美金的捐款。這下她士氣大振，開始跑到別的教堂去演講，當她滿六歲時，已經募了 6316 美元。

「只要蚊帳」協會把凱瑟琳的事蹟貼在網路上，引起許多人迴響。有一天，凱瑟琳看見電視上播出英國足球明星貝克漢，替「只要蚊帳」協會做的公益廣告。她立刻寫一封信給貝克漢，感謝他，當然也發給他一張獎狀。貝克漢把獎狀貼上個人網站，事情就像雪球一樣傳開。

2007 年 6 月 8 日，凱瑟琳收到一封來自斯蒂卡村的信，村裡的孩子寫：「謝謝你給我們的蚊帳，我們看了你的照片，大家都感覺很美！」凱瑟琳受此鼓勵，非常開心，激起她更大的動力，她和隊員動手做了一百張獎狀，給富比士雜誌的富豪排行榜上的大亨，每個人寄一張。其中一張寫著：

親愛的比爾蓋茲先生，沒有蚊帳，非洲的小孩會因爲瘧疾而死掉。他們需要錢，可是聽說錢都在你那裡……

2007 年 11 月 5 日，比爾蓋茲基金會宣布：捐三百萬美金給「只要蚊帳」協會。比爾蓋茲說他收到一張獎狀，而且收到一封信，信上說爲非洲小孩買蚊帳的錢都在他那裡，看來他不把錢拿出來，是不行的。

2008 年，比爾蓋茲基金會出錢拍一部《孩子救孩子》的公益紀錄片，凱瑟琳因此踏上非洲大地。她看到當地的孩子用筆在蚊帳上寫著「凱瑟琳」，他們都把這個救命的蚊帳叫做

「凱瑟琳蚊帳」。這個愛心蚊帳，會好好守護他們的每一晚。斯蒂卡村現在叫「凱瑟琳蚊帳村」！

七歲的凱瑟琳，已經救了超過百萬個非洲小孩的生命。

善良的力量，可以像滾雪球一樣，越滾越大。因爲每個人心中，都住著一個善良的孩子。

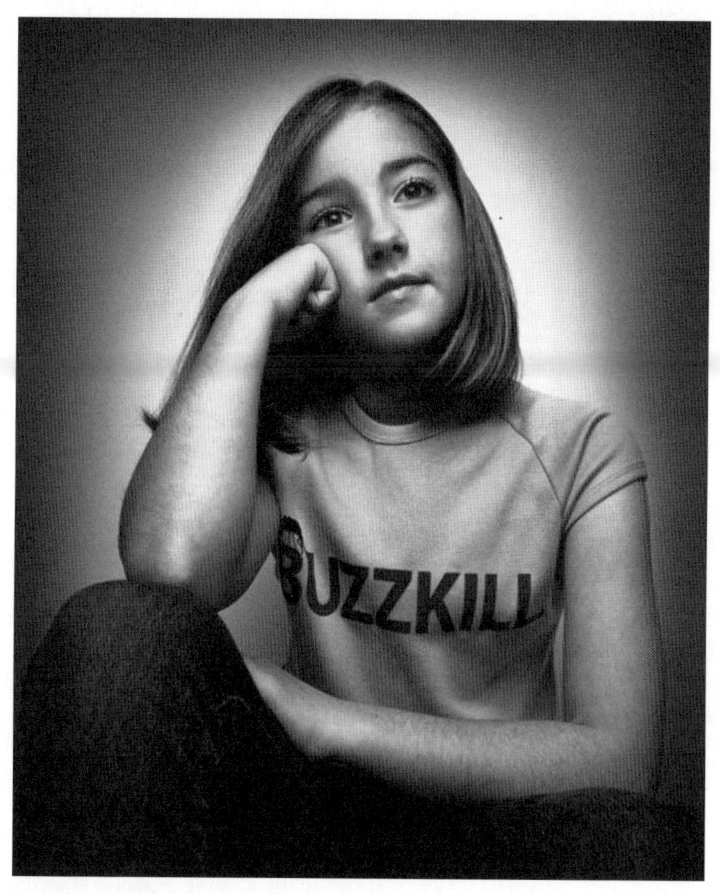

● 拯救非洲孩童性命的蚊帳大使凱瑟琳

4.7 講義氣的 A 片女星

沙漠中冒出的一口清泉，百倍甘甜；荊棘中綻放的一叢玫瑰，萬分美艷。

一個住在紐約的傢伙卡洛斯·提楣門（Carlos Simon-Timmerman），2010 年到委內瑞拉旅行，回美國時經過波多黎各的海關，海關人員檢查他的行李，

「提楣門先生，這是什麼？」

「噢，不好意思，是我買的……」

「A 片嗎？」

「是的，請不要這麼大聲。」

「你買了不少嘛，咦，你喜歡幼齒的噢！」

「沒有啦，好玩嘛！」

「這一張 A 片有問題！」

「什麼？這都不是盜版的。」

「不是盜版的問題，是年齡的問題。」

「別開玩笑了，我早就超過多少個十八歲了。」

「不是你的年齡，是 A 片女主角的年齡。」

「什麼意思？」

「你看，這張 A 片中叫露珮（Lupe）的女生，一看就知道她未成年。我懷疑你，持有利用未成年少女爲演員的色情片，我要逮捕你。」

「天啊！我犯了什麼罪？」

「重罪，最高可以判二十年徒刑。老兄，亂吃嫩草噎到死了吧？」

提楣門眞的有夠倒楣，上了法庭，檢察官一口咬定「露珮」一定是未成年少女。法庭找來一個小兒科醫生作證，根據醫生的判斷，「露珮」百分之百是未成年的小女孩，而且可能不到十二歲。不管提楣門的律師提出各種書面、網路、廣告的資料，證明露珮是成年人，陪審團看來都不會採信。提楣門這下八成死定了。

律師想到利用 My Space，成功聯絡到露珮本人，告訴她事情的前因後果，希望她幫忙。

2010 年 4 月 7 日，露珮出現在法庭，她是前一天自己掏腰包飛來波多黎各，今天要為因她受難的影迷出庭作證。當她走進法庭，坐上證人席，全場驚呼連連，因為她不只美麗，而且長得十分十分嬌小，臉蛋超稚嫩，活像個剛進中學的女生。但是出生證明、身分證件顯示，她確確實實已經成年。提楣門因此當庭獲得釋放。露珮沒有收取任何酬勞，她就是為了影迷，情義相挺。

記不記得耶穌對西門說的話：

「你看見這個女人嗎？我來到你家，你沒有給我水洗腳。她卻用眼淚來洗我的腳，並用頭髮擦乾。你沒有用接吻禮歡迎我，但是她從我進來就不停親我的腳。你沒有用油抹我的頭，她卻用香油膏抹我的腳。

我告訴你，她所表達深厚的愛，證明她許許多多的罪都已蒙赦免。那少得赦免的人，所表示的愛也少。」

是的，耶穌說的好。這世界有講義氣的妓女，有會幫助人的賊，當然也有熱心仗義的 A 片女星。

有時候，我們沒有說的，人們聽得最清楚。

● 被誤認為是未成年的 A 片女星露珮

4.8 獨臂投手

人的意義，不在於他得到什麼？而在於他想得到什麼？

人的高貴，不在於他擁有什麼？而在於他怎麼運用他的擁有？

1988 年奧運金牌戰，美國隊由年僅二十歲的吉姆・亞伯特（Jim Abbott）主投，最後以五比三擊敗日本隊，奪下金牌。

1989 年 4 月 8 日，亞伯特身穿天使隊的球衣，第一次站在大聯盟的投手丘，展開他的職棒傳奇。第一個菜鳥年，他就拿下十二場勝投的佳績。十年職棒的生涯，三十一場完投，六場完封勝。1993 年 9 月，他在洋基隊，投出撼動人心的無安打比賽。

亞伯特投球跟別人不同，他的動作獨一無二，應該是前無古人。他怎樣特別呢？

亞伯特是左投，獨特的是，他也用左手接球。所以每次當他投出球後，會用左手立刻伸進掛在右手的手套，準備防守。如果接到打擊出來的滾地球，他會像變魔術一樣把手套挾到右手腋下，用左手取球、傳球，把打擊者封殺。他爲什麼要這樣呢？他的右手不能用嗎？

是的，亞伯特天生右手萎縮，沒有手掌，所以他沒有兩隻手掌，他只有左手的手掌可以用。

但偏偏這個孩子喜歡打棒球。只有一隻手的人喜歡打棒球，是不是存心和自己過不去？

還是老天和這個孩子過不去？

不，亞伯特不這樣感覺，他說：

對我來說，用一隻手打棒球，沒有什麼不自然，因為我天生就是只有一隻手。跟天生有兩隻手的人不一樣嘛！

所以他從小勤學苦練，因為他只有一隻手能用，如果要打棒球，最適合他的位置就是投手。他不只把球投得出神入化，守備的問題也難不倒，只不過要多做幾個動作，只要動作夠快，就不是障礙；就沒問題。許多打擊手故意用短打來挑戰他，每次都被他傳球、封殺。

他在大聯盟的最後一年，轉入釀酒人隊。而這裡是國家聯盟，投手是要上場打擊的，他用單手，竟擊出兩支安打。

命運不在於我們擁有多少？而在於我們把擁有的發揮多少吧！

● 獨臂投手亞伯特

4.9 聰明人做蠢事

笨蛋做蠢事，不算什麼稀奇。

聰明人做蠢事才叫人笑破肚皮。

因爲聰明人用他全副的本領來證明自己的愚蠢。

法蘭西斯・培根(Francis Bacon)是英國舉世聞名的散文作家、法學家、哲學家、政治家。

他從小就天資過人，十二歲就進入劍橋大學三一學院，政治上也曾飛黃騰達。離開政治圈後，他專心學術，成就非凡。不只被譽爲「科學之光」、「法律之舌」，他寫的《培根論文集》更是不朽名作，許多名言都出自他的著作，如：

知識就是力量

我活著爲了學習，學習並不是爲了活著。

如果問在人生中最重要的才能是什麼？第一是無所畏懼，第二是無所畏懼，第三還是無所畏懼。

讀史使人明智，讀詩使人靈秀，數學使人周密，科學使人深刻，倫理使人莊重，邏輯修辭使人善辯。凡有所學，皆成性格。

培根的名言還多著呢！但他是怎麼死的呢？

他爲了實驗「冷凍」能使食物保存更久，在一個風雪交加的日子，一個人抱著一隻全雞，無所畏懼，不畏寒冷，站在戶外，等著雞肉全部結凍。因此感染風寒，一病不起。

1626 年 4 月 9 日，培根寫下：「實驗已經大獲成效。」然後，就死了。

這個「食物冷凍後可保存更久」的知識，真的力量大到把他給弄死了。人，有時候還是有所畏懼比較好！

● 法蘭西斯．培根

4.10 盲目的定見

我做過一個實驗，拿兩個鼎泰豐的小籠包給我同事，跟他說一個是鼎泰豐的，一個是新開的 A 餐廳做的，你吃吃看哪個好？他吃完後，等他選擇，告訴他：「哇，你選的是 A 餐廳做的，爲什麼你覺得做得比鼎泰豐的好吃？」

同事從外皮、肉餡、湯汁 …… 都能說出一串道理。他不知道兩個小籠包都是鼎泰豐的，是同一個籠蒸的一模一樣。所以他並沒有說謊，他的內心真的這樣認爲。

我再給他兩個小籠包，說一個是鼎泰豐的，一個是另一家 B 餐廳的。選完後，我告訴他：「哇，這次是 B 餐廳輸了，爲什麼？」他又說了一番道理。

其實所有小籠包都是一樣的，當你的決定做出來後，你的腦會搜尋所有理由來支持你的決定。所以我們說：「你要傾聽內心的聲音！」其實內心自己不會發聲，所有的聲音都是我們造出來的；內心的聲音是我們自己虛構的。

這個實驗是模仿瑞典的心理學家彼得．約翰森（Petter Johannson）看照片的實驗。他快速的給受測者看兩張臉的照片，然後問哪張比較好看。比方受測者選了 A，他就拿出和 A 很像的另一張照片，請受測者對這張照片說出比較好看的理由。大部分的受測者都沒有發覺照片已經調包，所以都會對照片講出一堆理由。

心存「定見」時，就會盲目支持既有的定見。這叫「選擇的盲目性」錯覺。堅信耶和華是唯一的神，看人家拜土地公、財神就感覺是迷信。宗教戰爭多半出於這類集體的定見。

可是定見眞的很堅定，不會移動嗎？

2013 年 4 月 10 日，瑞典隆德大學發表選擇盲目性錯覺的最新實驗報告。他們針對一般認爲最堅強的定見—— 政治立場，來實驗人的立場會不會改變？

一般都認爲政治都是往兩邊靠，而且堅定不移。在台灣常講的藍綠，在歐洲就是左右。中間選民通常估計只有10%，但他們人佔的比例雖不多，卻是最該重點爭取，因爲左右兩邊的選民基本上都不會移動，只有中間的會受選舉宣傳的影響。所以他們在瑞典快舉行大選前，找來左派、右派色彩鮮明的選民，請他們做問卷。你從問卷的答案，一看就知道他是哪一邊！

而受測者在塡寫問卷時，並不知道有監視器在偷看他們的答案，所以當他交卷時，實驗人員已經先寫好一份完全相反答案的問卷。然後，調包，把相反的答案偷偷快速夾上。接著針對假答案，開始和受測者討論，問他爲什麼這樣答？

你知道嗎？有 78%根本沒感覺到答案不對，他明明答的是東，別人告訴他：「你答的是西，爲什麼？」他就以爲自己是答西，接著開始講一些爲什麼答西的理由。只有 22%的人發現實驗人員給他的答案，不是他原來答的。

一連串的討論後，實驗者會算分數給受測者看，算出來的結果說：「先生，根據計算，你屬於偏右。」

92%的人會同意結果，而且你再問一次他是偏哪邊？有48%會改變自己的偏向。也就是說他本來以爲自己是左派，經過一番計算，你告訴他原來他是右派，他會改變立場喔！

你看，原來我們對政治的定見，其實並不眞實。以爲藍綠、左右不會移動的這件事，也不過就是我們的「定見」。所以我們有各種理由去支持這種觀點，這不過是另一個「選擇的盲目性」錯覺。

講到這裡，你如果還偏說不對、你碰到的不是這樣，那你就是錯覺很深，好像醫生跟你說發燒要吃退燒藥，但你偏要吃香灰，那怎麼辦？所以，其實「定見」很容易栽，也不難拔。先說栽，有人跟你說：「唉呀，你前生是法國貴族！」你就突然感覺：「對呀，難怪我喝法國酒、用法國包，特別合！」拔的部分呢？當你自認是法國人轉世，你開始忘掉自己根本是台灣人，這不就拔了嗎？

但「定見」一旦栽下，也不易拔。像有人去算命，如果算命先生講的不合他的意，他就換另一個算命師，一直換到合他意的為止。這樣何必算？更絕的是，連看醫生也這樣，醫生說你不能喝酒，他就換醫生再看，非看到一個說他可以喝酒的醫生，這樣何必找醫生？

如同釋迦牟尼在《佛遺教經》裡說：

我如善導，導人善路，汝若不行，過不在導；我如良醫，治病予藥，汝若不服，咎不在醫。

是的，其實我們說要找回內心，就是要保持開放相對的態度，一旦你有關門封閉的傾向，就要快快把門敞開。

4.11 威權

二次世界大戰結束，兵荒馬亂之際，納粹有很多漏網之魚，阿道夫·艾希曼（Adolf Eichmann）就是一條大魚。他是納粹猶太人事務所的頭頭，專管搜捕、運送、屠殺猶太人。「最終處理方案」就是由他負責。這條大魚在戰後一路逃出歐洲，躲藏在阿根廷。

十五年後，艾希曼才被以色列的情報人員發現，他們秘密將他逮捕，偷偷運回以色列。

1961 年 4 月 11 日，艾希曼在耶路撒冷受審，檢方對於他的罪行指證歷歷。而艾希曼對所有的指控，全部用「依命令行事」來回答，以求脫身。艾希曼最後被判絞刑伏法，但他的受審引發了一個「人性」的問題，爲什麼有那麼多德國人，會在納粹的指揮下，去執行慘無人道的命令呢？

美國社會心理學家米爾格拉姆（Stanley Milgram）受艾希曼審判的過程刺激靈感，設計出一個重要的心理學實驗。

他先在報紙刊廣告，公開徵求參加實驗者。一次實驗付四塊五美金，結果招來了四十位市民。有教師、工程師、商人，成份如一般大眾，年齡在二十到五十歲之間。

他告訴參加實驗的人，這個實驗是爲了研究「懲罰」對學生學習的影響。所以大家抽籤，看誰當老師、誰當學生。老師先朗讀配對的詞句，再來測驗學生有沒有記住？如果答錯就要懲罰。

其實他預先安排四個人混進實驗者當中，抽籤有做手腳，四個知情的人一定會抽到學生角色，不知情的實驗者一定是扮演老師。

測驗開始，老師在一個房間，學生在另一間。彼此看不見，只能聽得見聲音。老師的桌上有電擊的按鈕，上面標著弱、中、強、特強、劇烈、極劇烈、危險，最後一個只標明了 XX。從十五伏特一直加到四百五十伏特。

學生的手會接上電極，坐在栓上皮帶的椅子上，這樣就跑不掉。如果他答錯題目，老師就按鈕電擊來懲罰他。

他向實驗者保證，這些電擊強度都是人體可以承受的安全範圍，整個實驗關乎學術上的突破，請大家確實執行，以免研究出錯。

好，實驗開始，學生都故意答錯，老師就要按鈕電擊他。剛開始弱的十五伏特，老師都會按下去。可是到了「強度」以上時，很多老師都按不下去。但是只要米爾格拉姆對他們施壓，只是溫和的說：「請確實執行，以免妨礙實驗進行。」演老師的人就會乖乖按下電鈕。

電擊強度越來越強，在另一個房間被電擊的學生，反應也越強，甚至尖聲慘叫、怒罵髒話、哀號求饒、搥打牆壁、呼天搶地。

實驗者都會不忍心、猶豫遲疑，回頭看或問米爾格拉姆的實驗人員：「這樣對嗎？」、「真的沒問題嗎？」、「是不是不能再繼續？」之類的話，但只要人員嚴格要求，說：「你要遵守規則，不可以破壞實驗，有事我們負責！」大部分的人還是會服從的按鈕。最後到了學生房間，從大吵大鬧到突然安靜，好像已經被電昏。如果要求老師按下 XX 鈕，很多人還是會「聽命行事」。

實驗的結果，有二十六個人會完全服從命令到最後，占

65%。另外十四個人會在不同電擊強度時，反抗、拒絕執行命令，占35%。

其實學生並沒有眞的被電擊，他們都是在演戲，假裝被電得死去活來。米爾格拉姆在實驗後，告訴他們眞相，大家才鬆一口氣，如同從地獄回到人間。

這個實驗讓我們看到「人性」對「權威」的服從。

利用所謂「合法的權力」可以輕易威迫人去做他本來不想做的事。還有我們如果認知是受命行事，以爲「責任」是上面的，自己不是主導者。就可以把責任移轉出去，不用負責，那更會乖乖服從。

2006年美國聖塔克拉拉大學（Santa Clara University）又把米爾格拉姆的實驗重做一次。想看看過了五十年，在美國社會的民主、人權、各種觀念大幅變化下，實驗結果會不會不一樣？

結果很驚人，實驗的數據幾乎和五十年前一模一樣。就是說即使社會已經和以前完全不同，人性居然沒有變化。

不過，他們加進去一個新的實驗，就是在受實驗的「老師」角色當中，混進去兩、三個「自己人」。

自己人在實驗中，會主動起來反抗、拒絕實驗進行，也會和「執法者」爭論。看看會怎樣？

結果只要有人主動反抗，拒絕電擊的「老師」人數就會增加。基本上結果剛好相反，就是只有30%的人會服從命令到底，70%的人會拒絕。

而如果反抗程度越激烈，比方說大聲指責「執法者」，那麼拒絕執行命令的人就更多！

所以爲什麼需要「先知」？

先知爲什麼需要行動？

行動爲什麼要大聲？

人類社會的創新前進或是反抗不公不義，都需要有像甘地、孫文、金恩博士、曼德拉，這種第一個發出聲音，開始行動，帶領革命的「先行」者。

有先知，其他人也會覺醒過來。有先行，其他人也會跟著行動。

在人性的黑暗面中，只要有人點亮第一支火把，就有機會重現光明！

4.12 聖堂下的陰影

明亮的星星，背後有一片黑暗。神聖的殿堂，角落可能有黑暗的勾當。

從小，胡安．摩倫諾（Juan Luis Moreno）和安東尼奧．巴洛索（Antonio Barroso）的父母，每年都會結伴帶他們去西班牙北部的薩拉戈薩（Zaragoza）旅行，而且一定會去當地的修道院。他們一直以為父母是虔誠天主教徒，所以才去那裡朝聖。直到有一天，摩倫諾的父親在臨死前向他坦白，他並不是自己親生的兒子，而是在薩拉戈薩的修道院從一位修女手中買來的。摩倫諾還以為父親老糊塗，半信半疑的去驗了DNA，沒錯，他不是父母的親生孩子。

更不可思議的是，好朋友巴洛索也發現他不是父母親生。原來他們兩個都是父母從薩拉戈薩修道院買來的嬰兒，兩人父母都是勞工階級，當時花了相當一棟公寓的價錢來買兒子，講好分十年付清。所以他們每年去薩拉戈薩，是為了去修道院付錢給修女。2007年，兩個人親自跑去找當年經手買賣的修女，老修女向他們證實確有此事。

摩倫諾和巴洛索不是偶然被販賣的嬰兒，從他們這個線頭一拉，拉出一條長達五十年販賣嬰兒的犯罪黑幕。

1939年西班牙內戰結束，佛朗哥奪得政權，進入全面獨裁時代。佛朗哥政府秘密進行一項「移植」工程，他們針對被懷疑有左派思想傾向的家庭，在他們小孩出生時，醫院人員會謊稱嬰兒不幸死了。接著由教會接手善後，處理小孩的喪事。

同時把小孩安排在右派思想純正的家庭撫養，以防小孩在「有毒、有害」的家庭長大。這樣從根本做起，就能保證孩子根正苗純，杜絕左派思想滋生。

1975 年佛朗哥死了，西班牙開始走向民主。這份偷嬰兒、換人養的秘密工程，因政治目的消失，便轉換成金錢利益。在背後沒有政治力的監控下，變本加厲形成一個龐大的販嬰組織。

當時一個嬰兒可以賣八千元美金。神父、修女會先找出想收養孩子的家庭，告訴他們孩子是未婚懷孕的少女生的，教會的責任是爲孩子找到愛他們的家庭。信仰忠誠的教徒最適合做好父母，錢是要幫助可憐的小媽媽。收養家庭都是虔誠的教徒，神父、修女說的當然相信。

醫院這邊就挑軟柿子下手，找貧困弱勢或眞的未婚懷孕少女。小孩一出生，護士就把小孩抱走，醫生告訴媽媽，小孩死了。如果媽媽堅持要看孩子一眼，他們就從冰櫃拿出一個嬰兒屍體，給父母看一眼。接著就由教會接手，幫你處理小孩的後事，有時還會幫你付些醫藥費。出身貧寒的人，只能感激，就算心有疑惑也不敢多說。

而且以前西班牙的法律，小孩如果沒有出生證明，教會的受洗證明也可以充數。這使得神職人員和醫療人員形成一個共犯結構，在宗教的光環下，長期獲取黑心錢，更製造無數人倫問題。

2012 年 4 月 12 日，高齡八十七歲的修女瑪麗亞．瓦布耶納（Maria Gomez Valbuena）在馬德里出庭受審，她是第一個因偷竊嬰兒案被起訴的人。她在法庭上全程保持緘默。

是的，她能說什麼呢？像摩倫諾和巴洛索這樣的孩子，估計共有三十萬之多。很多以爲孩子已死的父母，現在去把孩子的棺木打開，發現裡面放的其實是動物的碎骨，或根本是空的，這才知道孩子還沒死。可是怎麼辦？事隔太久，如何找到孩子？找到了，又該如何？

摩倫諾和巴洛索成立了「國家非法領養受害組織」，建立DNA的比對組織，現在已有一千八百人加入尋親。但只成功幫助五個家庭團聚。因爲大部分人都和養父母建立親不可破的關係，深怕傷害養父母。還有許多資料都已遺失，老一輩的人也多半過世，所以應該只有少部分能認親團聚。雖然這是難以彌補的創傷，但我們慶幸黑暗還是會攤在陽光下。

權力與金錢，不只會破壞行爲的界線，而且會移動人的靈魂。

●修女瑪麗亞．瓦布耶納出庭受審，她是第一個因偷竊嬰兒案被起訴的人。

4.13 爲孩子而戰

水可以穿石，因爲它滴個不停。

傑米・奥利佛（Jamie Oliver）是英國著名的主廚。他小時候有閱讀障礙，成績自然不理想，中學都沒辦法畢業。十六歲進入飲食學院，才發現自己有才能。他不只有做菜的天分，在鏡頭前更是一尾活龍，很得觀眾緣。所以他靠著電視美食節目，成爲家喻戶曉的明星廚師。

媒體的力量就不是小水滴，而是水柱。奥利佛可貴的地方，就在他能善用這個水柱的力量，來改變現況，做好事！

在英國二十五歲以下的人口，有一百萬人沒有在上學，也沒有在工作，更沒有接受職業訓練。許多青少年，中途輟學，住在社會機構，但缺乏輔導，沒有未來。難怪英國的青少年自殺率是世界最高，青少女懷孕率也是西歐最高。

奥利佛是過來人，他知道像他這樣運氣好的青少年不多。他決定用他的力量，爲前途渺茫的青少年打開一道門，走一條大道。

所以他成立「十五基金會」，每年招收十五名在犯罪邊緣的青少年，教他們學習廚藝，讓他們改變自己的人生。訓練成功的人，可以進入「十五餐廳」工作。而十五餐廳賺的錢，再全數投入十五基金會，替更多人找到機會。

關鍵是奥利佛用「電視實境秀」的方式，把這些人在接受訓練時的挫折、奮鬥、失敗、成功，所有過程都完整、生動的呈現給觀眾，引起了廣大的共鳴。讓社會更重視背後的問題，而且奥利佛的實驗，成功找到一個解決問題的模式。

這些原來可能淪落街頭，成爲罪犯的青少年。因爲優良的廚藝受到讚賞，拾回失去的自信。節目最大的高潮，是十五個孩子包辦英國首相布萊爾的宴會，美食佳餚受到貴賓的讚美，讓千萬人感動落淚。有這樣的媒體效果，十五餐廳在世界各地，英國、荷蘭、澳洲、南非……開店都很順利，到現在十五基金會已培養了超過二百二十名青年廚師。

奧利佛不滿足這小小的改變，他把他的水柱，衝向英國另一個「吃」的大問題，就是學校的午餐。

英國學校午餐是強制性投標競爭，就是要開放給民間公司來做，但是沒有訂定「最低標準」。會有什麼結果？

那就是越低標的廠商才會得標，之所以能做這麼低，必須是中央廚房，大量生產一致性的東西。結果大廠商就會標下許多學校，然後把成本壓低。所以學生午餐每年有十億英鎊的預算，看起來是一塊大餅，但這大餅只有少數公司瓜分，分到每個小朋友身上，每人每餐只有三十五便士，合台幣十七塊而已。

因此學校午餐都提供油炸、多糖、高脂的「垃圾食物」，造成英國十一歲以下的兒童，有 15% 過於肥胖，而且比例快速攀升。英國每年花在因肥胖而造成的疾病上，有六十億英鎊，不良飲食問題要花三十億英鎊，心臟疾病花八十億英鎊。前面省錢吃垃圾，後面卻要花二十倍的代價，是不是很白癡？

是的，奧利佛認爲這很白癡！於是開播另一個電視實境秀《大城小廚學生餐》，他選擇一所小學做實驗。第一，要改變學校的廚娘，教她們用新鮮的食材做新鮮飯菜。不用半成品來油炸或料理包加熱。還要有快速、簡易的烹調法，這個是奧利佛的強項。

第二，他要面對的是英國十一萬學校廚娘，週薪只有八十二英鎊，她們在低薪的壓榨下，根本無心去做改變。奧利佛勸導、爭吵、溝通，終於激發廚娘的潛力與良知，做出一道道新鮮、可口、有益健康的菜餚。

第三，他最最頭痛的是，學生們已養成的「口味」。長期食用垃圾食物不只影響健康、破壞腦袋，還會摧毀小孩的「味覺」。一旦習慣重油、重鹽、重糖的垃圾口味，學生一開始都抗拒吃新鮮食物。奧利佛把垃圾食物的脂肪展示給學生看，令他們既噁心又驚嚇。於是嘗試新鮮食物，才幾天就恢復了正常的味覺，喜歡上新鮮食物！

這一幕幕的改變，都忠實、生動的呈現在五百萬觀眾面前。奧利佛成功改進了一所學校的午餐，但接下來的問題是——錢！

如果要維持良好的食物品質，現在的預算顯然不夠。於是他在節目播出後，發起「讓我吃得更好」的運動。

奧利佛收集到 271677 個要求改善學校午餐的簽名，送到首相官邸。**2005 年 4 月 13 日**，英國政府宣布再投入兩億八千萬英鎊改善學校午餐，小學生每人每餐提升到五十便士，中學生六十便士。並建立「學校膳食基金會」，訓練全國學校的廚娘，把學校餐飲列入督學的重要評鑑項目。

完成了這麼大的好事，理應得到大家的讚賞。是的，奧利佛成爲爲孩子而戰的英雄廚神。

但樹大必有枯枝，人多必有白癡。2006 年 9 月 26 日，有一群家長抗議奧利佛的午餐標準，那個學校一千一百名小學生，每天要吃兩份水果和三份蔬菜。這些父母說他們的孩子有權力選擇他們愛吃的食物。這些家長還從速食店買垃圾食物，從學校的圍籬，送進去給他們的小孩吃。夠誇張吧！

奧利佛的回應是：

我已經受夠了這些混蛋！如果他們想要害死他們的小孩，就讓他們這麼做吧！

唉！你不能餵珍珠給豬吃，因為牠會嫌硬！

● 英國知名主廚奧利佛

4.14 少女的祈禱

在台灣我們每天聽到「少女的祈禱」這首鋼琴奏鳴曲，就知道垃圾車來了。

這首我們從小聽到大的曲子是誰做的？貝多芬？莫札特？蕭邦？都不是，創作者眞的是一位少女，她是兩百年前出生在波蘭的女鋼琴家邦妲婕芙絲（Tekla Bądarzewska-Baranowska）。

日本人也很熟悉這首曲子，因爲他們紅綠燈給盲人警示的音樂，正是「少女的祈禱」。可是如果去波蘭，問波蘭人有沒有聽過「少女的祈禱」？反而每個人都搖頭，說不知道。

一個波蘭的女記者哈瓦莎（Dorota Halasa）嫁到日本後，才知道有這首曲子。當別人告訴她這首曲子來自波蘭，她更驚訝。這麼美的樂曲，在異國人人耳熟能詳，爲什麼在波蘭反而大家都沒聽過呢？她決定要追查看看。

她花了兩年的時間，終於在波蘭找到了邦妲婕芙絲的資料。這首「少女的祈禱」是她在**1851年4月14日**完成的，當時她才十七歲，眞是名實相符。邦妲婕芙絲總共創作了三十首樂曲，很可惜她二十七歲就離開人世。她的墓碑是一個石雕像，雕著一個手中拿著樂譜的少女。

二次大戰後，蘇聯佔領波蘭。共產黨是無神論，認爲這首取名爲「祈禱」，宗教氣味太濃，就把它列爲禁曲，所以長期沒人演奏。日子一久，也就被波蘭人遺忘。

沒想到「少女的祈禱」卻在遙遠的台灣、日本變成所有人的日常記憶，伴隨大家成長。

為什麼台灣會選這首曲子當垃圾車的音樂呢？原來當時任衛生署長的許子秋，他在想要選哪首音樂來當垃圾車的音樂，正好那晚他的女兒在練鋼琴，彈的正是「少女的祈禱」，所以就採用這首曲子。偶然之舉，使「少女的祈禱」成為台灣人人最熟的曲子。

● 創作「少女的祈禱」的波蘭作曲家
邦妲婕芙絲

4.15 榮譽還是生命？

榮譽和生命，你要選擇哪一樣？

當災難來臨，真正令人難忘的不只是災難的後果，而是災難背後那些道德的選擇才叫人難忘！

查爾斯．萊特勒（Charles Lightoller）寫過一個短短十七頁的回憶錄，這十七頁紀錄一次重大災難的細節，這些細節應該永遠被記憶。這個災難，造成1502人罹難，有705人得救。萊特勒是這705人中，最後一個從大海中被拉上救生艇的人。他就是「鐵達尼號」的二副，他經歷的災難就是「鐵達尼號沉沒」。他生還後，詳細寫下沉船前他所看見的事，那些勇敢、高貴、犧牲的生命。

鐵達尼號是在1912年4月14日晚上11點40分撞上冰山，船長發現船會沉沒時，已經是4月15日的凌晨。

他下令船員放下救生艇，婦女、兒童優先上去。很多乘客是夫妻結伴而行，所以大部分妻子都不願意拋棄老公獨自上救生艇，除非他們也帶著孩子。

船上有一位當時的世界首富，地產大亨約翰．雅各布．亞斯特四世（John Jacob Astor IV），他把懷有五個月身孕的太太送上救生艇時，鐵達尼號的一副叫他快跟上去，他生氣的拒絕，然後把位置讓給一個坐三等艙準備從愛爾蘭移民去美國的女人。亞斯特四世牽著他的狗，救生艇划走時，他拿出一根雪茄，點著它，舉起雪茄在空中來回揮舞，對著小艇不停喊著：「我愛你們！」

不只世界首富，還有世界第二巨富梅西百貨的大老闆伊西多・史特勞斯（Isidor Straus）。他死說活勸，但他的夫人就是不肯上救生艇。船員對六十七歲的史特勞斯說：「你是老先生，我保證不會有人反對你上救生艇的！」史特勞斯說：「只要還沒有別的男人上救生艇，我是絕不先上去的！」他的夫人跟他一樣堅定，她說：「這麼多年了，你去哪裡，我就去哪裡。我會陪著你去你要去的任何地方！」兩人在甲板上的椅子坐下，互相挽著手臂，等待命運的召喚。後來，兩人的遺體沒有被尋獲，現在紐約的伍德朗墓園（Woodlawn Cemetery）建有他們的衣冠塚和紀念碑，上面刻著一行字：

再多再多的海水都不能淹沒的愛。
Many waters cannot quench love - neither can the floods drown it.

另一個超級富豪是銀行大亨，班傑明・古根漢（Benjamin Guggenheim），他是一個人搭船，他穿上正式的晚禮服，寫下一紙字條，請船員帶給他的太太，「鐵達尼號不會有任何一個女性，因爲我佔了救生艇的位置，而留在船的甲板上。我會死得像一個眞正的男子漢，不會像一個畜生！」對，他就是「古根漢美術館」的古根漢，佩姬・古根漢（Peggy Guggenheim）就是他的女兒。

有一對正在度蜜月的史密特夫婦，新娘子也是不肯上救生艇，丈夫只好趁太太不注意，一拳將她打昏，請船員帶他太太上救生艇。當她醒來時，鐵達尼早已沉了，後來她終生沒有再嫁，她的心隨丈夫沉入海底。

一個法國的富商那瓦特列（Michel Navratil），因爲他帶著兩個兒子，船員叫他一起上船，但他把孩子拜託給不認識的女生，自己拒絕上船。孩子得救後，母親是從報上登出的照片才找到他們。

同樣帶著兩個小孩的史密斯夫人，當孩子被抱上救生艇，發現已經沒有空位，擠不下。這時一個女士起身，把她推上船，說：「上去吧！孩子不能沒有媽媽！」。

鐵達尼號的五十名高級船員，除了指揮逃生的二副萊特勒被救，其他全部殉職！

鐵達尼號在 **1912 年 4 月 15 日** 2 點 20 分沉沒。

真正的慷慨，不是大方給別人需要的東西，而是把自己需要的，給了別人！

乘客中有一位日本鐵道院的高級官員叫細野正文，他男扮女裝，冒充女人擠上了救生艇，因此獲救。當然他回到日本之後就被開除了，所有的報紙都罵他是…… 怎麼說呢？

●當時的世界首富，地產大亨約翰．雅各布．亞斯特四世

●銀行大亨班傑明．古根漢

●當時的世界第二巨富，梅西百貨的老闆伊西多．史特勞斯

4.16 為平等而跑

人類打破偏見的歷史，如同拆萬里長城，多少年才拆掉一小段。光是要達到「男女平等」，就像跑馬拉松一樣漫長。

凱瑟琳．絲維哲（Kathrine Switzer）從小最大的願望是成為啦啦隊員。她認為啦啦隊員是最受歡迎、最快樂的女生。但她的爸爸對她說：「人生最重要的是參與其中，而不是坐在一旁看著別人奮鬥！」

父親的話像夜空中的明星，指引她找到自己人生的新方向。她改變想進啦啦隊的夢想，她決定要參加「賽跑」。

問題是那個年代，人類都已經上太空了，女人還是不准參加賽跑，原因是女生的體力和耐力不足以負荷這類運動。所以學校裡的田徑隊，只有男子運動員，沒有女子隊員。很難想像吧？

當絲維哲進入維吉尼亞州林奇堡學院（Lynchburg College），意圖參加跑步比賽時，引發一波接一波攻擊她的聲浪。居然有人寄黑函說，她妄想跟男人賽跑，以後會遭到上帝的懲罰。難以想像吧？於是她在 1966 年轉學到雪城大學（Syracuse University），當然這所大學也沒有女子田徑隊，但是田徑隊的教練允許她和男生一起受訓。受訓中，她認識了隊上非正式的經理，亞倫．布理格（Arnie Briggs），他是一個馬拉松的跑者，有十五次的比賽經驗。受布理格的影響，絲維哲決心要成為一位馬拉松的競賽者。布理格願意指導她，並和她達成協議，只要她能跑完四十二公里的練習，布理格答應帶她去跑極富盛名的「波士頓馬拉松」大賽。

結果絲維哲成功跑完全程，一直跑到五十公里才休息。

是的，波士頓馬拉松不准女生參加，所以絲維哲在填寫報名表時，沒有寫她的全名 Kathrine，而是只寫 K.V. Switzer，所以大會沒有注意到她是女生。也可以說以前從來沒有女生參加過波馬，所以沒人注意，就讓她混過報名。

1967 年 4 月 16 日，一個飄著細雨的春天，絲維哲和布理格，還有她的男朋友湯姆．米勒（Tom Miller）一起站上起跑線。有選手發現有女生參賽，紛紛給絲維哲加油。

槍聲一響，絲維哲邁開步伐向前跑，才跑到約六公里的地方，坐在指揮車上的攝影師和大會人員發現事情不對，參賽者裡有女生！

這下彷彿見到鬼，觀眾中有人對她鬼叫、怒罵，這時比賽總監督喬克．森波（Jock Semple）跑進賽道，拉扯絲維哲，大叫：「立刻把號碼布條給我，然後滾出我的比賽場地！」布理格見狀，上前阻止，和森波僵持不下。這時男朋友派上用場，還是米勒夠力，衝過去撞開森波，絲維哲嚇得在一旁愣住，布理格大叫：「快跑！」她才拔腿如風一樣往前奔跑，最後成功的跑完四十二公里的馬拉松！

但是，她的比賽資格被取消，大會不承認她的成績。這件事上了報紙的頭條。女人爲什麼不能跑馬拉松？這個問題引起熱烈討論。賽後，絲維哲成立雪城田徑社，是第一個女子田徑隊。1970 年她又再回到波士頓來參賽，她跑得足足比上次快了一小時，成績是 3 小時 34 分。大會這次不再把她除名，承認她的參賽成績。因爲絲維哲不斷發出不平之聲，持續的施壓，波士頓馬拉松終於在 1972 年正式允許女子參加比賽。

要知道人類在 1969 年就正式登上月球，三年後才讓女人跑馬拉松，超難想像吧？現在馬拉松是許多女生展現自我、追求健康的運動，像時髦的第凡內贊助的馬拉松，每年吸引上萬女子參賽，每次報名人數爆滿，還要抽籤才有機會參加。這可不是天生就如此，是有像絲維哲這樣的女英雄，用她們的能力、毅力，奮鬥而來的。過程雖如馬拉松一樣漫長，但終究能抵達終點！

● 波士頓馬拉松的比賽總監發現竟然有女生參賽，立刻跑進賽道拉扯絲維哲。絲維哲的男朋友和教練幫她拉開阻礙。

4.17 生意改變世界

眞正的大革命，不一定是政治、宗教、發明造成的，而是生意。商人可能才是眞正的革命家，不管他們造成的改變是好是壞？都成就了今日世界的樣貌。

哥倫布的夢想是什麼？是航海？是探險？都不是，是「生意」。他相信地球是圓的，他航海不是爲了證明這個科學知識，而是爲了賺錢。因爲當時從歐洲要航海到中國，要繞過非洲的好望角，再沿著印度開過來，穿過麻六甲海峽，才會到中國南邊。對做生意來說，物流的成本太高，時間太久，風險太大。如果地球是圓的，就可以從歐洲向西，說不定一下子就直接到中國，發現這條捷徑，就可以發大財！

孔子帶著他的政治理想去周遊列國；而哥倫布是帶著他的發財夢去遊說列國。從 1480 年開始，他跑遍西班牙、葡萄牙、英國、法國，想要說服這些國王跟他合夥做海外貿易。問題是，每個國王都感覺他是想發財想瘋了，不相信他的主意會成功。

時空會改變東西的價値，歐洲市場對東方的香料、瓷器、茶葉、黃金的需求日益升高，使得哥倫布的「橫財夢」越來越値得賭賭看。經過十二年，他歐洲繞了一圈，又來到西班牙。

1492 年 4 月 17 日，西班牙女王伊莎貝拉一世和國王費迪南答應資助哥倫布，建立一支艦隊，向西航行尋找通往東方的捷徑。雙方簽訂合約，規定哥倫布發現的土地，主權是國王和女王的，哥倫布對前往新大陸經商的船隻，可以抽一成的稅金。他自己的船運來西班牙的貨物，完全免稅。

哥倫布的商業冒險，雖然沒有到達東方，但讓歐洲發現新大陸。哥倫布把美洲的黃金源源不絕運到西班牙，捕捉大量的美洲人民，強迫他們成為奴隸，販賣到歐洲各地。西班牙因此更加強盛，他自己也大撈了一票。

可悲的是美洲原來的馬雅、阿茲特克、印加的文明，受到毀滅性的摧殘。歐洲人帶去的病菌，更直接殺害了二千萬的當地人民。

最大的影響反而是歷史教科書很少提到的，是什麼？

是食物，玉米、馬鈴薯、辣椒、巧克力、菸草……這些東西本來只在美洲生長，因此傳到歐洲，再傳到全世界。連台灣我們以為「土生土長」的「番薯」，也是美洲原產，哥倫布把它當作「奇物」帶回西班牙，獻給女王，然後在西班牙種植成功。16 世紀西班牙的水手把它帶到菲律賓，又傳到大明王朝的福建，17 世紀時荷蘭人再把它帶進台灣，演變成今天台灣的象徵。你看哥倫布這生意做得大不大？生意是不是改變世界的最大動力？

● 活躍於大航海時代的哥倫布

4.18 人性光輝的名單

一張801個人的「名單」，見證了時代的大悲劇，也展現了戰火中的人性光輝！

奧斯卡・辛德勒（Oskar Schindler）出身於捷克的德裔家庭，家裡本來很有錢，養成他對藝術的愛好。但在1929年後世界經濟大蕭條，重重的打擊他們家，從此家道中落。後來納粹崛起，在1938年併吞了捷克斯洛伐克。

辛德勒投機加入了納粹黨。接著納粹又入侵了波蘭，辛德勒感覺是他發「戰爭財」的機會，便跑到波蘭克拉科夫，以低到不能再低的價格，收購了一家生產搪瓷用具的工廠。他在打什麼主意？

辛德勒想用這個工廠來生產德軍需要的鍋碗杯盒。工人從哪裡來？他雇用當時被德軍控管的波蘭猶太人，這樣只要付少到不能再少的工資。他能言善道，長袖善舞，靠著賄賂德國軍官，讓他取得軍方的合約。加上他是納粹的一員，也得到特權可以雇用猶太人。

他更聰明的是找到了伊薩克・斯特恩（Itzhak Stern）這位傑出的猶太會計師，請他幫忙管理工廠運作、帳目。陷於當時的困境，斯特恩只有屈就。這下辛德勒就坐享其成，每天只要花天酒地就好。

1942年，納粹將猶太人全數關入集中營，辛德勒買通集中營的指揮官，並打通關節，使斯特恩繼續為他工作，每天有幾百個猶太人從集中營來到他的工廠做「奴工」，現在甚至連低廉的工資都不用付，但能到辛德勒工廠做工，等於是短暫逃離集中營的地獄。在集中營裡，你再小心，也可能隨時喪命，理由可能就是長官一時不爽，拿你出氣。但只要辛德勒的工人無端喪命，他就會向政府要求賠償，因爲要再訓練工人很浪費錢。所以，爲辛德勒工作，等於有了保命符。

戰爭打到 1944 年，德國節節敗退，納粹卻加快屠殺猶太人，把各地集中營的猶太人送往波蘭「奧許維茲集中營」Auschwitz Concentration Camp，統一用毒氣殺害、滅絕。

辛德勒眼看常常爲他做牛做馬的猶太人，就要被送去死亡之地，良心發現。情急生智，他向德軍說他要在家鄉建一座軍火工廠，生產砲彈，來支援作戰。有錢能使鬼推磨，辛德勒買通上下，在 1944 年 10 月救出一千二百名奴工，帶到他家鄉的工廠。但中間多次因爲火車調班錯誤，結果有人被送到了奧許維茲，差點進了毒氣室。千鈞一髮之際，辛德勒總能把每個人從死神手中救回來。

他爲了轉移他的「奴工」，前後共寫了七份名單，現在僅存的一份，是他和斯特恩在 **1945 年 4 月 18 日**用打字機寫下來的，共有 801 人的名單，連同他們的家屬共 1200 多人，都因爲辛德勒而保住珍貴的生命。

1980 年，名單上排 173 號的里奧普・費弗堡（Leopold Pfefferberg）將這份名單交給澳洲作家湯馬士・坎尼利（Thomas Keneally），把事情經過整個告訴他，希望他能把故事寫出來。1982 年坎尼利出版《辛德勒的方舟》Schindler's Ark，得到英國布克獎。

後來由史蒂芬史匹柏拍成電影《辛德勒的名單》，全世界才知道在那個殘忍混亂的時空，有如此傳奇的人與事。

之後凡是在二次大戰中解救猶太人的義人，都被稱爲

「什麼的辛德勒」。

辛德勒在戰後，移居阿根廷，但事業一再失敗。1958 年破產回到德國，一直到 1974 年去世，都在落魄潦倒中。當年爲了感謝他救命之恩，他拯救的猶太人在臨別時送了他一個金戒指，上面刻著：

拯救一個人的性命，就是拯救整個世界
Whoever saves one life saves the world entire.

材料是從一個人口中取下金牙熔化做成。他後來爲了貪杯買酒，居然把這個戒指賣了，這才是眞正的「辛德勒」。這就是他可愛的地方，他不是爲了什麼「公理」、「正義」、「上帝」……這些大理想去救人。他本是自私自利的投機者，但他的內心一直保有「人性」。

「辛德勒名單」上年紀最小，而且是最後一個離開人世的人叫里昂．利森（Leon Leyson），當年他才十歲出頭，他回憶他在辛德勒的工廠工作時，因爲個子小，都要站在木箱上才能做工。而辛德勒因爲他瘦小，還特別多給他一份伙食。利森眼睛出問題時，也不讓他工作。就是這樣的人性，所以在最緊要的關頭，辛德勒做了人性的選擇。

有人說辛德勒是看到德國快要敗亡，所以預備用救猶太人來洗刷罪名。這樣講，就不符人性。

因爲辛德勒這樣做，有很大的風險。納粹在敗亡之際，行爲更加瘋狂，難保他自己不會被捲入。如果他眞的只顧自己，更不需要一再冒險去把錯送到奧許維茲的人救回來。少救幾個，都不影響他日後有罪還是無罪？

唯一會有差別的是辛德勒自己的良心，以及他那沒有泯滅的人性！

● 辛德勒位於波蘭的工廠

4.19 禮教殺人

社會的觀念一旦成形，就如同一道高牆，很難改變。

因爲它是一磚一石長年堆積上去的。

荒謬的是，其中越荒謬的觀念，越是根深柢固。在高牆沒有倒下前，任何想要跨越的人，都要付出代價，有時更會出現難以理解的悲劇！

賈曦（Jassi）是出生在加拿大溫哥華的印度女生，從小在加拿大受教育，直到成人。1995 年，二十年華的賈曦，跟著母親和舅舅回到故鄉印度旁遮普，在那裡，賈曦遇見米杜·辛杜（Mithu Sidhu），兩人一見鍾情。但是問題來了，賈曦家在傳統的印度教社會是屬於高階，而米杜呢？是低階級家庭出身，而且只是個載貨的電動三輪車司機，收入也低。

這樣天差地別的身份，一般是完全不往來的，何況是談戀愛！所以當賈曦回到加拿大後，兩個人是透過朋友來傳遞情書，偶爾偷偷打電話。天地一方，聯繫如此薄弱，兩人的感情卻日益堅定。

過了四年，1999 年 1 月母親和舅舅又帶賈曦回到印度，這次不是回鄉探親，而是爲她相親。對象是誰？是賈曦舅舅的生意夥伴，一個比她大四十歲的有錢人。賈曦雖然拒絕了這個婚姻，但她知道媽媽和舅舅還是會依照傳統，繼續爲她安排她的未來。

她不想嫁給一個她不愛的人，2 月回到溫哥華後，她就想辦法說服媽媽，編理由說她要回印度找朋友，於是媽媽答應讓她 3 月時回印度玩。賈曦利用這個機會，和愛人米杜在旁遮普的一座寺廟舉行婚禮，在 3 月 15 日正式註冊結婚。

紙當然包不住火，賈曦秘密結婚的事被印度的親人發現。她被關在房間裡，在她回加拿大前，不許出門、會客、打電話。這段期間賈曦的母親還以要買新車給她爲餌，讓她在一張白紙上簽下名字。

2000 年 2 月 9 日，賈曦回到溫哥華，她立刻幫米杜申請移民，她想只要米杜來到加拿大，加拿大是個民主自由的社會，她的媽媽、舅舅就無法控制他們，阻止他們相愛，生活在一起。她還特地寫信給移民局，說明舅舅可能捏造米杜的壞話，請移民局不要採信。

賈曦的預感有沒有成眞？有，防不勝防，但事情不在加拿大發生，而是在印度。舅舅在賈曦一落地的隔天，就寫信給印度警方，說米杜和他的朋友在賈曦回印度時，綁架她並強姦她，賈曦在印度怕被報復，所以回到加拿大才敢報警，揭發米杜的惡行。信中另附上賈曦的自白書，用的正是賈曦以爲要買車簽的白紙，結尾簽名眞的是她的簽名。

米杜和兩個朋友因此被逮捕，舅舅得到消息，立刻飛去印度，在拘留所用暴力狠狠修理了米杜。而且騙米杜說只要他同意和賈曦離婚，他可以幫忙米杜申請移民加拿大。米杜當然沒有答應，但是他是一個窮小子，眼看就要像螞蟻一樣被人捏死！

賈曦多次寫信給印度警局，一再說明米杜是被誣陷，但印度警方根本沒有回應。賈曦想回印度親自作證，但護照被家人扣留。她於是向溫哥華警方報案，指控舅舅對她限制自由、毆打和恐嚇，加拿大隔天發給她一本新的護照，並且保護她離開家。

賈曦的家人、親戚在她離家時，對她瘋狂辱罵，要不是有警察護送，少不得拳打腳踢。賈曦得到自由，立刻搭機趕去印度，有她親自出庭作證，而且她和米杜確實有合法的婚姻，法院當然就無罪開釋。

2000 年 4 月 19 日，米杜重獲自由，兩人終於克服了阻礙，可以廝守一生。眞想就寫到這裡，但是 …… 米杜被釋放，兩人團聚的這一天，卻是慘劇的開始。

賈曦的舅舅開始聯絡在印度的黑幫，準備下重手。6 月 7 日晚上，賈曦接到媽媽從溫哥華打來的電話，她以爲媽媽還是關心她，終究是愛她的，也許會原諒她。所以就告訴媽媽她現在住在米杜的祖父母家，這下暴露了他們的行蹤。第二天晚上，當米杜騎著機車載著賈曦回家時，路上突然冒出幾個大漢，攔頭一棒打翻了機車。米杜被棍棒一陣狂毆，並且被銳器連續捅傷，暴徒看米杜好像沒氣了，就把他丟在路邊水溝，放他等死。

暴徒把賈曦抓到附近的一處農舍，然後打電話給賈曦的舅舅，接著拿手機給賈曦聽，手機中傳來媽媽的聲音，要她立刻回溫哥華。舅舅並威脅如果不乖乖照辦，要對她不利。但賈曦不肯就範，死也要和米杜在一起 …… 結果在母親和舅舅的指示下，賈曦被暴徒割斷喉嚨，這樣一個美麗勇敢的生命，竟然斷送在自己最親的人的手中！

難以想像的可怕吧！可是這在印度是宗教傳統的「榮譽處決」。在種姓制度下，不同階級是不允許通婚的。當子女違背這個傳統，家裡的尊長是可以對子女予以懲罰，最重可以殺死子女。殺人的長輩不但沒有罪過，反而是爲了維護宗教傳統而做出犧牲，是一件「榮譽」，所以稱爲「榮譽處決」。

印度的法律當然已經不允許這種「榮譽謀殺」，但是法律歸法律，傳統歸傳統。法律輕，傳統重。尤其法律碰到權貴會自動退縮、轉彎、裝瞎。對權貴有利的，法律才會執行。對權貴不利的，用傳統就把你搞回去。所以榮譽處決經常發生，執法單位也沒辦法，只能睜一隻眼、閉一隻眼。

賈曦的屍體第二天被發現，驗屍報告顯示死者生前明顯遭受過「毆打」和「性侵」！本來這件無頭案一定會冤沉大海，不了了之。偏偏當時被丟在路邊等死的米杜，拼著最後一口氣爬到道路中央，被路過的人救了，及時送去醫院，幸運保住性命。

這下受害人沒死，警方在米杜的指證下，逮捕到十一名嫌犯。他們供稱收到五萬加幣的酬勞，對賈曦進行「榮譽處決」。而且出示作案當時，他們和賈曦舅舅及母親通話的手機記錄。後來，七個暴徒被判犯了謀殺罪，印度向加拿大要求引渡賈曦的母親和舅舅回來受審。

事情寫到這裡，應該要結束，但是……賈曦的媽媽和舅舅早就已經取得加拿大的國籍，基於人權保障，引渡沒那麼簡單。加上印度方並不是十分積極，事情就拖了，一拖事又多了。

2004 年 8 月，米杜又被指控強姦一個同村的女生，立刻被抓。溫哥華《南亞郵報》的主編哈賓得．薩瓦克（Harbinder Singh Sewak）是印度裔，他本來就關注賈曦的案件，一得知米杜被抓，直覺告訴他，米杜一定是被陷害。他跑回印度，替米杜找律師和私家偵探，收集各種證據，證明米杜清白。而且查出那個說自己被強姦的女生，其實是賈曦舅舅生意夥伴的女傭，而這個叫達先．辛哈（Darshan Singh）的傢伙正是幫舅舅收買黑幫作案的中間人，他給了女生錢，同時向她施壓，叫她去誣陷米杜。

米杜在 2008 年 4 月被放出來，可憐的他坐了四十四個月的黑牢。米杜對薩瓦說，賈曦的舅舅曾找人來跟他談判，只要他不追究賈曦的死亡，他們願意給米杜一千萬盧比，差不多等於一千萬台幣。米杜嚴詞拒絕，所以收買不成，就陷害他。

眞相大白後，主謀辛哈被判無期徒刑，關入大牢。沒想到，不久後，有人向《南亞郵報》舉報，說在溫哥華一間印度錫克教的寺廟，看到辛哈！怪了？辛哈應該在印度坐牢，怎麼會跑到溫哥華？這件事也引起 CBC 電視台的重視，當他們派記者到印度查證時，才發現辛哈在 2009 年 9 月居然已經保釋出獄。CBC 鍥而不捨，終於給他們追出辛哈。原來他人根本在印度，他爲了讓自己在印度不被人注意，所以自己去向《南亞郵報》爆料，想製造他人在加拿大的假象，好掩人耳目 …… 眞的是又笨又壞又勤快！

但是這一折騰，CBC 做了有關賈曦案件的深入報導，加拿大輿論譁然。終於在賈曦被謀殺十一年後，她的母親和舅舅被加拿大警方以謀殺罪逮捕，可能會送回印度受審。

我們說：「虎毒不食子」，怎麼會發生這種慘劇？

因爲人不是老虎，人會受社會的約制，他腦袋裡的「觀念毒瘤」不是只存在個人腦中，是同時存在在許多人腦中，形成了「觀念的長城」。

所以賈曦母親和舅舅平常搞不好是「和善的鄰居」、「有信用的生意人」…… 但是一旦碰到種姓制度罩頂，女兒的追求與勇氣，反而成了家庭的蒙羞和恥辱。殺害賈曦的，不只是她的親人，傳統也是兇手。正是魯迅所說的「禮教吃人」！

那賈曦的母親和舅舅該不該受審判？當然該，但是如果引渡回印度受審，搞不好正義反而會再一次迷失！因爲在加拿大，每一個人都有選擇自己生活和感情的權力，父母也不能剝奪。但在印度，情況就不一樣了。那裡的社會價值，未必和「普世價值」相同啊！

我們呢？是不是仍存在許多可怕的傳統觀念？自以爲是的不文明思想？還有很多又笨又壞又勤快的人們呢？

4.20 長跑父子情

父子之愛比山高？比海深？不管山高海深，愛的力量都能跨越。

迪克．霍特（Dick Hoyt）和瑞克．霍特（Rick Hoyt）是著名的「長跑父子雙人組」Team Hoyt。

2009 年 4 月 20 日，他們完成了第一千次路跑賽，第二十七次波士頓馬拉松。特殊的不只是他們是父子，爸爸六十八歲，兒子四十七歲。眞正驚人的是兒子瑞克是不能說話，也不能走路的殘障者。對，他坐在輪椅上，由爸爸迪克推著跑！

瑞克出生時因爲臍帶繞頸，造成腦部缺氧，受到嚴重損傷。醫生說他只能在輪椅上度過一生，如同一個植物人。但是霍特夫婦並不就此絕望，他們仔細觀察兒子，發現如果有人在屋內走動，瑞克的眼球會盯著人轉。

當孩子十一歲時，夫妻帶孩子去特夫斯大學（Tufts University）的工程系，試著找出讓瑞克與外界溝通的辦法。但大學的人認爲孩子沒有腦部活動，所以不可能。迪克反駁說：「跟他講個笑話吧！」大學人員便說了一個笑話，果然瑞克笑了。因此大學便爲瑞克設計一套用頸部側面操控滑鼠的電腦，從此打開了瑞克與外界溝通的途徑。

1977 年瑞克十五歲時，他一個中學的同學因爲意外而癱瘓。學校要爲那位同學辦跑步比賽來籌款，瑞克利用電腦在螢幕上打出：「爸，我也想參加！」爲了達成兒子的心願，迪克就推著他跑了五公里。

這是他們第一次參加路跑賽，之前迪克既不是運動員，更沒有跑過路跑。到達終點後，兒子在電腦上對爸爸說：「我今生第一次不覺得自己是殘障！」

這句話讓父親的心比跑步還跳得厲害！他決心要讓兒子自我感覺更良好，於是準備參加最有名的「波士頓馬拉松」。

1979年父子來到波士頓，沒想到大會不接受他們報名，理由是霍特父子不是個別單獨比賽，而且瑞克也不是輪椅組的參賽者。有些人看似正常，但他們的腦袋是不正常的硬。所以迪克推著兒子跟大家一起跑，雖然他們速度之快，很多人還追不上，但是成績不被承認。

後來有人跟迪克說，以你們父子的實力，何不參加鐵人三項，讓大家震撼震撼？可是迪克不會游泳，而且六歲以後就沒有騎過腳踏車，他怎麼可能帶著五十公斤重的兒子，完成鐵人三項比賽呢？

結果他辦到了，他不只變成游泳健將，帶兒子完成鐵人三項。他們前後共參加過兩百次鐵人三項，包括最嚴峻的夏威夷鐵人三項，這是耗時十五小時的超級大賽。

從此，幾乎沒有什麼是霍特父子檔克服不了的。迪克背著兒子參加爬山、越野滑雪、騎單車兩人橫越美國。

他們跑馬拉松最佳紀錄是二小時四十分，只比世界紀錄慢三十五分。有人想說服迪克何不自己跑跑看，以他的能力應該會進入馬拉松的名人堂沒問題！

但是迪克說：「我不會獨自參賽。」

他之所以參加比賽，純粹是爲了和兒子一起跑步、游泳、騎單車時，看到瑞克臉上露出天眞的笑容，所感到無比甜美的奇妙感覺！

● 「長跑父子雙人組」霍特父子參加波士頓馬拉松。

4.21 海豚自殺

往往，我們要先走錯路，才會知道什麼是對的路？

常常，我們的眼光要放遠，才知道眼前該做什麼？

瑞克．歐貝瑞（Ric O'Barry）是一個頂尖的海豚訓練員。1962 年他親手捕捉了五隻海豚，爲的是拍攝第一部以海豚爲主角的電視劇《飛寶》Flipper。

他花了兩年的時間，天天和海豚在一起，訓練牠們配合導演的要求做各種表演。電視劇在 1964 年播出，大爲轟動。使得歐貝瑞因此名利雙收。

歐貝瑞感覺海豚跟他感情很好，他特別喜愛一隻叫凱西的母海豚。但他慢慢感覺事情不對勁，他發現凱西好像一天比一天沮喪，對「表演」也越來越勉強。然而，滾滾而來的金錢，沖淡了他的擔心，他還是繼續驅使凱西演戲。

1970 年 4 月 21 日，凱西游到歐貝瑞的懷裡，吸了一口氣，然後自己關閉氣孔，直直沉入水中⋯⋯原來凱西在向他告別後，自殺了！

一般都認爲動物不會「自殺」，只有人才能思考生命的意義，決定要不要結束自己的生命。沒錯，動物如果在「自然」的環境中，牠們永遠在求生，當然不會求死。但是如果被關在人造的「牢籠」，被逼迫不是牠本能要做的事，那就另當別論了。尤其海豚智力極高，牠們有很強的自我意識。歐貝瑞說：「海豚每一次的呼吸都是有意識的行爲，如果生命不堪忍受，只要放棄下一次呼吸就能自殺！」

凱西的自殺，重重的衝擊了歐貝瑞。他終於明白，海豚要的是在大海中遨游，牠們有高度智力，同時也高度敏銳。牠們被困在狹小的水族館，時時還要爲人類的欲望而表演，壓力感受特別大，所以經常要服用抗氧劑和胃藥來減輕「胃潰瘍」。而觀眾只看到牠們一再跳躍、翻滾、頂球……的各種精采的表演，卻不知道掌聲下的悲慘。這悲慘不只是身體的，更是巨大的心靈創傷。很多表演動物是在心理壓力下，提早失去生命，但觀眾看不見，也不知道。

凱西這次更嚴重，牠是選擇「自殺」。歐貝瑞既悲痛又悔恨，他決定改變，他要用他的一生去摧毀海豚的表演事業，去阻止更多的海豚被抓。從此，哪裡有海豚的圍捕場，哪裡就會出現歐貝瑞的身影。他一再因爲剪斷鐵網，放海豚自由而被捕，吃上官司。歐貝瑞就像唐吉訶德，帶領一些同志，不斷衝向一座一座巨大的風車。

可是，風車非常龐大。光在美國，海豚娛樂事業就有二十億美金的規模。在日本，每年有兩萬三千隻海豚被「合法圍殺」。歐貝瑞明白，他不是超人，剪不了那麼多鐵網，救不了那麼多海豚。於是，他決定要拍一部紀錄片，把血淋淋的眞相讓世界了解。他盯上了日本和歌山縣一個叫「太地町」的小漁村。

太地町面向太平洋，三面高崖環抱，全村只有三千六百個居民，大部分捕漁爲生。當你走進太地町，你會看見路邊可愛的鯨魚模型，地面上有可愛的Q版海豚，漁船都是畫上可愛的海豚，最最可愛的是那裡有一座供奉鯨豚神靈的廟呢！但在這個處處寫著「我們愛海豚」看板的小漁村，他們是怎樣「愛」海豚呢？

每年的9月開始，漁民把船開出海，把長長的柱子插入水中，接著用鍾子猛敲柱子，製造恐怖的「音網」、「聲牆」來驚嚇海豚。把牠們趕到岸邊佈好的陷阱，然後像封口袋一樣的圍起來。這時來自水族館、海洋中心的買家，就來把年紀小、會唱歌的母海豚挑走。

剩下的呢？全部屠殺！海水瞬間變成血紅色的地獄，海豚從掙扎、哀叫到平靜無聲，只聽到漁民的談笑和海豚浮在水上的屍體。小小的太地町一年就要殺掉一千五百隻海豚，殺海豚來幹嘛？當作「鯨魚肉」來賣。鯨魚肉在日本是高價食材，但哪有那麼多鯨魚可殺？日本人不知道他們吃的鯨魚美食，多半是海豚肉混充的。日本市場上一年有五千噸鯨魚肉，其實是海豚肉。

歐貝瑞帶領工作人員，混充是買家，把高畫質的攝影鏡頭僞裝在假石頭裡，偷偷拍下了獵殺的記錄。他們拍下了四十小時的獵殺實錄，最後剪入記錄片裡不到三分鐘，因爲每個片段都是重複性的血腥、恐怖。當歐貝瑞和工作人員看到一隻海豚寶寶眼看父母、親族被屠殺，奮力跳過岩石做的圍欄，身上佈滿傷口，最後力氣用盡，死在海上，他們都以手掩面，失聲痛哭。

他們的心血終究沒有白費，紀錄片《血色海灣》The Cove 在 2010 年得到奧斯卡最佳紀錄片獎。隨著《血色海灣》的播映，屠殺海豚的問題，才開始得到國際的重視。但日本政府和相關業者，以屠殺海豚是他們的傳統文化來對抗壓力，非但沒有減少海豚的濫捕濫殺，被捕殺的海豚數目還隨著各地海豚館的興建反而增加。一隻海豚本來有三十多年的壽命，但在水族館平均只能活兩年。

其實日本第一次有捕海豚的記錄，是在 1933 年。從

1969 年後才開始大規模捕殺海豚，這個惡行也不過才四十多年，根本不是什麼四百年的傳統文化。

歐貝瑞不只拍紀錄片，還成立「拯救日本海豚」的保育組織。結果擋人財路，當然會有麻煩。可怕的是，他有兩名成員居然遭到毒手失去生命，其他的大小恐嚇威脅都是家常便飯。但是他相信，只要他們持續努力，把屠殺海豚、海豚娛樂事業背後的眞相，告訴社會大眾，使得這個產業無利可圖，那屠殺海豚的行爲就會停止。

而且恐怖眞相還不只是對海豚的不人道，吃海豚肉的人，其實也是受害者，只是自己不知道。海豚是海洋中生物鏈頂端的動物，所以在海洋嚴重汙染的今天，海豚體內累積了大量的汞等重金屬，吃下去你以爲「補」，其實是「毒」，而且是劇毒！有醫學大學對太地町的居民，包括小孩、大人做過調查，發現太地町居民身上的含汞量是日本人平均的四倍。這不是報應是什麼？但只是人被毒死之前，可憐的海豚可能已經被屠殺殆盡了！

● 從海豚訓練員變成海豚保護者的歐貝瑞

4.22 天下第一

在藝術的創作上，往往你刻意努力未必成功。反而是放輕鬆順勢而爲，會達到意想不到的完美。

中國從周朝開始，士大夫會在農曆3月3日，春意盎然、風和日麗時，一起去水邊祭神，洗洗手腳來清除汙穢，稱爲「修禊」。這個祭祀活動慢慢演變成文人觀賞美景、飲酒作詩的遊樂。

晉穆帝永和9年3月3日，西元**353年4月22日**，王羲之和兒子王凝之、王獻之，加上文人好友共四十一人，在會稽山陰近郊的「蘭亭」飲酒作詩。玩到最歡樂時，大家要求王羲之爲這次聚會寫一篇序文作紀念。王羲之帶著一點醉

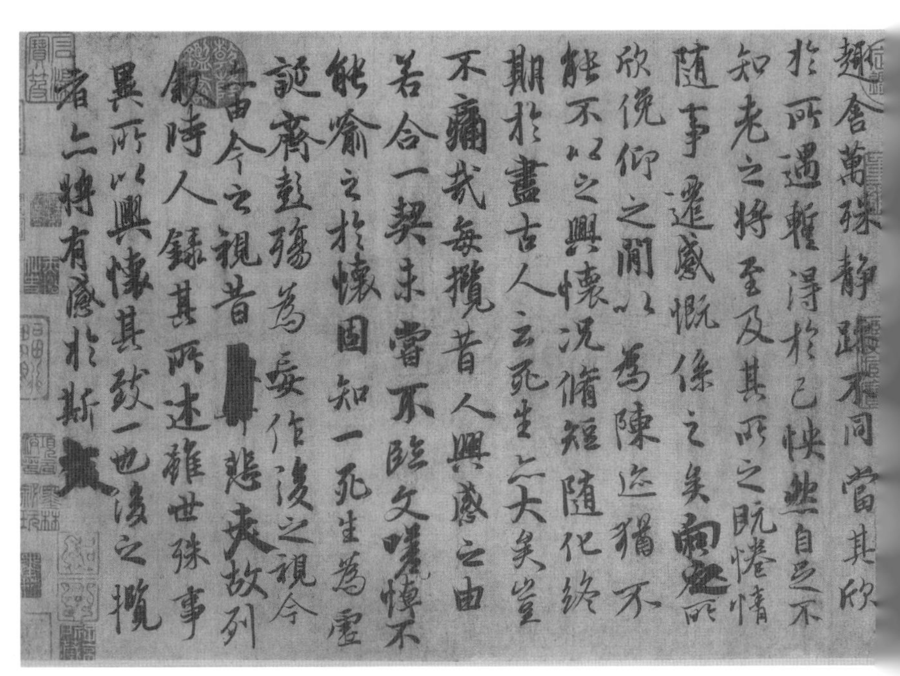

● 有「天下第一行書」之稱的「蘭亭集序」

意，順手拿起狼毫筆，寫下「蘭亭集序」324 個字。

王羲之酒醒後，看到自己的作品字字筆力勁健，全篇氣韻流暢，有如神助！他越看越滿意，便很用心的照樣再寫。他寫了好幾遍，怎麼努力，就是寫不出原來神韻。這部「蘭亭集序」成了王羲之最得意的墨寶，也是最偉大的書法傑作。

後來天下第一的「蘭亭集序」落入唐太宗李世民手中，李世民是好皇帝的代表，但晚年也是糊塗昏亂，他居然把「蘭亭集序」拿來陪葬。從此眞跡埋沒，後世無緣看到。

現在我們看到的「蘭亭集序」是馮承素奉皇帝命所描的摹本。雖然說應該與眞跡接近，但就如我開頭說的終究是努力的刻意之作，當然會缺少神來之筆的氣韻囉！

可惜、可惜、可惜！

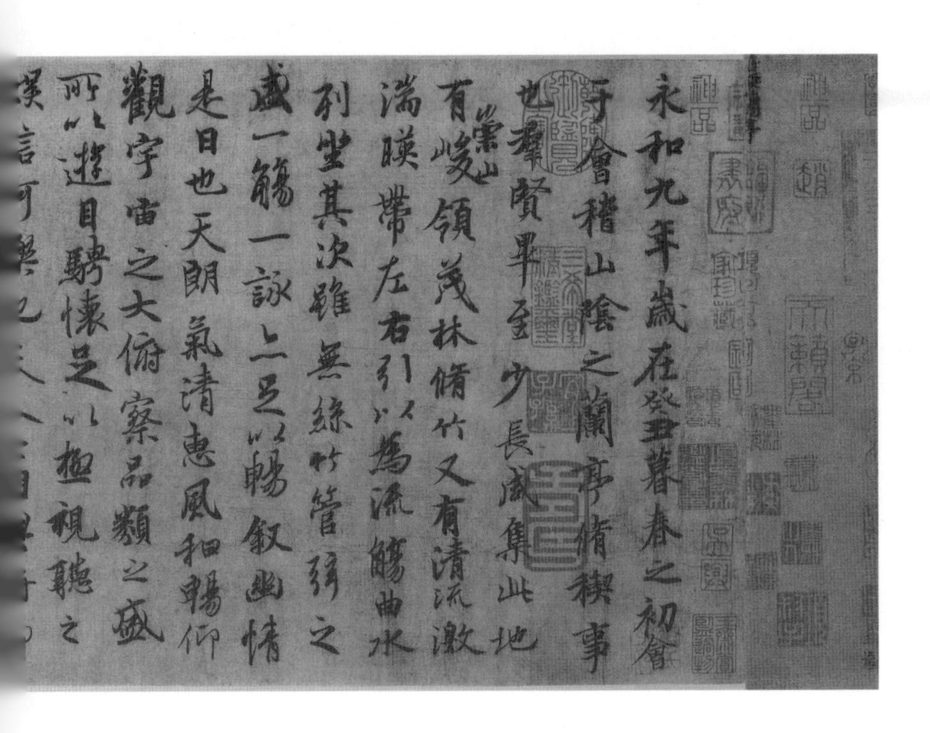

4.23 無法計算的情感

「有些事情，你要用心才聽得到！」

這是《小王子》書中，狐狸對小王子說得最寶貴的話，這句話如果沒有深刻的體會，不只是感情談不好，搞不好會弄垮原來好好的大生意！

1985 年 4 月 23 日，可口可樂公司在紐約的林肯中心開記者招待會，現場擠進了七百多個記者。可口可樂宣布，繼「健怡可樂」後，公司又發明一種新口味，這個口味取名叫coke，要全面取代原有的可口可樂，他們將獻給世界一個全新的可樂！

爲什麼要這麼做？因爲前一年，百事可樂主打年輕市場，增長了 1.5%，顯然可口可樂加大廣告、降低折扣，結果還是掉了1%。人一旦喝了百事，成了習慣，那就不會再喝可口可樂。這樣下去怎麼得了？

所以，可口可樂的高層一致決議，是該創新的時候了。

守舊一定穩死。那要創什麼新呢？當時可口可樂的總經理名叫羅伯特．高思達（Roberto Goizueta），他是「化學工程師」出身，這樣的背景，使他想要創新口味。而且他們創新的「健怡可樂」市場極佳。「失敗是成功的媽媽，成功也可能是失敗的爸爸」，這是我說的。總之他積極從事新口味的開發。

其實早在 1983 年 ，高思達就命令一個來自墨西哥的化學天才薩吉歐．齊曼（Sergio Zyman）指揮一個極機密計畫，叫「堪薩斯計畫」。他們在研發一種新口味，一種如原子彈威力的新口味！

1984 年的秋天，新口味的原子彈成功研發出來了。開發出來後，當然要「試爆」，要有科學的驗證。先進行「盲目實驗」，就是你喝可樂的時候，並不知道自己喝的是哪個牌子？哪個口味？喝完來評分。結果超過 70%的人，肯定新口味，感覺它比原來的口味好喝，也比百事好喝。

這不夠，接著再找一批人，這次採「明目實驗」，就是你喝的時候，明明白白知道自己在喝什麼？結果呢？居然也是超過 70% 的人肯定新口味，比老口味好、比百事好。

可見即使喝的人對老口味有「感情作用」在裡頭，他還是理性的想喝新口味。這些類似實驗在不同的環境、時空、人種、國家，一做再做，詳細調查分析，數據都只指向同一個結果，就是新口味比舊的棒，還有比百事棒！

最後，高思達在 1985 年年初，帶著調查報告、決策分析，去面見已經九十五歲的大老闆羅伯特·伍德羅夫（Robert W. Woodruff）。伍德羅夫掌舵可口可樂六十年，當然和可口可樂有深厚的情感，但面對冰冷數據、高思達的振振有詞，而且前面他確實有健怡可樂成功的經驗，最後，終於，大老闆含淚同意改變。改變這個只差一年就存在一百年的口味！

「可口可樂的新口味來了！」消息傳開，二十四小時內，就有 81%的美國人都知道了。

這個數字比當年知道阿姆斯壯登陸月球的人還多！

有一億五千萬人去買新的口味來喝，這更大大超過任何一種新產品上市被嘗試的數字！而且專業的評論也肯定新口味。下游廠商的訂貨量更創下五年來新高！

果然是原子彈？

然後呢？樂極生悲。而且不到幾天，慘劇就來了！可口可樂每天接一千通電話中，有八百通是打來「幹譙」的！

「改變可口可樂，就像棒球場上不賣熱狗，這是打碎美國人的夢！」

「改變可口可樂的口味，比在我家前面燒國旗，更讓老子火大！」

一連三個月，成千上萬的信寫進來，結論都一樣，要求停止這種無聊的惡作劇，指責可口可樂「背叛」美國人！

媒體立刻轉向，無情的批評新口味，攻擊可口可樂的經營團隊，嘲笑他們是白癡。有一個記者還說，他一聽說口味要變，舊的口味以後買不到，他立刻殺出去「掃」了一百一十箱可口可樂回家，準備喝到死！

這下把可口可樂公司給嚇壞了。高思達說他像個小孩，睡覺時每隔一個鐘頭，就會哭著醒過來！他們只是換個口味，並沒有殺死可口可樂！

到了 7 月，可口可樂再開記者會，向消費者認錯！新的總裁唐納德・基歐（Donald Keough）把失敗說成撤退，他說：「公眾的激情讓我們吃驚，這樣的情和愛、自豪感，與愛國主義一樣無可計算。有人說這個撤退，是小人物對大企業的勝利。我深愛這種撤退！我熱情歡迎這個撤退！」

反正就是不再更換口味，而且把老口味，加上「經典可口可樂」再賣到市場！

當天，進來了 18000 通電話，全是感激可口可樂的！

「我像迷路後找到回家的路！」

這個案例告訴我們，「感情」是計算不出來的。

實驗裡不是有明目調查嗎？被調查的人不是都知道喝的

是什麼可樂嗎？爲什麼他們還是說新的口味好呢？難道運氣這麼好，被調查的人都是對舊口味沒感情？

沒錯，被調查的人是一般的取樣，當然有感情在內。但這是科學調查，參加實驗的人也知道這是調查，所以他們專心在比較口味，並沒有把感情因素放進去。

等到他們變成消費大眾，自己要掏錢買時，左右他最大的因素，搞不好就是感情。什麼叫「媽媽的味道」？不是媽媽做的菜比較好，而是你習慣了。那是感情、愛的記憶。這就是范仲淹說：「常調官，難做；家常菜，好吃！」是習慣、是情感、是沒有理性可以計算的。

那你說，好的東西就不能動了喔？一定不能創新嗎？那倒未必，看你要動哪一塊？

可口可樂近年做了一次新包裝的改變。他們把罐裝的可口可樂，在紅底白字上，加了一條黃色的曲線彩帶。當然上市前要做調查，結果70%的人不喜歡新的包裝。那可口可樂怎麼辦？是不是「從眾」如流？不要動。

不，他們看了調查以後，決定改包裝。你說人就是不向歷史學習，要重複錯誤嗎？爲什麼他們明知喜歡舊包裝的人多，還堅持去改變呢？

因爲「年齡」！對了，喜歡舊包裝的人雖然佔大多數，但這是平均數，可是喜歡新包裝的，全都是十四歲以下的青少年。哪一個是未來？老的會死去，年輕的會長大。而且他並不是包裝設計全換，而是基調不變，加上一條黃色彩帶，讓可口可樂更年輕一點。基本上沒有傷害原來的情感。

後來市場的反應，也如預期，年輕的購買量有提升。這是增加，不是取代。如同健怡可樂，是回應潮流，增加一種選擇，它並沒有取代舊的，所以能讓消費者接受。情感沒有失落，舊的還在，只是增加。

所以，感情是計算不出來的。

能夠計算出來的數字，你也要看對背後的訊號，才能做出正確的判斷！

● 差點殺死可口可樂的新口味 Coke

4.24 鞭子

如果把世界看成一個舞台，每一個人都在這舞台上扮演一個角色。有一種人的人生就是扮演「太陽」。她自己發光發熱，也散發強大的磁場，所有的行星都被她吸引，但不能接近，只能圍繞著她轉。

尼采，是 19 世紀對後世影響最大的哲學家。他對於宗教、道德、文化、科學、哲學都有批判，寫作風格非常獨特，很像在寫一段一段獨白式的「格言」。哲學的「存在主義」、「後現代主義」基本上是由他開山。

那尼采是太陽嗎？不，太陽是一個叫莎樂美（Lou Salomé）的奇女子。尼采跟她同舞台，只能演她的「行星」！

1882 年尼采來到義大利，當時他已經頗有名氣，大家都把他看成「怪咖」。當時他和華格納決裂不久，加上嚴重的胃病和要命的偏頭痛，使他不得不向巴塞爾大學請長假，想待在家裡休養。但更要命的是，妹妹一再與他衝突，家裡待不住，所以離開陰冷的德國，跑到陽光溫暖的義大利，想喘一口氣。

正在義大利梅西那的尼采同時收到兩封信，一封是羅馬著名文化沙龍的女主人，也是德國婦女解放運動的領導人，瑪爾維達．馮．梅森堡夫人（Malwida von Meysenburg）寫來，信中說要介紹一個年輕的俄羅斯女孩給他認識，「這是一個與眾不同的女孩，我的書《一個女理想主義者的回憶》能夠出版，其中要感謝的人就是她……」

另一封則是尼采的好友，也是當時著名的思想家保羅雷

（Paul Rée）寫的，信中提到有一個年輕女孩，他應該認識，「她充滿了活力，天資絕頂聰明，她有最典型的女孩氣質，而且還保有天眞的孩子氣。」

兩封信說的人正是雙十年華的莎樂美。莎樂美的父親是俄國沙皇寵信的將軍，她從童年時就不玩一般女孩玩的團體遊戲，她總是在做「孤獨」活動——「看書」和「沉思」。

莎樂美十九歲到瑞士蘇黎世大學求學，後來也因病來義大利療養，認識瑪爾維達夫人，並在她的文化沙龍與保羅雷相識。保羅雷學識廣、思想深，正是莎樂美最想要接近的人物。而且保羅雷人格高、性情善，也是莎樂美覺得最可信任的朋友。因此兩人有說不完的話，日日形影不離。

面對這個「身形高挑、有著一雙閃爍著光芒的藍眼睛、高高的額頭後方充滿積極令人敬佩思維」的年輕女孩，保羅雷自然深深的愛上她。他也以爲莎樂美喜歡他，否則何必天天跟他交談。他向莎樂美正式求婚，沒想到莎樂美拒絕。她告訴保羅雷，和他在一起是求知，不是求愛。

保羅雷受到重大打擊，他告訴莎樂美，他要離開羅馬去外地療癒「情傷」。沒想到莎樂美又給他一記棒喝，說難道男女之間除了夫妻、情人，就不能成爲知性的朋友嗎？她要保羅雷不要走，留下來和她一起完成夢想。

什麼夢想？莎樂美說她曾夢見一棟在海邊的漂亮大宅，大宅中間有一間圖書室，四面放滿書，窗台散發鮮花的芳香。圖書室中央有張大桌子，圍繞著幾個紳士。正在熱烈討論思想、文化、哲學……其中只有一個女生，就是莎樂美。他們分別住在大宅的不同房間，帶著高尙的友誼和深刻的思想，大家生活在一起。保羅雷被她說得目眩神迷，不但沒有走，還決定把尼采找來。

1882 年 4 月 24 日，尼采在羅馬聖彼得大教堂見到莎樂美。尼采第一眼看到不是凡人，是女神。「一個在瞬間就能征服一個人靈魂的人！」他瞬間被征服，瞬間就愛上莎樂美。

相對於尼采，莎樂美的第一印象，卻是理性的觀察：「尼采一出現，就讓人感受到，他身上隱藏著一種孤獨感。他視力不佳，使得他面目很神奇：眼神既瞥向內心，同時又望向遠方，或者說，像眺望遠方一樣的注視內心。當關注某個令他感興趣的話題時，雙眼激動的熠熠發光；當情緒低沉時，目光中便流露出陰鬱的孤獨感，彷彿是從無盡深沉之處流露出這種感情。」

尼采、保羅雷和莎樂美三人共度一小段快樂時光。如同他單刀直入的語調，三十八歲的尼采很快便向莎樂美表達愛意，向她求婚。莎樂美對尼采尋求精神、靈性的交往，她拒絕尼采的求婚。尼采並不死心，繼續留在她的身邊，他的愛並沒有降溫，火反而越燒越旺。他鼓起勇氣向莎樂美求第二次婚，再被拒絕。內心孤獨、高傲的尼采，表面裝作豁達，其實自負、自信都因此破碎。有一次，他要求三人一起照一張相，到了照相館，尼采親自編排，他把一輛推車佈置在景中，他和保羅雷站在推車前，要莎樂美跪坐在車上，手拿一根小鞭子。象徵兩個男人都是莎樂美的牛、馬。尼采說沒有比這姿態更能呈現他們的關係了。這張有意思的照片，也引發尼采說的一句名言：

你要到女人那裡去嗎？可不要忘了帶上鞭子！

很多人據此就下定論說他是「沙文主義」，其實他只是在自我解嘲，他要的只是平等啊！

莎樂美和尼采的關係，就如同 1882 年的四季變化，春天時相見，花開茂盛；夏天時他們有思想深處的共鳴；到了秋天，莎樂美已經不能接受尼采痛苦的人生觀，她感覺以後他們會變成思想上的敵人；到了冬天，一切冰凍，他們的思想不再交流。當尼采在萊比錫車站送走莎樂美時，火車開動的那一瞬間，尼采知道這是他與她的永別，望著火車徐徐駛離，莎樂美將永遠離他而去。這是最偉大的哲學狂人，第一次，也是最後一次的戀愛！

失去莎樂美的尼采，陷入絕望的谷底，他心中堆滿的怨恨，從他的筆鋒流洩。一封又一封帶有惡意、尖酸、仇視的信，斷送了他們的聯繫，也葬送了他們的友情。尼采此時心無別念，他在濱海的小屋，發憤寫作，完成了《查拉圖斯特拉如是說》，一本寫給所有人及不寫給任何人的書。這是尼采最知名、也最重要的一本著作，尼采的「超人」理論就此誕生。

莎樂美呢？她之後定居柏林，繼續活躍於文化圈，1885 年出版第一本著作《為上帝而戰》，真的與宣告「上帝已死」的尼采打起對台。令所有人大吃一驚的是，她居然嫁給一個叫安德烈亞斯（Friedrich Carl Andreas）的東方語言學家，而且婚前約定：一、她必須能保持和保羅雷的友情和交往。二、她沒有義務和安德烈亞斯發生性關係。更沒有人想到，他們的婚姻維持了四十三年。

但即使有這樣的約定，保羅雷這回真的心碎。不管莎樂美怎麼解釋，保羅雷這次選擇痛苦的離開。後來被發現墜落在他和莎樂美經常散步的懸崖！在保羅雷孤獨墜落時，另一顆圍繞太陽的行星出現，德國的大詩人里爾克（Rainer Maria Rilke）瘋狂的愛上莎樂美，「我不要鮮花，不要天空，也不要太陽，我要的唯有你……」莎樂美也向他展現眞實「肉體和人性不可分割的一體……」最後莎樂美決定和里爾克分手，刺傷另一個偉大的靈魂。莎樂美五十歲時，結識弗洛伊德，兩人亦師亦友，情深意厚，不只經常見面，而且書信頻頻往返，長達二十年，後來成爲研究弗洛伊德重要的文獻。

　　莎樂美一生創作很多，她的回憶錄更是研究許多大師內心深處最直接的材料。她遇到每一個有思想的男人，無不被她吸引，明的暗的深深愛戀著她。德國作家薩爾布（Linde Salber）曾說她是「具有非凡力量的繆思，男人在與她這位女性的交往中受孕，與她邂逅數月，就能爲這個世界產下一個精神的新生兒！」眞是說得妙，看看這等高度、這等手段。莎樂美最後在 1937 年結束了她七十六年傳奇的人生！

● 莎樂美拿著鞭子，驅打保羅雷和尼采。

4.25 關鍵時刻的良心

如果有人溺水，你不會游泳，當然不能跳下水去救人，但得另想辦法。

但如果你擅長游泳，而且有船，你也想要救人，可是你的上級不准你救人，你怎麼辦？

1994 年 4 月 6 日，盧安達總統哈比亞瑞馬納（Juvénal Habyarimana）的座機被飛彈擊中，機毀人亡，兇手不明。但胡圖族的極端激進份子迅速掌控政府，他們開始執行殺害圖切族的政治人物和胡圖族溫和派，一天就死了八千人。美國駐盧安達的大使回報華盛頓，認爲這不是普通的政治謀殺，而是集體屠殺，於是美國決定撤僑。

當時駐在盧安達的聯合國維和部隊，是由加拿大的羅密歐·達萊爾（Romeo Dallaire）將軍指揮，他接到聯合國總部的命令，不可介入內戰，避免一切衝突。

達萊爾派出十名比利時士兵，保護總理烏維林吉伊馬納的夫人，希望她運用影響力控制局勢。結果她被襲擊，全家遇害，而十名比利時士兵陣亡。同時胡圖族極端派大規模屠殺圖切族平民，事發後才第九天，就已經死了六萬四千人。

比利時政府想要撤軍，但又不想背負懦弱的惡名，就要求聯合國全面撤軍。美國國務卿贊成，但美國駐聯合國大使反對，結果妥協，不全撤，先撤一部分。哪一部分？是人數最多、裝備最精良的比利時部隊。達萊爾向聯合國求援，他要求至少要有五千名部隊，才能制止種族屠殺。結果他得到的答案是，聯合國不增援，還要撤出 90%的兵力。

西方國家除了加拿大，全數撤出，留下迦納、突尼斯、孟加拉，全部加起來才四百五十名維和部隊，準備隨時全面撤出。

可是盧安達的種族屠殺，越發擴大，不到二十天，就已經有十五萬人被殺。

1994年4月25日，達萊爾決定拒絕聯合國要他撤軍的命令，他領導這支多國的小部隊，以武力保護圖切族的難民區，並且運送難民到非胡圖族控制的安全地帶，至少拯救了兩萬五千名盧安達平民。

事情這麼嚴重，美國國務院還在說：

「我們必須謹慎的評估這個事件」、

「如果證實這是種族屠殺，美國才會被迫採取行動」、

「一切行動要符合美國利益」、

「支援達萊爾的維和部隊，花費過高，且缺乏效率」

這類不死不活的官話，可是盧安達已有三十萬人被殺。

5月17日，美國和聯合國在輿論壓力下，終於同意派出五千名部隊支援達萊爾。當各國部隊集結完畢，準備運用五十輛裝甲運兵車，分批把士兵運送到盧安達。

就在此時，美國和聯合國對於裝甲運兵車所消耗的汽油錢要歸誰出？談不攏！人都快死光了，前線十萬火急，他們居然花了兩個星期才喬定到底怎麼分擔油錢！

官僚主義的威力，眞的沒有極限！

然後運送過程拖拖拉拉，一直拖到7月，增援的軍隊都還沒有開進盧安達。到了7月17日，圖切族的反抗軍打回首都，極端派潰散，反抗軍成立臨時政府，才結束這場百日大屠殺。

此時估算有一百一十七萬圖切族人和胡圖族溫和派被殺，難民超過兩百萬人。

達萊爾率領一支小小孤軍，力圖保護廣大的無辜平民。他的見義勇爲，得到各方讚許。美國頒給他外國人最高的軍人榮譽 Legion of Merit，他也獲得加拿大最高勳章，還被電視台評選「最偉大的加拿大人」中排行第十六。

但是他的內心非常痛苦，他一直自責應該一開始就抗命；一開始就出手干涉，這樣也許能拯救更多人命。

他自認是一個「失敗的將軍」，他的良心不斷的翻騰。

我的心神還飄盪在那些小山丘上，

與那些被屠殺的靈魂爲伍。

那一雙雙眼睛仍然縈繞我腦海中，

有憤怒的眼睛，也有無辜的眼睛，

其中，最可怕的是那些困惑的眼睛，

它的主人望著我和我的軍帽說：

到底發生了什麼事？

他在 2000 年因此自殺，幸好遇救。出院後，他決定開始寫回憶錄。2003 年出版《與惡魔握手——盧安達人道使命的失敗》。接著他積極投入反童工、反兒童參戰的活動。他要用餘生所有的精力，來打擊戰爭罪惡和捍衛人道。

是的，我們可能都有機會在緊要的時刻，做出決定。當命運之輪轉到我們的手上，我們會做出什麼樣的選擇呢？
善良的人不可以遲疑，否則你的良心會讓你難以承受！

●盧安達大屠殺期間，聯合國駐盧安達維和部隊的司令官羅密歐．達萊爾。

4.26 微小失誤巨大浩劫

在哪裡跌倒，就在哪裡站起來！

錯！在哪裡跌倒，你要換個地方站起來，否則你會跌倒兩次。

看到別人在哪裡跌倒，你最好別走過去。否則你會跟著跌倒。聰明的人學習別人的錯誤：避免再犯！

笨的呢，不斷重複別人已經犯的錯！

核能發電因爲一次小跌倒，造成一場大浩劫。1986 年前蘇聯烏克蘭車諾比的「列寧核電廠」，核電廠人員要進行一項安全演習，實驗如果反應爐突然斷電時，要如何能夠迅速回復供電。

他們在**4 月 26 日**凌晨進行，結果沒想到斷電後，不知道爲什麼無法回復供電。1 點 23 分反應爐爆炸！一千二百噸的頂蓋被炸開，燃料鈾、石墨散落周圍幾百公尺，一股超強的輻射氣流，從裂口衝上一千公尺的天空。

第一時間趕來救災的消防隊，往電廠噴灑大量的水，不但滅不了火，還有兩名隊員當場犧牲，其他的二十八名隊員也因爲接觸過量輻射，日後全部死亡。

天終於亮了，但恐怖的黑暗才要開始。當時測量輻射的單位是侖琴 Roentgen，正常空氣是 0.000012 侖琴。而在距離核電廠三公里的小城普里皮亞，26 日中午就測到 0.2 侖琴的輻射，超出正常一萬五千倍，到了傍晚達到六十萬倍，而在核電廠區是 2080 侖琴，相當一億七千三百萬倍，人待在那裡十五分鐘就會死亡。

4 月 27 日，政府把普里皮亞的四萬三千個居民全數撤離。人走時什麼都不能帶，連寵物也不准帶走。車諾比的輻射隨著雲，向四面八方擴散。

28 日，瑞典就測到超標一百倍的輻射，接著全歐洲都發現警報。輻射隨著雲飄，跟著雨水落入地面，所以它汙染的地區不是從災變的中心往外擴散，而是在地圖上像花豹的斑點那樣分佈。蘇聯這天對外公布車諾比發生核災。

毀損的四號爐心有一千二百噸的鈾燃料，在攝氏三千度的高溫燃燒，熔化的輻射粒子就像蒸氣般一直升起，進入大氣，隨風飄散。

所以第一要先滅火！水沒有用，軍方調來三百架直昇機，往反應爐空投混合硼酸的沙包。一包八十公斤，總共投下六百噸的沙包，才控制住火勢。但反應爐上方的輻射高達三千五百侖琴，所以負責空投的直昇機一次只能丟六包，就得趕緊飛離。即使停留這麼短的時間，仍有二十七名空投人員幾天後在醫院痛苦死亡。

車諾比核災空前重大，輻射汙染的後果更是可怕。但蘇聯政府想要控制情況，掩蓋眞相，所以完全沒有把災情告訴人民，其實政府也不清楚眞相。

要命的是，這時正好碰上 5 月 1 日勞動節，這是共產黨最重要的節日，所以各地的慶祝活動照常舉行。烏克蘭的大城基輔，離車諾比只有一百三十公里，在 5 月 1 日舉行大遊行，這等於讓千千萬萬的人民，尤其是兒童，在沒有任何遮蔽下，直接接觸高輻射的空氣，等於是「死亡大遊行」、「死亡大慶祝」！烏克蘭的最高長官，第一書記雪比斯基，也帶著孩子、孫子，一起參加慶典。當他知道眞相後，感覺對不起人民，便自殺謝罪，了結自己的生命。

5 月 2 日政府撤離車諾比三十公里周邊的十三萬居民，並且把貓、狗，境內所有的動物，全部撲殺。

雖然已經丟下六百噸的沙包，但反應爐裡面還有 195 噸的鈾燃料棒在燃燒，因爲上面被沙包蓋住，鈾熔化的放射性岩漿便會向下腐蝕，當岩漿熔穿水泥地板，便會碰到底下的積水坑，這是先前消防隊爲了滅火，大量噴灑的水，都積在反應爐底下。熔化的鈾和石墨，遇到水會爆炸，只要有 1400 公斤的岩漿爆炸，那等於 500 萬噸的火藥威力，可以把 320 平方公里的土地炸平。還有擴散的輻射，別說蘇聯，整個歐洲就完蛋了。

消防員冒死把水抽乾。眞的是冒死，因爲後來全都犧牲了。再用直昇機投擲鉛塊，共投下 2400 噸的鉛，終於火暫時熄了。但鉛遇高熱也會熔解，進入大氣，人吸到就會鉛中毒。直昇機的六百名駕駛日後也因此全數犧牲。

事情還沒完，現在輻射岩漿雖然暫時不會爆炸， 但還是會滲透到地底，而地底的地下水層，是連接聶伯河到黑海。如果水源汙染，那也是完蛋！所以 5 月 12 日，政府從外地調來 10000 名礦工， 要挖出 150 公尺的地道，到爐心再挖開周邊 30 公尺，想裝上冷卻系統，以防溫度再次升高。結果冷卻系統裝不起來，只好用水泥加固。

可怕的是，地道中的高熱使穿著厚重防護衣、戴著面罩的礦工，根本無法工作，只好脫去防護衣，但輻射傷害更嚴重，不小心碰到含有輻射的沙土，便會立刻死亡。他們喝的水都沒有安全隔離，等於直接把輻射喝進體內。這一萬名礦工，當時都是二十歲出頭、年輕力壯的小伙子，結果後來有四分之一的人沒有活過四十歲。活下來的也是百病纏身，多半失去工作能力。

蘇聯動員了所有各方面的專家，決定打造一個長 170 公尺、寬 66 公尺的鋼鐵石棺，把四號廠整個封死。另一方面動員了十萬的後備軍人、四十萬的平民，都是二十歲到三十歲的年輕人，做爲三十公里周邊的輻射「清理人」。

直昇機先噴灑名叫「波泡」的液體，它會和輻射塵混合成「灰泥」，落在地面。然後清理人去清理輻射灰泥。他們一天洗五次澡。但輻射並沒有放過他們，他們日後不是年紀輕輕就死亡，就是身體殘障。

七個月後，石棺終於打造完成，當時花了一百八十億美金。問題不是錢，是人員的傷亡太慘重，估計直接犧牲超過二萬人，殘障的有二十萬人，但因輻射後來死和慢點死的都不算，而且受輻射影響的平民、兒童也不計算在內。官方的數字，只有五十九人。輻射的可怕是，它不是讓你立刻死而已，它是讓你「馬上漸漸死，漸漸馬上死」！

主持整個救災工作的是，蘇聯原子能委員會主席勒加索夫，在一次聯合國秘密會議中，把眞實情況向各國的主管、專家報告，震驚所有人。結果會議記錄全部被封鎖，沒有向大眾公開。

勒加索夫在 1988 年 4 月 27 日，車諾比核災二週年時，自殺身亡。

現在快三十年過去了，雖然車諾比三十公里範圍全部清空，但界線是人劃的，輻射哪有界線，所以 1991 年蘇聯瓦解後，光白俄羅斯就有三十萬名兒童受害，現在還有八百萬平民長期生活在汙染區。

車諾比巨大的石棺，估計只能使用三十年，現在已出現裂縫，還要再打造一座更大的石棺來蓋住它，再用三十年。然後再打造新的，三十年、三十年、再三十年……鈾熔解的輻射半衰期是二萬四千年，不知道是多少個三十年？

二萬四千年是什麼概念？是盤古還沒有開天，后羿還沒有射日，嫦娥還沒有奔月！釋迦牟尼還沒有出生，耶穌還沒有降臨！

可是車諾比核災有沒有給人類教訓？看來不夠，否則就不會有 311 日本福島核災了。那福島核災教訓夠不夠？

答案就在你我的手中！

●車諾比核災發生後，當局以巨大石棺封閉現場。如今烏克蘭決定興建新石棺，以覆蓋不堪使用的舊石棺。

4.27 給愛麗絲

貝多芬最受歡迎的一首鋼琴奏鳴曲《給愛麗絲》，這首名曲的靈感，來自一則優美動人的傳說。

寒冷的聖誕夜，貝多芬獨自走在維也納街頭。他突然看見從教堂裡走出一個單薄的身影，彷彿隨時會被寒風折斷的紙片。貝多芬走近一看，原來是一個小女孩，身體在顫抖，貝多芬忍不住扶著她的肩膀，說：

「小女孩你叫什麼名字？怎麼臉色這麼難看？你是不是生病了？」

「先生，我叫愛麗絲，我沒有生病，只是很難過。」

「為什麼難過？」

「我去教堂問牧師，怎樣才能實現雷德爾先生的願望？但牧師說他的願望不可能實現！」

「雷德爾先生是誰？」

「雷德爾先生是我的鄰居，他是一個很棒的畫家，但是上個月，他唯一的親人，就是他的寶貝孫女得傷寒死了。雷德爾先生太傷心，哭瞎了眼。他現在正發高燒躺在床上，他說他快死了。」

「天啊，他有什麼願望？」

「雷德爾先生的心很好，他平常都把賣畫得來的錢，分給我們這些窮鄰居。但是他瞎眼後，就沒辦法畫圖。家裡的東西也賣得差不多，只剩下一架沒人要的破鋼琴。他說他想再看到一次阿爾卑斯山和塔希提島。」

「可是他已經瞎了，不是嗎？」

「是的，牧師也是這麼說，他說雷德爾先生的願望不可能實現，要我別傻了。我爲雷德爾先生感到難過。」

「愛麗絲，走，請你帶我去看看雷德爾先生，或許我有辦法。」

貝多芬跟著愛麗絲來到雷德爾的家，沒錯，果然破舊的屋內有架破舊的鋼琴。一個老先生躺在床上，咳得很用力，就像要把房子給咳倒。貝多芬把手指擺在嘴上，對愛麗絲眨了眨眼，要她不要出聲。輕輕坐在鋼琴前面，掀開琴蓋。閉上眼睛，沉思一會兒，吸了一口氣，然後雙手落到琴鍵上，音符從他內心一一浮現，經由他的雙手，在琴鍵上跳躍。他一直彈、一直彈。

雷德爾老先生停止咳嗽，隨著琴音的流洩，臉上浮出薄薄的血色。他的手打著拍子，頭隨著旋律輕晃，微笑像撥開烏雲的陽光，使他失明的眼睛閃著光亮，他興奮的說：「看到了，我看到了，阿爾卑斯山的雪、塔希提島的海浪……我看到了……先生，不管你是誰？謝謝你在聖誕夜、在我死前，實現我的願望！」

「不，是你仁慈的心靈驅動我。還有愛麗絲像天使一樣引導我，是她實現你的願望啊！」

貝多芬轉過頭對愛麗絲說：「可愛的愛麗絲，允許我把這首曲子獻給你，我要讓你美麗的心傳遍世界！」

貝多芬回到家，立刻譜下這首鋼琴奏鳴曲。

1810 年 4 月 27 日，完成這首《給愛麗絲》。聽著這首曲子，想著善良可人的小女孩，從絕望中看到最後希望的老人，靈感浮現的天才貝多芬，當然更動人。但眞實的故事是什麼？

四十歲的貝多芬愛上自己的學生，十八歲的特蕾莎・瑪爾法蒂（Therese Malfatti）。他爲特蕾莎做了一首曲子，準備在1810年4月27日，特蕾莎的父親舉辦宴會時，當眾寫下獻詞，獻給她，並向她求婚。

沒想到，貝多芬可能因爲太緊張，喝醉了，不但忘了要求婚，而且在樂譜封面字跡潦草的題上「Für Therese」，這份樂譜就此留在特蕾莎的家。

等到貝多芬死後四十年，德國音樂家諾爾（Ludwig Nohl）爲貝多芬寫傳，在瑪爾法蒂家中找到這份手稿，把封面上的字看成「Für Elise」。而在1867年斯圖加特出版這首曲子的樂譜時，諾爾特別加上這個標題，從此這一首曲子就叫《給愛麗絲》。

傳說很美麗，眞相也很有趣。月亮可以有嫦娥，也可以有阿姆斯壯嘛！

● 喝醉酒，忘記求婚的「樂聖」貝多芬

4.28 富有的窮人

1946 年復活節的早上，天上下著大雨，美國華盛頓州的吉利小鎮（Gillette），連一把雨傘都沒有的一家人，淋著雨跑到一英里外的教會，把一個裝著七十美金的信封，投進教會的信箱，然後歡喜滿足的回家。

這七十美金是愛蒂．奧岡（Eddie Ogan）一家人，省吃儉用一個月存下來的錢。當時愛蒂只有十四歲，父親在五年前過世。留下母親和七個小孩，生活並不寬裕，後來哥哥姊姊相繼離家工作或嫁人，家裡只剩下最小的三個姊妹。

鎮上的牧師在年初，發起一個救濟貧苦家庭的活動。愛蒂的媽媽開了一個家庭會議，他們買下五十磅馬鈴薯，準備用來吃一個月。接著他們節約用水、用電、廣播也不聽，能省盡量省。

光省還不夠，要多賺。孩子們早上幫忙鄰居打掃庭院，下午幫忙鄰居照顧小孩。媽媽則多接一些手工的活，下班後在家趕工。全家大小都爲募款活動努力。每天晚上他們一起計算當天共賺了多少錢，一邊數錢，一邊討論收到錢的窮人家會有多高興。

復活節的前一天，孩子拿著一個月辛苦存下來的錢，到雜貨店換成鈔票，剛好三張二十元、一張十元，整整七十塊美金。在復活節早上，他們把這錢捐出去，讓教會幫助貧窮人家。

那天下午，牧師開著車到愛蒂家，愛蒂的媽媽去應門，並和牧師在門口講了一會兒的話。然後拿著信封走進屋來，把信封擺在桌上。孩子們問：「牧師來做什麼？信封裡裝著什麼東西？」媽媽低著頭，一句話也不說。孩子們把信封拆開，裡面一共有八十七塊美金。其中的七十塊正是他們捐出去的。

外面的雨停了，可是奧岡家的烏雲沒有散去。原來晚餐時的歡笑不見了，好像有幾千斤重的石頭掛在每個人心上，大家只是默默吃飯，只有刀叉碰撞餐盤時，才偶而打破那沉重的靜默。這樣過了一個星期，孩子們不想去教堂做禮拜，因爲怕鎮上的人知道他們很窮。

但媽媽堅持不管怎樣，都要上教堂。正好有個在非洲傳教的牧師來到小鎮，他在非洲要建一間教堂，現在只差一個屋頂就能蓋好，但還缺一百塊美金，他希望小鎮的居民能夠幫忙。

1946 年 4 月 28 日，捐款活動結束，牧師打開捐贈箱，他開心的宣布，蓋屋頂的一百塊美金已經募到了，比他想像的還要快，牧師說：「教會裡一定有慷慨的有錢人。」

愛蒂聽到這話先是一驚，然後看著媽媽，又看著姊姊妹妹，一家人相視而笑。

他們只做了一個星期的窮人家，4 月 28 日之後，再也沒有過過貧苦的日子。

「窮」與「富」不能光算財產，還要看「心」。心慷慨，時時助人，自然有樂無窮。心小氣，處處計較，有錢也要裝窮。裝久了，也就一臉窮相，特別惹人討厭。

4.29 不容青史盡成灰

看過周星馳主演的「功夫」嗎？裡面有個「斧頭幫」，幫主揮金如土，欺壓良民。但眞實的「斧頭幫」，可不是黑道，幫主還是愛國志士、英雄好漢。

創立斧頭幫的人叫王亞樵，1889 年生於安徽，他少時參加過科舉，算是讀書人。1911 年辛亥革命爆發，二十二歲的他追隨孫中山革命。後來在南京加入中國社會黨，有了社會主義的思想，但遭軍閥追捕，他便跑到上海。這時他又接觸到「無政府主義」，他爲了體驗工人生活，在碼頭扛大包、做苦力、睡大街，報紙當棉被。他把在上海的安徽工人組織起來，成立「斧頭幫」。抗富濟貧，打抱不平。跟眞的黑道黃金榮、杜月笙對著幹，搶地盤。

他在建立「斧頭幫」後，響應孫中山加入國民黨。浙江軍閥盧永祥任命他爲縱隊司令，後來蔣介石的特務頭子戴笠和大將胡宗南都是他的手下。孫中山逝世後，廣州的國民政府雖然展開北伐，但黨內出現路線之爭。一邊是以蘇聯顧問鮑羅廷爲首的共產黨和國民黨左派，一邊是胡漢民、蔣介石的國民黨右派。1927 年 4 月 12 日，蔣介石利用杜月笙擊殺共黨「上海總工會」的領事和幹部，然後發動「清黨」，全面武力鎮壓左派。

四一二事件後，王亞樵看到許多追隨孫中山的信徒被殺、被抓，萬分痛心。他在南京的奠都典禮上，當著國民黨大員的面，以工人代表的身份講話。義正詞嚴指責黨中央的錯誤，並高呼「打倒軍閥！保障人權！人權第一！反對屠殺！」聞者莫不動容。蔣介石感覺他是個頭痛人物，便秘密下令南京警察抓捕他，但在斧頭幫成員的掩護下脫逃成功。

他不只對蔣介石不擇手段排除異己不以爲然，更恨蔣不積極抗日。於是他組織「鐵血鋤奸團」，在上海刺殺宋子文，結果誤殺了宋的秘書。接著又策劃在廬山刺殺蔣，雖然沒殺成，但聽說蔣自此提到王亞樵，牙齒都發酸。戴笠聽到他的動靜，第一件事是先檢查門窗有沒有鎖好。

1931 年「九一八事變」爆發，日本關東軍佔據東北。日本海軍爲求表現，隔年 1 月 28 日，對上海發動「淞滬戰爭」。王亞樵立刻把斧頭幫的成員，組成「抗日義勇軍」和保衛上海的第 19 路軍並肩作戰。

蔣介石知道抗日義勇軍是王亞樵帶頭，不願發軍械彈藥給他們。手拿斧頭砍砍黑道可以，可不能用來打日本皇軍。他發現蔣下令要把上海兵工廠一批軍火後送南京，他一不做，二不休在崑山攔截了整批軍械，把義勇軍武裝起來。蔣介石知道又是他搞的鬼，下令 19 路軍蔡廷楷和李濟深立刻解散義勇軍。蔡、李二人不敢違抗蔣，又不願槍口對內，於是和王商量後，王就把「抗日義勇軍」改名叫「救國決死軍」。蔡、李就往上報，說義勇軍已經解決，沒有了，敷衍蔣。

「救國決死軍」可不是取來唬人的，王亞樵眞的組織敢死隊，潛入長江，在日軍的旗艦「出雲號」放炸彈。雖然沒有炸沉，但也重傷「出雲號」，使得上海軍民士氣大振。雙方血戰三個月，死傷慘重，在英、美、法、義調停下，達成停戰協議。

1932 年 4 月 29 日，日方選定「天長節」天皇生日這天，在上海的虹口公園舉行「淞滬戰爭勝利祝捷大會」。慶祝會當然不許中國人參加，更不讓靠近。但是當時是日本殖民的朝鮮人、台灣人可以參加。於是王亞樵找來一個叫安昌浩的朝鮮人，他也是孫中山的信徒，曾追隨孫中山革命。由安昌浩把炸彈藏在「熱水瓶」中，他和另兩個朝鮮志士，假裝幫忙整理會場，擺在主席台的長桌。等到日本的派遣軍司令官白川義則大將、日本駐華公使重光葵、艦隊司令野村岩三郎中將等一排大官大將坐定，轟隆巨響，炸彈引爆。

這驚天一炸，當場血肉橫飛。白川大將被炸死，野村中將被炸傷，日本商會會長崗村洋勇被炸死。公使重光葵被炸成重傷，他後來擔任過日本的外相，二戰結束時，在美國密蘇里戰艦代表日本向盟軍投降，在降書上簽字的就是他。如果你還記得紀錄片裡，日本代表一跛一跛的走向受降桌，重光葵之所以不良於行，就是王亞樵和安昌浩的傑作。

王亞樵這下成了民族英雄，蔣介石爲了表示支持，特地叫人贈送王亞樵四萬元獎金，但希望他回一封信答謝。王亞樵對來人說：「蔣介石擁有百萬之眾卻不抗日，我們老百姓抗日，無需答謝他。」因爲安昌浩在上海生活艱難，王亞樵就把四萬元獎金都給了他。

王亞樵不但不買蔣的帳，甚至還要刺殺國聯派來中國調查「九一八事變」的團長李頓。因爲王認爲他偏袒日本，嚇得李頓慌忙離開中國。蔣下令戴笠圍捕王亞樵，但都被他脫逃。戴笠拿他沒辦法，於是勸蔣與王和解。

王提出兩個條件，一、需要一百萬元解散費用來安頓弟兄。二、王被捕的弟兄，一律無罪釋放。戴笠立刻答應，但是他要王隨便刺殺一個反蔣的人物，來表示眞心誠意。王拒絕，說：「戴笠不是來和解，而是來陷我於不義，陷黨國於分裂。頭可斷，決不做此反覆無常的小人之事。」

1933 年，蔣懸賞一百萬元要得王亞樵的人頭，形勢太緊張，王亞樵逃往香港，走前給戴笠留了一封信：

雨農老弟惠鑑：江浙戰敗偕君等去穗復命，爾後分道揚鑣各奔東西，輾轉十年。北站刺宋、廬山刺蔣，數案共發，當局震怒，懸賞百萬購亞樵之首甚急。

亞樵乃一介布衣寒士，辛亥以來以身許國，復興中華。歷受總理遺訓，奔走國民革命致力北伐，生死早已置於度外，爾來數年，東倭日寇侵華緊逼，強佔東北，入侵華北，大片國土淪沒，民族危亡迫於眉睫。一二八淞滬抗敵軍興，亞樵附十九路軍諸公驥尾，率義軍抗日救亡，炸斃日倭侵滬大將白川，而執政當局久持不抵抗政策，迷戀內戰，夙怨耿耿，限制國人抗日，遂有北站、廬山違命之舉。君等鍾愛亞樵，出面斡旋，約亞樵歸順當局，常老帶轉之事實，難從命，君等所持者私義也，亞樵所守者公義耳。亞樵與當局無歸順與否之存在，願諸君代達，如執政當局苟能改變國策，從而停內戰，釋私怨，精誠團結，共赴國難。亞樵當隻身抵闕，負荊謝罪。亞樵何去何從在於當局，否則誓與周旋到底。懸首都門又何足惜。匆匆布達。

亞樵書

全信義正辭嚴，正氣凜然！

1935 年國民黨中央四屆六中全會召開時，他派兩個殺手混入會場，會議結束時，蔣沒有立刻走出會場，結果他們就改殺先走出來的汪精衛，汪被開了三槍，只是受傷而沒有送命。蔣得知又是王亞樵，當然差點氣死！對戴笠下令：「捉不到活的，也要打死。否則再不要見我。」

戴笠探知王躲在廣西的梧州，當時王的手下余立庵已被捕，戴笠以釋放余立庵和十萬大洋爲條件，說服余的妻子余婉君，讓他去梧州誘出王。果然，王不知有詐，便和余婉君相約見面，被埋伏的特務刺殺，身中五槍，再刺三刀，當場斃命。結束四十六年風雲變幻、波濤洶湧的一生。

王亞樵當然是民族英雄，他刺殺日本大員和漢奸，不只令敵人喪膽，更振奮人心。他不懼怕權貴，反倒是權貴懼怕他。他的恐怖手段對小老百姓來說，反而是正義的出口、勇者的象徵。這樣一等一的英雄，爲什麼我們卻如此陌生？因爲歷史是當權者寫給你讀的，他們當然會掩蓋對他們不利的眞相。

不信青春喚不回，不容青史盡成灰。

于右任這首詩，就是要勉勵後人，找出眞相，還要寫下來，傳給後人讀。是，這就是我想做的事。

● 愛國英雄斧頭幫幫主
王亞樵

4.30 古典音樂童子軍

如果在一片沙漠中，開出四十萬朵鬱金香，是不是奇蹟？這個奇蹟是如何造成的？是音樂，古典音樂。

1970 年代的委內瑞拉，古典音樂在這裡，如同花在沙漠中，除非有奇蹟，否則你找不到。因爲古典音樂教育一向是屬於「菁英階層」的藝術，有錢人的孩子才能學音樂。委內瑞拉那時有 1/3 的人口活在貧窮線下，長期國民所得偏低，所以犯罪率偏高，政治動盪不安。這個國家沒有多餘的力量用在古典音樂，全國沒有一個本地的管弦樂團。

荷西・艾伯魯（Jose Antonio Abreu）出生於委內瑞拉的瓦葉拉，從小就有音樂天賦。十八歲進入音樂學院，後來成爲經濟學博士，在大學教經濟。更涉足政治，做過國會議員。

他相信音樂可以幫助窮人的孩子，如果孩子會彈鋼琴、拉小提琴、大提琴，他就會意識到自己的天賦、自尊，同時找到人生目標。更要緊的是孩子周圍的人，父母、親戚、鄰居也會改變對這個孩子的態度。因此產生希望，願意把心力投注在孩子的教育，這樣才有可能擺脫貧窮造成的惡性循環。窮人最需要的不是錢，而是相信有機會擁有未來。

所以他在 1975 年創辦了「系統教育」El Sistema，這是一個音樂慈善教育計畫。參加的孩子可以得到免費的樂器、免費的音樂課程，還有生活費的補助。但是開辦時卻只來了十一個學生，大家都不相信有這麼好的事，更不相信這個計畫會成功。

1975 年 4 月 30 日，艾伯魯成立的青少年管絃樂團首次公演，大家看到孩子們在短短的時間，就有驚人的成績。奇蹟就在眼前，沙漠中就是開出了鬱金香。

系統教育從此遍地開花，三十多年過去，現在委內瑞拉兩千一百萬人口之中，就有超過四十萬的兒童正在學古典音樂。不只個別孩子有了希望，知道自己可以超越自我。樂團更能凝聚社區的向心力，產生抗拒毒品、幫派、警察暴力的力量。當孩子改變，社會也跟著改造。

每一個孩子都有天賦，音樂是其中一項，但常常被漠視，而沒有機會發揮。就像委內瑞拉窮人的孩子，如果沒有系統教育計畫幫他們開門，帶他們去追尋音樂的世界，孩子就永遠不知道潛藏在體內的天賦。

你看到一把提琴背在孩子身上，彷彿他的背上長出一雙翅膀。他不只體驗音樂而已，他有自信可以嘗試任何挑戰，改變命運！

現在你閉上眼睛看看，是不是可以看見沙漠中有四十萬朵鬱金香？

●委內瑞拉現今有超過四十萬的兒童在學古典音樂。

5月

May

對驕傲者不要謙虛，

對謙虛者不要驕傲！

5.1 藝術對抗暴行

世間發生的事，什麼是輕如鴻毛？什麼是重如泰山？

輕重往往不只是事件本身的大小，而在於意義有沒有被突顯出來。好像納粹屠殺六百萬猶太人，同時也屠殺了五百萬東歐人、吉普賽人、同性戀、殘障者。但是爲什麼大家都知道猶太人被屠殺的事，時時紀念、哀悼；而其他五百萬被殺的人，幾乎如煙如灰隨風消失？

因爲不斷有文學、電影、藝術以納粹屠殺猶太人爲主題來創作，所以它時時震撼人心，提醒每一世代不能忘記這段歷史。所以偉大的創作，才能吸引人的注目，讓人有鮮明的記憶，而深刻人心。

1937 年 5 月 1 日的早上，旅居巴黎的西班牙畫家畢卡索，翻開報紙被來自故鄉的消息嚇呆了。

西班牙北邊巴斯克地區一個名叫「格爾尼卡」Guernica 的小鎮，在星期一的市集日，附近村莊的居民都來買蔬果、雞鴨、手工品。下午四點半太陽忽然失去光芒，不是因爲烏雲遮住陽光，而是大批的德國轟炸機遮蔽了天空。接著飛機往下俯衝，恐怖的尖嘯聲，一隻公牛嚇得四處奔竄。炸彈落下，爆炸開花。居民紛紛躲進屋子，但一批又一批炸彈連續而來，樓房崩塌，鎮上一片火海。居民逃向鎮外的樹林，卻被飛機的機槍掃射。這樣連續攻擊了超過三個小時，這場屠殺才結束。

德國爲何攻擊西班牙的小鎮？因爲 1936 年西班牙大選，人民選出了左派的政府。右派佛朗哥不承認選舉結果，並且得到德國希特勒和義大利墨索里尼的軍事支持。英國、法國袖手旁觀，雖然西班牙共和政府得到各國志願軍的協助，士氣高昂，但怎麼打得過德、義的正規軍。尤其是德軍，根本是把西班牙人民當靶子來打，練習各種戰術。這場西班牙內戰造成四十萬人死亡，格爾尼卡就是一個犧牲祭品。

畢卡索本來就支持共和政府！他在 1937 年初還創作了十八個連環式的蝕刻畫，題目是「佛朗哥的夢和謊言」，並將畫作收益捐給共和政府。畫作還被複製成傳單，空飄到佛朗哥的占領區。

所以當畢卡索看到格爾尼卡被轟炸，除了驚嚇、悲痛，更多的是憤恨！因爲轟炸格爾尼卡，是近代軍事行動第一次把手無寸鐵毫無防衛的「平民」，當作軍事目標來攻擊。畢卡索把一肚子的怒火宣洩在畫紙上，然後他想到：本來他接受西班牙政府的委託，要創作一幅巨畫，準備在巴黎世界博覽會的西班牙館展示。他這時決定改變主題，改用格爾尼卡事件爲題目來創作，用藝術來控訴德軍的暴行。

他用了六週的時間，在 6 月 4 日完成長 7.7 公尺，高 3.5 公尺的巨畫「格爾尼卡」。他只用黑白兩色，畫中央是一批重傷將死的馬，臀部刺了一根鬥牛的長矛，馬頭仰天，痛苦嚎叫。四周有赤裸驚恐的女人，支離破碎的屍體，高舉雙手、絕望呼救的婦人，抱著孩子、悲痛狂吼的母親，一看彷彿身在熊熊烈火的戰爭地獄。

這幅「格爾尼卡」果然引起各方議論。展覽時一位德國軍官指著畫問畢卡索說：「這是你的作品嗎？」

「不，是你們的！」畢卡索冷冷回答。

畢卡索爲了表達抗議，宣告只要佛朗哥獨裁政權還存在的一天，這幅「格爾尼卡」就不回西班牙。所以這幅畫從1939年後便收藏在紐約現代藝術博物館MoMA，並在世界各地展出。一直到畢卡索1973年過世，都無緣回到西班牙。

1981年佛朗哥政權倒台六年後，西班牙恢復民主共和。「格爾尼卡」才回到馬德里的普拉多美術館，然後搬到蘇菲亞王后藝術中心。

畢卡索創造許多驚世傑作，而最「偉大」的作品就是「格爾尼卡」。如果沒有這幅畫，格爾尼卡屠殺事件，可能只是一個傷亡數字，將淹沒在數不清的戰爭灰燼中。

有了這幅巨作，法西斯的暴行永遠有最強烈的見證，永遠不能掩蓋、塗抹。

藝術，有時是黑暗中最光亮的火炬！

●畢卡索的巨作《格爾尼卡》，在1981年回到西班牙。

5.2 老大哥在看著你！

所有的動物一律平等。但有些動物比其他動物更平等。

戰爭就是和平，自由就是奴役，無知就是力量。

這兩句是喬治・歐威爾（George Orwell）的名句，前一句出自《動物農莊》，後一句出自《一九八四》。這兩本書是描寫極權統治的名著。歐威爾在書中顯示他對監視、洗腦、壓迫自由思想的厭惡與恐慌，《一九八四》的另一個名句就是「老大哥在看著你！」可是歐威爾呢？他有沒有在看著誰呢？

英國在二戰後，設立訊息研究中心 IRD（Information Research Department），這是一個特務機構，專門監視有共產主義傾向的英國人。

1949 年 5 月 2 日，IRD 收到一份名單，名單上有 38 個人，這些人都是記者和作家，他們被認爲可能是潛伏或潛在的共產黨。是誰交給 IRD 這份名單的？正是喬治・歐威爾。所以說歐威爾是 IRD 的線民囉？沒錯，他不是老大哥，他是老大哥的幫兇。那不是很矛盾？他寫的書痛恨監視者、告密者，而他自己正是他所痛恨的人！

歐威爾小時候就讀「伊頓公學」，這是一所頂尖的貴族學校，但他家境不好，所以老鼠在貓群中，備受欺凌、歧視。從伊頓公學畢業後，家裡沒錢讓他上牛津、劍橋，只好去做公務員。他被分配到緬甸當警官，但卻因受不了殖民統治的殘暴，又回到英國。後來做過洗碗工、教師、書店店員、碼頭工人，他那出自伊頓公學的貴族口音，讓他處處受排斥。雖然他這樣裡外不是人，但不影響他對社會底層的同情。

「貧困的生活和失敗的感覺，加強了我天生對權威的憎恨，使我第一次意識到工人階級的存在。」然後，他開始寫小說，剛開始沒有人要出，慢慢才受到注意。

1936 年，西班牙爆發內戰。當時以佛朗哥爲首的右派叛軍，得到德國納粹和義大利法西斯支持。左派的民選共和政府呢？只有幾千個國際熱血人士跑去支援，這些人多半是記者、作家、詩人，歐威爾也是其中之一。在阿拉貢前線撐了六個月，被狙擊手打穿喉嚨，幸好沒死，只好回英國休養。

但這短短半年，他看盡西班牙共黨的內鬥。因爲史大林認定巴塞隆納的工人黨是「托派」，蘇聯的顧問把秘密特務、監控思想、清除異己那一套全搬到西班牙。所以自亂陣腳，當然被佛朗哥消滅。歐威爾夫妻也被認爲是狂熱的托派，他們也受到監視和搜查。這段經歷讓他對共產主義的幻想全盤破碎，從此他的作品充滿了對共產黨的批判。

《動物農莊》就是以一個農場的動物革命，來影射蘇聯的情況。1944 年書一出版後，大爲轟動。接著在 1948 年完成的《一九八四》，更是批評極權主義的代表作。這兩本書使喬治．歐威爾成爲不朽的名字。

因爲他有如此鮮明的反共色彩，所以 IRD 吸收他。歐威爾有一本藍色的筆記本，其中共紀錄了 135 個人的資料，這些都是歐威爾懷疑與共產黨有關係的人。

比如蕭伯納，歐威爾說他「非常支持俄國，和俄國關係密切」。

詩人史班德（Stephen Spender）「對共產主義很同情，爲人不可靠」。

歷史學家艾薩克・多伊徹（Isaac Deutscher）是「德國共產主義、波蘭猶太人」。

裡面記載的都是記者、作家、詩人、學者，被他一一評斷爲「反美國」、「反英國白人」、「太不誠實，支持共產主義」、「油嘴滑舌，在蘇聯賺很多錢」。看到最多的字眼是「很蠢」。

歐威爾曾誇口說：「只要是秘密共產黨份子，我用鼻子一聞就知道！」最後，他挑了 38 個人名，把這份「歐威爾的名單」交給 IRD，其中只有一個不是文藝人士，這個有幸與大師同列的人是查他稅的「稅務員」。

幸好，IRD 只是一個監視單位，所以「歐威爾的名單」上的人，並沒有因此受到逮捕、迫害。

很矛盾對吧？歐威爾因爲痛恨共產黨，他做這樣的事好像情有可原。但痛恨共產黨，更不應該用共產黨的手段，去對付其他人才對啊！

其實歐威爾不知道，他被英國軍情五處和倫敦警察廳特別對待，他們把他看成頭號危險份子，從 1929 年一直嚴密監視到 1950 年。這是 2007 年 9 月 4 日英國國家檔案解密後，世人才知道的。

你說時間有巧合哦，爲什麼 1950 年後，政府就解除對他的監視，是因爲他在 1949 年變成線民，成爲政府的自己人嗎？

不是，是歐威爾在 1950 年 1 月 21 日就死了，才四十六歲，可惜啊！如果他能活到一百零四歲，就會知道就算幫了特務的忙，他們永遠懷疑你到死。

不對，如果他能活到一百零四歲，那他還在被監視中，他的檔案就還不到被解密的時刻。所以，你永遠不知道「老大哥在看著你！」，這點看法，歐威爾眞是一點兒錯都沒有！

「你看看豬，又看看人；看看人，又看看豬；接著再看看豬再看看人，是豬是人都已經分不清了。」歐威爾眞的寫得超好！

有時候，不要問你爲國家做了什麼？眞的要，問問國家對你做了什麼？

●被政府監視到死的英國作家喬治．歐威爾，代表作為《動物農莊》和《一九八四》。

5.3 許願奇蹟

眞實的世界，或有殘缺。有一種人就是來「補足」這個世界的破洞，讓一切圓滿，沒有缺憾。

七歲的克里斯・葛瑞修斯（Chris Greicius）罹患血癌，他有一個願望，夢想成爲一個警察。克里斯的媽媽琳達有一個朋友湯米・奧斯丁（Tommy Austin），正好在海關做警察。他知道克里斯的願望後，就聯絡他在亞利桑那州警局工作的朋友，朗・考克斯（Ron Cox），兩人聯手安排一個實現願望的計畫。他們先帶克里斯搭警用直昇機一起出勤，然後帶他去見警察局長。局長授予克里斯成爲亞利桑那州的榮譽警員。他們還爲克里斯量身訂做一套警察制服，讓他穿著制服，騎著機車駕駛測驗，然後頒給小朋友一個騎警徽章。

後來，克里斯病情惡化，必須住院。當他走進病房時，眼睛一亮，生命的光芒又在他身上重現。原來一個叫法蘭克・山克維茲（Frank Shankwitz）的騎警，幫忙他的媽媽把病房佈置成警局辦公室的樣子，所以克里斯開心的不得了。

1980 年 5 月 3 日，克里斯因病去世。失去愛子，當然悲痛。但他的媽媽看見克里斯實現心願，帶著滿足的心離開人世，她心中再無遺憾，只留懷念。於是，琳達便決定和騎警山克維茲，還有另一個警察史考特・史達爾（Scott Stahl）成立一個「許願基金會」Make-A-Wish Foundation，來幫助病童實現願望。

第一年得到捐款十五塊美金，來自一位雜貨店的老闆。

第一個實現願望的是法蘭克・巴布希（Frank Bopsy），

他和克里斯一樣是七歲，一樣得了血癌。他的願望是要做一名消防隊員。「許願基金會」知道以後，便聯絡鳳凰城的消防隊。他們立刻幫法蘭克做了一套消防隊的制服，還有一頂防火帽。他們帶他出了四次任務，法蘭克還登上雲梯車，有模有樣。任務結束後，鳳凰城消防隊授予法蘭克成爲第一名榮譽消防員。

當法蘭克病重時，住在醫院三樓的病房。忽然聽見有敲打窗戶的聲音，他轉頭一看，有五個眞正的消防員，坐著雲梯車，升上來跟他打招呼！這個驚喜讓法蘭克喜出望外，當天晚上，法蘭克離開了人間。但他和克里斯一樣，願望已經實現！

許願基金會，成立三十多年來，已經幫助十八萬的病童實現心願，平均每四十分鐘就有一個願望實現。他們從第一年十五塊美金起步，現在已經爲病童花費了十三億美金。

願望與實現之間，或許有一道鴻溝。但只要善良開始行動，什麼障礙都能橫越，什麼奇蹟都能出現！

世界不一定完美，但我們能盡量使它圓滿！

● 許願基金會為無數病童實現心願。

5.4 世界之最

「飛得最快的是什麼鳥？」

「應該是遊隼，牠的翅膀尖又狹，身體呈流線型，所以飛得最快！時速有三百公里呢！」

「不對，應該是軍艦鳥。軍艦鳥時速可以到三百公里甚至四百公里！」

「不對，應該是褐雨燕！」

「是雨燕沒錯，但不是褐雨燕，是尖尾雨燕！」

「你們幾個都不對，是白喉針尾雨燕……」

一群打獵的紳士在酒館爭論到底是哪種鳥飛最快？爭來爭去，爭不出個答案，因爲沒有確實的「記錄」可以證明什麼鳥飛得最快。

這天是**1951年5月4日**的晚上，在愛爾蘭的酒館，休·比佛（Hugh Beaver）爵士在一旁看著一起打獵的同伴爲了哪隻鳥飛最快，爭得面紅耳赤。

他沒有加入爭論，他在想每天晚上，在英國的酒館一定不停上演這種爭論，爭哪個動物跑最快？哪種動物長最高？最矮的人是誰？活最久的人又是誰……於是，他想到如果可以出版一本記錄大全，就能夠解決這些爭論。

比佛爵士有了這個主意之後，找到倫敦一家實況調查公司，老闆是雙胞胎兄弟，一個叫諾里斯·麥可沃特（Norris McWhirter），一個叫羅斯·麥可沃特（Ross McWhirter）。比佛爵士委託他們編寫，書在1955年8月27日首度出版，一上市就大賣，成爲當年聖誕節暢銷書排行榜第一名。

從此，每年都有新版，加入新的記錄。這本書就是《金氏世界記錄大全》Guinness World Records。

那麼，哪一本書是世界最暢銷的書呢？是《聖經》。

而有「版權」的最暢銷書正是《金氏世界記錄大全》。

以後你在餐廳、酒館聽人談天爭論，不要急著加入戰局。旁觀者清，想一想，也許他們的爭執，其中有賺大錢的商機！

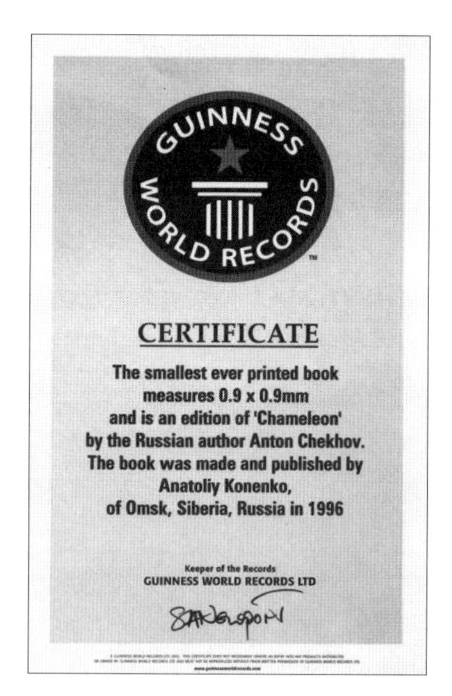

● 金氏世界記錄證書——世界上最小的書，尺寸為0.9X0.9mm。

5.5 玩可以當飯吃

兩隻飛不起來的鳥，碰在一起能有什麼奇蹟？牠們一起去游泳，發現能做比飛更好玩的事，而且抓到更多食物。

在 1966 年的一堂體育課中，兩個失敗者班（Ben Cohen）和傑瑞（Jerry Greenfield）發現他們有兩大共通點——討厭跑步和熱愛食物。1978 年他們倆又同時面對失敗，班要被學校開除，傑瑞兩次考不上醫學院。兩個人爲了解悶，便去參加賓州大學的短期才藝課。他們挑來挑去，決定學做冰淇淋，因爲這個課又好玩又好吃。結果一人花了五美金得到結業證書。這是他們倆的最高學歷。

1979 年 5 月 5 日，一事無成，沒什麼搞頭的他們，湊了一萬兩千美金，在一個廢棄的加油站，開了一家店。做什麼？賣冰淇淋。這是他們兩人唯一會的「一技之長」。

他們做的冰淇淋，很快得到附近居民的歡迎。爲什麼？因爲他們沒有成本概念，爲了「好吃」，他們用新鮮的牛奶和水果，巧克力大塊大塊的加，堅果大把大把的放。雖然生意不錯，但做了兩個月，做不下去，因爲成本太高，本錢快賠光。他們拉下店門，掛了一塊牌子，上面寫：「我們必須暫停營業一下，好好研究有沒有什麼方法可以賺錢？」

他們的店原來是廢棄的加油站，代表什麼？沒有人潮，不，連人流都沒有。於是他們改變營業方式，把班的露營車改裝，用「中央廚房」的方式，批發送貨供給其他的餐廳。他們最大的成功就是口味超多，而且都是以前沒人做過的口味。他們還在工廠後面，弄了一個「墳場」，專門埋葬失敗的口味。因爲他們瘋瘋癲癲，所以大膽嘗試，創造了許多怪、但好吃的口味。很快就打響名號，生意蒸蒸日上。

生意好，並沒有讓他們失去玩心，他們有時會在大塞車時，抱著冰淇淋跑到路上，免費分給因爲塞車一肚子氣的駕駛人。他們創造好玩、歡樂的工作環境。他們不計成本的習慣，也反應在對待員工上。員工可以免費領取冰淇淋，後來員工發現他們的冰淇淋，可以當「錢」用。買東西、剪頭髮，都可以拿冰淇淋抵帳，可見他們多麼受歡迎又有信用。

Ben & Jerry's 現在是冰淇淋的頂尖品牌，分店遍布美國和歐洲，每年有超過五十萬人來到他們的工廠朝聖，並且哀悼在墓園中的失敗口味。他們還舉辦過票選活動，讓顧客選出最該「復活」的口味，然後重新再生產，遺憾的是復活的口味，果然該死，賣不掉只好再打回墓園，供人哀悼。

●Ben & Jerry's 現在是冰淇淋的頂尖品牌。

5.6 救命的便車

螞蟻借水牛的背，可以橫渡大河。

賽門・伯利（Simon Berry）在1988年到非洲尙比亞從事人道援助工作，他發現一件事，許多在偏遠地方的孩童，因爲缺乏基本的醫藥，常常光拉肚子就導致脫水而失去生命。另外一件事，就是在偏遠貧窮的地方，連簡單治痢疾的藥都沒有，卻有「可口可樂」。

他當時就想，如果能把藥品裝在可口可樂的運送箱，那是不是任何地方，只要有可樂，就有醫藥？

當時網路時代還沒來，他這個想法沒有機會和別人討論，只能擺在心裡，一擺就是二十年。

2008年5月6日，伯利受邀參加一個活動，叫「商業行動提倡計畫」Business Call to Action。正好可口可樂的代表也在，談起他們在非洲如何利用人工配送，讓再偏再遠的地方，也能夠買到可口可樂。這番談話喚醒伯利心底睡著的想法，活動結束後，在部落格、臉書、推特公開他的構想，後來BBC邀他上廣播節目，終於敲開可口可樂的門，他們透過BBC接觸伯利，表示對他的計畫很感興趣。

彷彿天命的召喚，伯利和他太太珍立刻辭掉工作，成立「可樂生活」ColaLife，全力投入。他們本來想把可口可樂的箱子，少放一瓶，利用空出來的空間裝肥皂、藥物。後來發現行不通，他的太太大量研讀工業設計的書籍，想出不應該改變可口可樂現有的作業模式，而是應該想辦法利用箱子中已經存在的多餘空間。

也就是可口可樂的箱子不變，他們來設計一個可以配合可口可樂的「衛生組合包」，於是 AidPod 就此誕生。它是一個耐壓，形狀剛好可以嵌在可樂瓶子之間空隙的塑膠包。這樣可口可樂人員只要把一個個組合包塞進夾縫，每一箱可樂可以加裝十個組合包，然後隨著可樂運送到需要的角落。

2012 年 1 月，他們首先在尚比亞進行，透過可口可樂的通路，貨車、巴士、摩托車、腳踏車運送一箱箱的可口可樂的同時，也運送一包包的衛生組合包。裡面有肥皂、藥物、脫水補充液、鋅補充錠。使得兒童不再因腹瀉、脫水而死。現在平均一天，就有一百個偏遠地區的家庭得到幫助。

這個成功的創意，不只拯救生命，也使可口可樂的形象大大提高，而且沒有增加任何成本；更解決了像聯合國兒童基金會這樣的慈善組織，過去有援助藥品，但送不到需要者手裡的難題。

●「可樂生活」巧妙運用可口可樂箱子的空間，運送藥品到偏遠地區。

5.7 後退原來是向前

弓要射箭，必須向後拉。拉得越後，力道越大。

易經說：「小人知進不知退。」是的，有時候君子後退，反而能產生更大的力道。

如果說孔子是萬世師表，那蔡元培就是中國近代最偉大的教育家。蔡元培在清朝末年中過舉人、進士，點過翰林，在德國、法國留過學。

1917 年初，他接掌北京大學的校長，到北大的第一天，校工列隊在門口迎接，向他恭恭敬敬的行禮。他一反過去的習慣，脫下頭上的禮帽，恭恭敬敬的向校工鞠躬回禮。這個簡單的動作，使校工和學生大為驚訝。這是他以自由、平等的思想，改造北大的第一步。他向學生演說，談教育救國，要大家踏實做學問，不要追求當官。

對於聘請教授，蔡元培是以完全的學術自由為方針。只問教授的學養和教學能力，而不問出身、政治主張和個人隱私。所以當時北大不只有共產黨的兩大創辦人陳獨秀、李大釗，也有自由主義的胡適。有西裝革履的章士釗；也有身穿馬褂，留著一條辮子的辜鴻銘；更有支持袁世凱稱帝的劉師培。魯迅、錢玄同、劉半農……當時最優秀的學者都匯集在北大教書。

蔡元培不只重視教授，對學生也一樣看重。當時顧頡剛在北大就讀，他向蔡元培說：「北大的中國哲學系應該改名為哲學系，包括世界各國的哲學才對。」蔡元培立刻接受，改成哲學系，講授世界各國、各流派的哲學。還有個年輕人叫梁漱溟，考北大沒錄取，但是他在《東方雜誌》發表了一篇講佛教哲學的文章，蔡元培看到，認爲很有獨到見解，自成一家之言。居然找到梁漱溟，破格錄取他嗎？ 不是，是請他來北大當老師。還有，一個年輕女生王蘭要求進北大，蔡元培同意她旁聽，這是大學第一次收女學生，轟動全國。從此北大開始招收女學生！

更驚人的是這許許多多重大的建樹，都在兩年間完成。因爲有蔡元培建立了學術自由的土壤，開創了自由、平等、多元的學風，也才有 1919 年的「五四運動」。

「五四運動」是近代中國最偉大、最重要的文化覺醒、文化改造、文化創新運動。

事情的起因是第一次世界大戰結束，1919 年各國在巴黎舉行和會。中國因爲參與協約國一方，提供大量勞工參戰，所以也是戰勝國。當中國代表向巴黎和會提出「廢除各國不平等合約」和「德國在山東租界、鐵路交還中國」等交涉案，因爲日本的阻礙，英法不但不理會中國的要求，還將德國在山東的特權轉交給日本。

這時，才發現原來早在 1917 年 7 月，中國政府的交通兼財政總長的曹汝霖與駐日公使章宗祥等親日派，就奉總理段祺瑞之命，秘密向日本借款，並以德國在山東的特權做交換了。

5 月 1 日，在巴黎的外交總長陸徵祥電告北京，如果不同意，那廢領事裁判權、取消庚子賠款、關稅自主可能都談不成。

5 月 2 日，中國政府密電陸徵祥可以簽約。消息曝光，全國群情激憤！

5月3日北大學生舉行大會，其他高等學府也有學生來參加。學生決定第二天在天安門集會示威。

5月4日，北大等十三所院校三千多名學生齊聚天安門，提出「外爭國權，內懲國賊」的口號。並宣讀羅家倫起草的宣言：「中國的土地可以征服而不可以斷送！中國的人民可以殺戮而不可以低頭！國亡了！同胞起來呀！」

然後由學生總指揮傅斯年扛著大旗，走在隊伍的最前面，往外國使館區的東交民巷出發。

到了使館區被警察攔阻，學生向英、法、美、義遞交抗議書，只有美國派人來接收。這時有人喊出：「去找曹汝霖算帳去！」大隊學生轉往曹的住宅「趙家樓」。到了胡同口，軍警已經封鎖在那兒等著，學生大喊：「我們是愛國學生，來這裡是找曹總長談談國事，交換意見，要他愛中國。我們學生手無寸鐵，你們也是中國人，難道你們不愛中國嗎？」軍警一聽，居然就放學生通行。

學生闖進了曹汝霖家，曹不在，卻遇到來曹家串門子的章宗祥！反正都是親日派，學生就把章宗祥痛打一頓，混亂中有人放火燒曹家，這就是「火燒趙家樓」事件。軍警一看，事情不得了，便進來抓人，共抓了三十二個學生，其中有二十個是北大的。

5月5日，北京各大學總罷課。蔡元培聯合各大學校長，和「歐美同學會」的會員，全力營救學生。他向學生保證三天內，一定把同學救出來。

5月6日，北京中國政府和廣州政府南北和談的代表，在上海聯合通電，要求釋放學生，拒絕在巴黎和會簽字。

1919年5月7日，在蔡元培和各方的壓力下，大總統徐世昌下令釋放因「火燒趙家樓」被捕的學生。那放火案怎麼結？警察以曹汝霖家起火的原因是「電線走火」來結案。意思是房子自己起火，不是人放火，所以學生都無罪釋放。

這一天，學生一救出來，蔡元培就通電辭職，北大校長不幹了。他這是向政府抗議，採取不與政府合作的姿態。政府當然不敢讓他辭職，要想辦法極力留住他。否則這一顆石頭投進池中，不是只激起一陣漣漪，而是會掀起巨浪。

但蔡元培不爲所動，他在 5 月 9 日剃掉鬍子，改裝易容離開北京，不讓政府找到他，表明堅定不妥協的態度。果然當天上海各學校全部罷課。在湖南的軍閥吳佩孚通電北京，說：「大好河山，任人宰割，稍有人心，誰無義憤？」

接著北京各大學校長聯合辭職。徐世昌總統罷免教育總長傅增湘。但事態仍繼續擴大，6 月全國各大城市罷課、罷工、罷市。政府罷免曹汝霖、章宗祥、陸宗輿的職務，親日派全部下台。

徐世昌請辭總統，沒被參眾兩院同意，內閣總理錢能訓辭職。徐世昌公開表示會電令中國代表暫時不在合約簽字。6 月 28 日凡爾賽合約簽訂日，在巴黎的中國留學生，圍住中國代表團的住處，不讓他們去開會，中國代表陸徵祥宣佈拒絕在和約簽字。到此政治的五四運動落幕，開始了文化的五四運動。

最後，拖了三年，1922 年 2 月 4 日，美、英、法、義、荷、比、葡、日、中，共九個國家在華盛頓簽訂《解決山東問題懸案條約》。日本將德國租借地交還中國，中國全部開放爲自由商埠。駐青島、膠濟鐵路的日軍撤退，權利歸還中國，海關也歸還中國。中國大致保有主權，但也給日本和各國僑民在山東享有特殊權益。

要知道蔡元培是國民黨的大員，卻在北京政府的管轄下擔任北大校長，國民黨的廣州政府當時還和北京政府互相攻伐，可見蔡元培多麼受到當世的敬重，所謂的「北洋軍閥」其實對學術自由也有相當的尊重。

當時是民國建立不久，民智才要啟蒙，國家意識還未成熟的時代，人民再有道理，怎麼有力量去跟「槍桿子」爭呢？

所以蔡元培用一種「老子不幹，老子不跟你一起幹！」的方式來抗爭，以「後退」來推動「前進」的力量。引發了學生手中沒有槍砲，但我們用「不上課」罷課來做武器；工人手中沒有槍砲，但我們用「不上工」罷工來做武器；商人手中沒有槍砲，我們用「不賺錢」罷市來做武器，以癱瘓正常軌道來同當權者、槍桿子爭，逼得他們低頭、讓步。

這是中國人民第一次用自己的力量決定國家的未來！回顧這段歷史，是驚人的勝利、動人的詩篇。當時大人物的氣度、進退、智慧，小人物的熱血、良心、勇氣，對照今日，青年的熱力可比當年，而當權者的格局，卻實在叫人生氣、嘆氣！

● 中國近代最偉大的教育家蔡元培

5.8 調錯的頭痛藥水

「沉舟側畔千帆過，病樹前頭萬木春。」

錯誤，有時候會帶你走上想像不到的正確道路。

約翰．潘伯頓（John S. Pemberton）是一名藥劑師，他在美國亞特蘭大開了一間小藥局。有一天，進來了幾個客人，差點把小小藥局塞滿。帶頭的劈頭就說：

「我要昨天喝的那種頭痛藥水！」

「我們也要！」

難得頭痛的人這麼多，潘伯頓立刻親自調配頭痛藥水。當他遞出第一杯頭痛藥水後，帶頭的客人喝了一大口，說：

「不對，不對，我要喝昨天那種，是深色的，不是白的，有氣泡的那種！」

「可是我們的頭痛藥水就是這種啊！」

「不對，昨天不是你調的……」

「我是老闆也是藥劑師，不會錯的……」

「算了，算了！」客人嘟噥著一哄而散，生意泡湯了。潘伯頓把躲在後面的店員叫出來問，究竟昨天發生什麼事？

原來昨天那個客人衝進店來，說他頭痛死啦！要店員快給他頭痛藥水，客人一直催，店員一緊張，不但調錯配方，而且本來應用冷水沖調，卻誤用了蘇打水沖，這才調出顏色深、帶氣泡的藥水。沒想到客人一喝，大呼好喝！過癮！今天又上門來，還帶了一幫人。

潘伯頓於是照著店員調錯的配方，加上蘇打水重調一杯，親自喝一口，果然有意思，再喝一口，有種說不出的滋味，再喝一口，停不下來一飲而盡。他決定用這種錯誤的配方，調出一種飲料來賣賣看。

1886 年 5 月 8 日，潘伯頓賣出第一瓶新飲料，這就是後來的「可口可樂」。

新飲料賣得很好，潘伯頓找他的合夥人兼會計師法蘭克・羅賓森（Frank M. Robinson）幫忙想新飲料的名字。羅賓森第一個就想到 cold，清涼、消暑。可是光冷不行，冷什麼好呢？他一直想到天亮，聽到公雞叫，有了，他把公雞 cock 寫下來，變成 cock cold，公雞冷，不倫不類。他想到不如把 k 和 d 都改成 a, coca cola，這下順口多了，新飲料配新字，Coca-Cola 可口可樂就此誕生。

眞正讓可口可樂變成世界性飲料的人不是潘伯頓和羅賓森，而是艾薩・坎得樂（Asa G. Candler）。他在 1892 年以二千三百美金買下可口可樂的配方和所有權，然後開始促銷。雖然暢銷一時，但因可樂的成分有讓人上癮的咖啡因，曾被衛生當局禁止販賣。

接著二次大戰來了，可口可樂公司抓住機會，向美國政府推銷，他們可以用一瓶可樂五分美元的便宜價錢，提供美國士兵享用。戰爭時期，各種貨源都缺，有一樣是一樣。

於是美國政府答應合作，這下可口可樂就跟著美軍，打到了全世界。光二戰期間，美軍就喝掉一百多億瓶可樂，到了戰爭末期，可口可樂創下年銷五十億瓶的記錄。從此可口可樂成爲人類不可分割的一部分。

5.9 變調的節日

無心插柳，柳都成蔭。有心栽花，花一定會開。

只是開出來的花，不一定是你想要的花！

安・賈維絲（Ann Reeves Jarvis）是美國女性運動的先驅，她於 1850 年代在西維吉尼亞組織「母親日工作俱樂部」，宗旨是要改善公共衛生、降低嬰兒死亡率、預防母奶受感染。她們在 1861 年到 1865 年美國南北戰爭期間，照顧了兩邊無數受傷的士兵。戰後，賈維絲還倡導「母親友誼日」的活動，以母親爲主角推動雙方的和解。她在 1905 年 5 月 9 日去世。

賈維絲有個女兒叫安娜・賈維絲（Anna Marie Jarvis），她繼承了母親的遺志，因爲母親的過世給了她一個靈感，她決心推動一個專屬「母親的節日」。1908 年 5 月 10 日，許多家庭聚集在西維吉尼亞格拉夫頓的教堂，參與第一個「母親日」的活動。在安娜的鼓吹下，各地紛紛響應。

1914 年 5 月 9 日，總統威爾遜正式宣告：每年 5 月的第 2 個禮拜天爲國定的「母親日」Mother's Day，這就是現在母親節的由來。

但是「母親節」很快朝安娜原先希望的相反方向演變。怎麼說？安娜提倡的母親節，是這一天你以兒女的身分，去讚頌你的母親，而不是讚頌全天下的母親，所以她的母親節 Mother's Day 是單數，而不是複數的 Mothers' Day。

可是商人哪管這麼多，他們很快把母親節變成發財的好日子。鮮花、蛋糕、禮物、卡片，都藉此節日大發利市。

安娜對「母親節」染上商業的色彩，感到非常困擾；對以母親節爲名賣康乃馨來募款，更痛恨。她認爲這些以錢爲主的活動，汙染了她發起母親節那原本虔誠的根源。

於是她投入所有的精力、時間、財產來抵制利用母親節賺錢的活動。她甚至因此攻擊第一夫人艾蓮諾．羅斯福，因爲她利用母親節爲慈善組織募款。安娜的行動越來越激烈，大家都把她當神經病，根本不理會她在捍衛什麼？她不但耗盡錢財，也付出了健康，最後她死在精神病的療養院，死前身無分文，而且已經失智。

是的，安娜如果選擇另一條路，她是可以賺很多錢的。光在美國，母親節就是全年最多人外食的節日。

母親節是送禮物第二多的節日。僅次於聖誕節。

母親節是買卡片第三多的節日，第一是聖誕節，第二是情人節。

●提倡和平的安．賈維絲

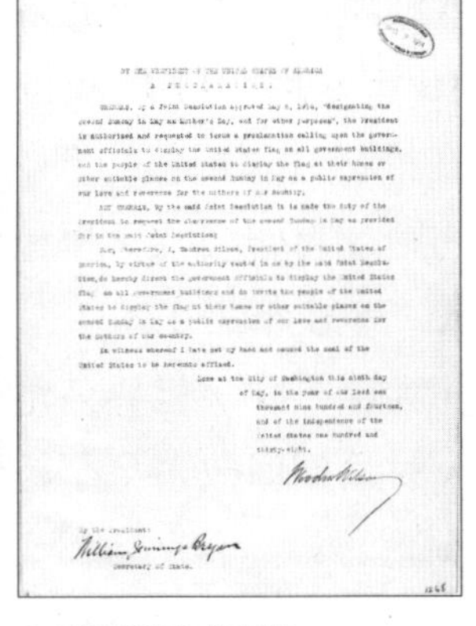

●威爾遜正式宣告：
每年 5 月的第 2 個禮拜天
為國定的「母親日」。

5.10 九歲女孩掀起午餐革命

因爲有風，蒲公英才能散播種子。

因爲有風，風筝才能在空中飛舞。

因爲有風，帆船才能渡過大洋。

九歲的瑪莎・佩恩（Martha Payne）住在蘇格蘭，她對學校的營養午餐不滿意，覺得吃不飽也不營養。

如果是以前，九歲小女孩的意見，哪有人理會。現在可不同，她決定把自己每天的學校午餐貼上網。

她在部落格貼上午餐的照片，計算能吃幾口，給份量、菜色、價錢、衛生、營養度打分數，做評量，寫評語：「我是一個正在發育的孩子，我中午只吃一個油炸丸子，怎麼能撐過一整個下午，而專心上課？我實在做不到，你們有誰做得到？」

瑪莎持續寫了十天，迎來了一陣「東風」。

2010年5月10日，英國的知名廚師傑米奧利佛（Jamie Oliver）在推特分享瑪莎的部落格，大力支持瑪莎的意見，認爲她說的話超有啓發性，學校午餐的狀況糟得令人吃驚，這樣的午餐一定要革命！

這陣大風一吹，世界各地的學生也貼上自己的營養午餐來分享，討論如何改善？學校午餐議題很快得到社會媒體的關注。

才五天，議員、官員和記者出現在瑪莎的學校。這一天的菜色大有進步，除了有肉，還有以前沒出現過的小番茄、白葡萄、紅蘿蔔、小黃瓜等各式蔬菜。

大家還一直問她：「這樣吃得夠不夠？」

議員打包票，一定會讓瑪莎和所有學生，每天沙拉、水果、麵包吃到飽；一定兼顧營養和份量，而且會弄得可口好吃。還希望同學可以多多提意見，議會一定認眞傾聽。

過了兩天，5 月 17 日，瑪莎的部落格放上來自台灣嘉北國小的營養午餐照片，瑪莎說她沒看過這些食物，但感覺好看又好吃。

如果光靠風，那你只能是滑翔機。如果要成爲飛機，那你得有引擎，自己造風。有傑米奧利佛的關心，使瑪莎有機會改善營養午餐，她也把自己的關心擴散出去，她在部落格號召網友，成立了「瑪莉的餐點」Mary's Meals 的組織，爲貧困國家的兒童改善餐點募款，很快就收到超過十萬英鎊，爲馬拉威的學童蓋設備完善的廚房。眞的是「己利利人，己達達人」，誰還敢說小孩力量不大呢？

● 瑪莎將營養午餐的內容張貼上網路，引起大衆對此議題的關注。

5.11 一個約定，兩部巨作

當發生兩個人、兩件事，在同一個時間點湊在一起的機緣，你不得不相信命運。與其說我們很容易相信，不如說我們期待冥冥中有某種力量，在無形中導引人類的生命。但機緣巧合並非天命如此，而是兩股力量像磁鐵一樣互相吸引，各自尋找到對方，而碰撞成火花，匯集成巨流。

1925 年兩個牛津大學的畢業生，同時回到牛津任教。

一個是三十三歲成為牛津大學有史以來最年輕的教授，另一個是二十七歲意氣風發的知名文人。他們兩個在 **1926 年 5 月 11 日**參加一個名為「吉光片羽」的讀書會（The Inklings），兩個人不是一見如故，而是一談發現相知。

他們兩個都喜歡神話，對神話文學有深入的研究。他們都覺得英國沒有屬於自己的神話，都認為透過神話文學來傳達眞理和信仰是最佳、最美的途徑。因為兒童喜歡聽故事，更喜歡冒險的故事，從他們喜歡的故事來教育，才能眞正紮根，深入人心。他們都喜歡丹麥的安徒生童話，那誰來做英國的安徒生？誰能超越童話的境界，為英國完成更偉大、更壯闊、更富人生意義，給兒童看的神話文學呢？

眞理要一個人說，一個人聽。信仰要一個人鼓動，一個人行動。於是，兩人約定啓動一個競賽，各自去寫一部「神話式的奇幻文學」來比比看，誰寫的好。

年紀輕的叫路易斯（C. S. Lewis），他寫出《納尼亞傳奇》共七部。年紀大的叫托爾金（J. R. R. Tolkien），他寫出《魔戒》三部曲。

路易斯和托爾金友誼深厚，同在牛津任教時，他們一星期要見面三次以上，最少會共進一次午餐。開始比賽後，兩人經常互相討論故事情節，彼此批評，互給意見。路易斯在日記中說：「托爾金是個好相處、臉色蒼白、而能言善道的傢伙！跟他在一起很不錯，沒什麼壞處，只是偶爾需要棒喝他一下。」

托爾金寫到路易斯時，是這樣寫的：「和路易斯的友誼，給了我很多東西，除了不停的歡樂和安慰之外，我還從這個誠實、勇敢、聰明的人身上獲益許多。他是一個學者、詩人和哲人。」

他們兩個在比賽之初，有約好一個寫「空間旅行」，一個寫「時間旅行」。路易斯果然照著約定，他的《納尼亞傳奇》基本上以不同空間變幻爲主線。

但托爾金寫來寫去，離開了原來「時間」的軸線，他花了十幾年，終於完成了史詩巨作《魔戒》。

●「吉光片羽」讀書會聚會的酒吧，《納尼亞傳奇》、《魔戒》兩大巨著因此地而誕生。

5.12 榆樹之戰

「一個國家道德進步與偉大程度，可用他們對待動物的方式來衡量。」甘地說得好。我說看「對待樹木」的方式，也可以衡量一個國家的進步，一個人的道德。

四十年前，瑞典首都斯德哥爾摩爲了要建一座地鐵車站，市政府決定要把中央公園裡的十四棵大榆樹砍掉。一群年輕人組織一個叫「城市選擇」的公民運動，參加的人主要是學生、藝術家、作家，他們請願、遊行要求改變地鐵車站的工程，保留公園的榆樹。市政府不理會他們的行動，決定照原計畫把樹砍掉。

1975 年 5 月 12 日，早上當砍樹工人來到公園時，發現有人圍在樹下。他們在唱約翰藍儂和巴布迪倫的歌，什麼時候公園在早上辦演唱會？不是，是市民要保護這十四棵榆樹，不給他們砍。

工人沒辦法動手，向上面報告，市政府於是調來了警察。這時有些年輕學生把自己和榆樹鎖在一起，一副樹在人在，樹亡人亡的姿態。雖然警察騎著馬，手上拿著電棒，但人群根本沒在怕，還開始鼓噪，雙方起了小衝突。

人群越聚越多，居然一下子聚了好幾千人。政府怕把事情鬧大，只好把警察和工人撤回來。反正這些烏合之眾能鬧幾天？到時候再動手也不遲。

沒想到第二天聚集的人更多。公園對面的「皇家歌劇院」的合唱團爲大家合唱約翰藍儂的《平民力量》Power to the People。晚上有人睡在樹上，合力守護榆樹。抗議活動持續到 5 月 15 日，市政府投降，照人民要求，樹不砍，車站改地點。「榆樹之戰」The Battle of the Elms 到此落幕。

這十四棵榆樹，成爲斯德哥爾摩的地標。不但是市民喝咖啡、聊天休息的好地方，更是民主勝利「活的紀念碑」。每年 5 月 12 日都會在十四棵榆樹下舉辦紀念音樂會，爲榆樹慶祝「重生日」。

看到瑞典四十年前就這樣，你想不想哭？我寫到這裡，不想哭，想憤怒！我們的政府把砍樹當除雜草，動不動就幾千棵、幾百棵的砍，像林口蓋世界大學運動會選手村，要砍一千三百棵樹、台中蓋海豚館要砍三千棵木麻黃，比起來簡直野蠻落後人家不只一百年。

我們不是沒有愛樹、護樹的勇士，但是我們集體的意識還不夠，所以才會讓政府敢亂搞。不要以爲只是幾棵樹，不過是個植物。要知道他們今天可以傷害一棵樹，如果我們不阻止，明天他們就來傷害你的財產和生命。如果我們今天連一棵樹都不給他們傷害，他們明天就不敢亂來！

5.13 流浪漢專屬品牌

「嫩草怕霜霜怕日，惡人自有惡人磨。」

對付惡人一定要用惡法嗎？不，惡法是惡人整惡人用的，好人整惡人要用「巧」，關鍵是要對中要害，才能收效！

A&F（Abercrombie& Fitch）是美國一間知名的服飾品牌，主客群是十八歲到二十二歲的年輕男女。它特別出名的行銷手法，就是開店時，會找一批有「人魚線」腹肌的帥哥猛男，裸露上半身，站在店門口，排成一列，歡迎顧客上門。這個噱頭十分成功，而且店員也是容貌至上，專挑帥哥美女。

但是在光鮮亮麗的背後，A&F 其實是一家白人至上，充滿「種族歧視」的公司。多次被人告上法庭，控訴它歧視非裔和亞裔。

內部管理如此，外部營造的形象也一樣。它曾推出一件 T-shirt，上面寫著：

Wong Brothers Laundry Service – Two Wongs Can Make it White
黃氏兄弟乾洗店——兩個黃可以把這件衣服變白。

這話是嘲笑早期華人移民來美國，多半因教育程度低，只能開「洗衣店」維生。這就好像說「黑人都是混幫派」，是極度蔑視的字眼。所以引起華裔人士的抗議，把 A&F 告上法庭，多款衣服被迫下架。

它在南韓開店時，利用白種裸身男模，吸引許多少女光顧，在男模與韓國少女合照時，他們都偷偷暗豎「中指」。韓國少女開心尖叫時，完全不知已被「下流的肢體動作」所侮辱。還有這些男模在首爾的景點「景福宮」前拍照時，故意瞇起雙眼，嘲笑韓國人眼睛細小得像一條線。

A&F 的執行長麥可・杰非（Mike Jeffries）曾說，他們家的衣服是不賣給「肥仔」穿的，只賣給身材漂亮的人穿，所以女裝沒有大號。「每間學校裡都會有兩種族群，一種是受歡迎的年輕人，一種是不受歡迎的。我們當然選擇受歡迎的這一群，不夠格的，只好被淘汰！你問我們是不是淘汰主義者？是，我們就是！」

你說這麼大的口氣，講話這麼優越感，那杰非八成是金髮藍眼白種俊男囉？對不起，不是，就不是！他的長相如同《魔戒》電影中的「咕嚕」和「魔獸」放進果汁機，攪拌打成的混合體。

有惡人就有俠盜，這人叫桂格・凱柏（Greg Karber），**2013 年 5 月 13 日**，他跑去洛杉磯的二手舊衣店，買了一堆 A&F 的衣服，然後送去貧民區，分給當地的流浪漢。一開始流浪漢不知要幹嘛？不太敢拿。

經過凱柏解釋，大家便接受，而且大方的穿起 A&F。凱柏把影片張貼上網，並叫網友打開自己的衣櫥，把 A&F 找出來，送到遊民的救濟站。並且在臉書推廣這個行動，要把 A&F 惡搞成一個「流浪漢」的第一品牌服飾。

行動獲得很大的迴響，在美國稍有思想意識的人，都羞於穿這個品牌，對 A&F 有相當的打擊。你用「歧視」來賺錢，我就用「歧視」讓你嘗嘗惡果！

諷刺的是，A&F 已經陸續進入中國、香港、新加坡等華人地區展店，它還雄心勃勃的要在中國開一百家店。它雖然還沒有進入台灣，但台灣也有不少人以網路代購在美國買。

最被 A&F 歧視的華人，反而會變成它最大的財源！

先知先覺好，後知後覺也可以，不知不覺最可憐！

爲什麼會這樣？因爲不閱讀！白白花錢給人蹧蹋，氣不氣？你沒有辦法問白癡，他爲什麼這麼白癡？因爲白癡不知道自己是白癡！

這樣說，會不會太重？不會，就不會！

5.14 不能如願的先知

先知眞正的風險不是在能否追求到眞理，而是在得到眞理後，無知的人要向他丟石頭！

天花，在古代是一個要命的傳染殺手，在18世紀光英國一年就有四萬五千人死於天花。

在俄國每七個小孩，就有一個會被天花帶走。同時間，大清朝的同治皇帝也是死於天花之手，你說傳說同治皇帝是死於性病梅毒，但官方記載的是天花，可見天花傳染起來，紫禁城的宮牆也擋不住。英國女王瑪麗二世、法國國王路易十五、普魯士國王約瑟一世、俄國沙皇彼得二世也都是死於天花。

愛德華・金納（Edward Jenner）醫生是天花終結者，無數的生命因他而能存活。金納是一個充滿善心大愛的醫生，他有很好的醫術，但他放棄在倫敦行醫賺錢，而跑到鄉下行醫幫助窮人。他在鄉下發現擠牛奶的女工，很容易從牛身上感染一種名爲「牛痘」的病。得了牛痘，手指上會出現一些斑點，但不會致命，病情很快就會痊癒。而感染過牛痘的牛奶工，都不會感染天花。得個小病，救了大命。所以金納相信牛痘是天花的剋星。

1794年5月14日，一個名叫莎拉的擠牛奶女工來看病，金納將她身上的「牛痘」，接種到園丁八歲的兒子小詹姆士的身上。他先從莎拉手上的斑點取下膿水，然後在小孩的手上用刀劃一道小傷口，把膿水擠進傷口。五天後，小詹姆士得了牛痘，沒多久就好了。金納再從天花病人身上的斑點取膿水，同樣在詹姆士身上劃一個小傷口，把天花膿水擠進去。結果，詹姆士沒有感染天花。實驗成功！金納不只找到抵抗天花的方法，他還開創了「疫苗接種」來對抗傳染病。

金納想發表他的實驗結果，卻慘遭退稿，沒有人相信一個鄉下醫生有這麼大能耐。他又替二十三個人接種牛痘，都成功沒有得到天花。但醫界的人繼續嘲笑他、打擊他，不肯承認他的成果。教會說把動物身上的疾病，拿來「種」在人的身上，根本是褻瀆上帝，「接種牛痘是魔鬼的諾言」。報紙說種了牛痘，會長出牛角。小孩種牛痘，會全身長牛毛。一些又笨又勤快的白癡，包圍金納的家，朝裡頭丟磚頭！對來求診的病人，罵髒話，吐口水。

這時，金納的太太凱瑟琳站出來捍衛她的老公，她拿出家族積蓄，幫金納出版《接種牛痘的原因和效果調查》。別人不登，本娘子自己來出版，並且鼓勵金納出聲奮戰。她帶著老公到倫敦尋求名醫的支持，還有和庸醫辯論。和白癡奮戰多年，才終於得到醫界認可。

金納年輕時，原本有一個戀人。但這個女生希望金納在倫敦行醫，可是金納志不在此，他志在行醫助人，尤其是窮苦人。所以他選擇留在鄉下，初戀情人就嫁給倫敦另一個醫生。雖然知道價值觀不合，不能勉強，但金納還是很受傷。他的老師名醫韓特爾寫信安慰他：「失戀像是一隻刺蝟，過了一段時間刺蝟自己會去冬眠，沒有吃東西，刺蝟就會越變越小。」

金納心中刺蝟有沒有變小，我們不知道。但他在鄉間，成就真的越來越多。他喜歡觀察生物，成了一名傑出的生物學家，他在生物學上最知名的成就，就是發現杜鵑會把自己的蛋，寄放在其他鳥的巢中，讓其他鳥幫忙孵化。杜鵑蛋孵化速度比較快，新生的杜鵑雛鳥會把其他的鳥蛋推出巢外，自己獨享照顧。

後來，他聽說有一個叫凱瑟琳．金斯克多（Catherine Kingscote）的女生，寧願放棄貴族的地位和優渥的生活，跑到鄉下教小學。金納就跑去拜訪她，兩人一見鍾情，志趣相投。在 1788 年結爲連理。後來金納受到各種攻擊，幸虧有凱瑟琳守護在他的身邊。

「在任何地方，只要能看到凱瑟琳的笑容與平安，一切外界對我的攻擊都算不了什麼！」金納用牛痘對抗天花，得到各方的讚揚後，他和凱瑟琳還是留在鄉下，一個繼續爲窮人行醫，一個繼續教窮人家的小孩。終身不改其志！

凱瑟琳在 1815 年過世，七年後金納也離開人世。他死前立下遺囑，一定要葬在妻子身邊，安息在鄉間的小山崗，共聽小溪流水。

偏偏因爲金納太偉大，英國人就把他葬在「西敏寺」，與英國歷代偉大的英雄共處神殿。是啦，在西敏寺確實比較偉大，但金納根本不在乎這些，他在乎的是他的守護天使！

又笨又勤快的人，生前向你丟石頭，甚至連死後也不讓你如願！

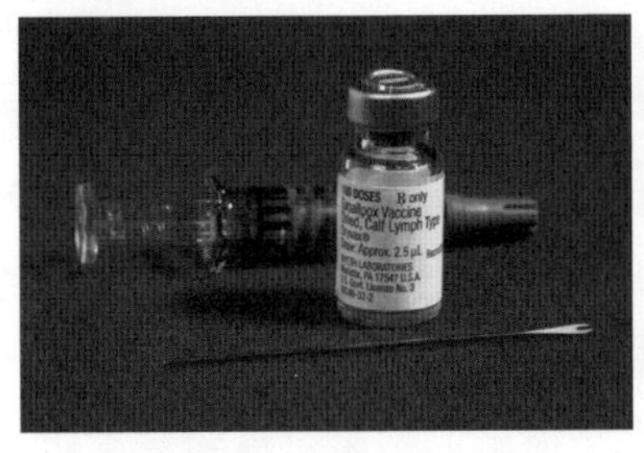

●金納發明接種牛痘來預防天花。

5.15 不愛江山只愛錢

錢，是人發明的工具，它本應爲人服務才對。但它往往反客爲主，讓擁有它的人愛上它，崇拜它，成爲錢的奴才。

錢，沒有生命。卻有可怕的魔力，可以移動人的靈魂。既然它沒有生命，力量從哪裡來？

是人，是人把自己的生命注入到錢裡。能控制人的不是錢，而是人的恐懼、慾望、愛與恨。

明朝的崇禎皇帝朱由檢一上台，立刻殺了魏忠賢。朝廷氣象一新，崇禎一副要做中興明君的氣概。但是基本有個大問題，就是「財政」。當時朝廷年收約白銀四百萬兩，可是支出一年要五百萬兩，財政有個大破洞。

洞在哪裡？就是軍費，當時外有滿清，內有流寇，朝廷百分之八十的錢都砸到軍費去了。

崇禎自己很節儉，他還下令停止江南織造，就是說宮裡上下都不用做新衣，沒錢就要省錢嘛！他自己一般使用的器物，也以木器爲主，就是不花錢燒新的瓷器，瓷器又貴又容易打破，而木頭便宜不怕摔，省錢第一。但是他省小錢省慣了，大錢要花更讓他心疼，結果該花的大錢也拿不出手。

鎮守遼東的名將袁崇煥，有一次因爲前線軍餉積欠太久，釀成兵變。袁崇煥雖然一時壓住，但他知道不發餉是撐不住的，便向皇帝要白銀一百萬兩應急。崇禎說國庫虛空怎麼辦？沒想到袁崇煥說可以用「內承運庫」的錢，這內承運庫不是國庫，而是皇帝的內庫，就是私房錢。

崇禎說內庫也不足，朕來想辦法。結果崇禎召集大臣，叫大家認捐。臣子們想國家是皇帝的，皇帝不出錢居然叫我們捐，眞是神經病啊！個個哭窮裝聾，好不容易大家只捐了十萬兩。崇禎沒辦法，只好掏出二十萬兩，湊了三十萬送去前線。

朝廷沒錢，開源就編各種名目加稅，節流就裁大小機構省錢。但加稅過重，遇上天災，農收不足，人民就只有造反。官府裁掉的人多，造成失業，失業的也造反。像流寇李自成本來是官方驛站的人員，驛站裁掉，他失業後，不但加入造反，還領導造反。造反一年，平亂的軍費又增加，如此惡性循環，最後李自成打進北京城，崇禎上吊自殺，明朝亡了。

可是明朝的經濟不好嗎？朝廷眞的這麼窮嗎？窮到打不過小小的滿清，壓不住流寇嗎？

李自成攻進北京後，從 **1644 年 5 月 15 日**起，開始從崇禎皇帝的內承運庫，往外搬銀子，皇帝不是說內庫空虛嗎？你猜他搬出多少銀子？有白銀三千七百萬兩，黃金一百五十萬兩，以一金抵十銀來換算，差不多總計有白銀五千兩百萬兩。這都是崇禎的私房錢，皇帝自己省得要死，眞的省到死，省到國破人亡。

看歷史，不能只看故事，要看大環境。其實明朝在當時一直是世界最富庶的國家，就算在最衰敗的崇禎年代，明朝的國民生產總値仍佔世界總値的百分之四十。在西元 1550 年到 1800 年的兩個半世紀，中國從歐洲和日本，透過貿易共賺進了六萬噸的白銀，當時世界有一半的白銀都流入中國。而明朝中期到滅亡的一百年間，國外流入中國的白銀有七千噸到一萬噸，佔世界的 1/3，等於有三億兩千萬兩。

所以明朝怎麼會窮呢？怎麼會窮到讓人民造反呢？原來

錢都流進「大戶」的庫房，而大戶就是皇帝。

這個根源要追到明英宗正統元年，宮裡開始將一部分漕運的折現金銀放入「內承運庫」。皇帝開始有了個人的私庫，大臣無權動用，無權過問。長期形成皇帝和國家爭錢，尤其是神宗萬曆皇帝，開始大量囤積白銀。他在位四十八年，養飽了私庫，窮了國家。那要怪英宗朱祁鎮嗎？不能怪他，他登基時才九歲，事情一定不是他決定的。

好，李自成抄了最大戶，他還成立「比餉鎮撫司」收繳明朝官員的財產，他趕製了五千具夾棍，威刑之下，估計再收到一千兩百萬兩。

你看，君臣都愛錢。可是臣子如此可理解，崇禎到底是怎麼想？你知道錢沒有生命，所以你要它在哪兒，它就乖乖在哪兒。它沒腿不會自己跑，沒翅膀不會自己飛，所以錢不會背叛你。任誰做了皇帝，最缺的就是安全感，錢最能給你安全感，所以你就愛上它，為它去死，成了愛錢不要命！

5 月 15 日不是要感慨大明朝的滅亡悲劇，而是要提醒自己不可以愛上沒有生命的東西！

●明朝最後一位皇帝崇禎

5.16 信念

「烏托邦」這個字來自希臘，是「烏有之邦」的意思。所以很多人以爲這出自於柏拉圖的理想國。其實不是，它是出自英國 16 世紀的大思想家、大政治家湯瑪士・摩爾（Thomas More）的不朽名作《烏托邦》。

這本書的全名是《關於最完美的國家制度，和烏托邦新島的有益又有趣的寶書》。湯瑪士・摩爾是用拉丁文寫的，講述一個航海家航行到一個叫「烏托邦」的國家，那裡財產是公有的，經濟、政治權力都是平等的，官員由秘密投票選出，一夫一妻制，宗教有自由……就是他的「理想國」。他的大道之行也，天下爲公。湯瑪士・摩爾在社會主義史上，第一個提出消除財產私有制，建立公有制的見解。

湯瑪士・摩爾寫這本書，說是他的空想，其實是針對當時的歐洲，尤其是英國的經濟、政治所提出的反省和批判。他看到新生資產階級擁護國王，反制教會，奪取政治權力，而他們可藉此取得更大經濟權力，實際上是狼狽爲奸。最明顯的就是「圈地運動」。當時資本主義還沒盛行，他已經先知道未來平民百姓的悲慘世界。

他不僅是一個人文主義的先驅，更是身體力行的政治家。他年輕時做律師，幫著貧苦的人打官司，所以看盡權貴如何欺壓平民。而他總能幫他們主持公道，討回正義，所以聲望很高。二十六歲就當選下院的議員，當時國王亨利七世無理要求一筆補助金，他據理反對，使亨利七世拿不到這筆錢。亨利七世因此懷恨在心，把他的父親冠上罪名關起來，要繳巨額的罰款來贖。結果他不得不退出政壇，鑽研學術。

1509 年國王換成了亨利八世，新國王很欣賞他，他又開始復出從政。1517 年馬丁路德在歐洲發動宗教革命，摩爾認爲這表面是宗教革命，其實是迎合各國的國王，爭權奪利，殘害百姓。

他主張羅馬教廷的弊端當然要改革，但不是革命，那會造成教廷失去權威，天下大亂，戰禍不斷。所以他支持教廷改革，反對馬丁路德革命。這個觀點正好跟亨利八世吻合，所以就對他更加重用。加上摩爾本人又是公平正義的象徵，亨利八世也想利用他的聲望，爲自己加持，增加在民間的擁護。所以他一路平步青雲，1518 年被任命爲王室申訴法庭的庭長、樞密顧問。1521 年成爲副財政大臣，受封爲爵士。1523 年成爲下議院議長。1525 年受封蘭開斯特公爵領地大臣。1529 年成英國大法官，這個職位就是宰相。一人之下，萬人之上。

他雖然位居顯要，但他仍然保持人文主義者的胸懷，從來不以權貴自居，事事袒護貧民百姓，處處質樸簡約。亨利八世經常邀他一起吃飯，給他許多賞賜，還有意表現對學問有興趣，找機會向他請教，刻意的討好他。但他並不因國王的寵信而昏頭，有人恭維他受國王倚仗，他冷冷回說：「如果我的人頭可以換來任何一座法國的城池，即使是無足輕重的小城，國王一定會讓我的人頭落地。」他心知肚明，伴君如伴虎，亨利八世是個反覆無常，冷酷無情的傢伙。

正邪終難兩立，最後總要攤牌。衝突點在亨利八世的婚姻。亨利八世的凱瑟琳皇后是西班牙國王斐迪南二世和女王伊莎貝拉一世的女兒。這個婚姻等於是英國和西班牙同盟的保證。但是凱瑟琳皇后一直沒有生小孩，亨利八世想與凱瑟琳離婚，另娶宮女安・寶琳（Anne Boleyn）。但是教皇基於天主教的教義拒絕同意，於是亨利八世把樞機主教沃爾西免職，叫摩爾兼任樞機主教。他就是要離婚，當然也是要挑戰教皇的權威，奪取教會的利益和權力。

摩爾看起來是官更大，其實是陷入一個兩難的局面。或者說到了一個不得不表態的時候了。所以當英國所有的貴族、教士聯名寫信給教皇，請求教皇批准亨利八世離婚時，唯一沒有在信上簽名的人，就是湯瑪士・摩爾。他之所以如此，並不只是宗教虔誠的原因。他深深明白國王的權力不宜無限制加大，教會對國王要有一定的制衡作用，否則王權獨大，議會講話根本是放屁。要不就是全部議員都成爲國王的狗腿，那國家、社會、人民都要受害。所以他反對國王不聽教皇的，自行決定離婚；更反對英國脫離天主教，讓國王也成爲宗教領袖。他主張教皇的權力當然也要節制，可以用主教會議來制衡教皇，這樣世界才能和平。

但亨利八世不這樣想，他想獨攬大權，他要爲所欲爲，當所有人都向他搖尾巴，反而是他最寵信的大臣說不。他知道摩爾沒有背叛的野心，更知道他爲人公正，人格高尚，但他想不通他爲什麼反對？而且利誘威脅都沒用。

1532年5月16日，湯瑪士・摩爾毅然辭去大法官。他終於受不了亨利八世一再要他放棄信仰，來交換權力恩賞。亨利八世當然惱羞成怒，但因爲摩爾的人望，而不敢直接對他下手。底下的鷹犬雖然想盡辦法給他編織罪名，但他的機智和辯才，焉能讓鼠輩得逞？

1533年亨利八世如願和安・寶琳結婚，摩爾拒絕參加皇后的加冕典禮。1543 年，英國議會通過「至尊法案」，亨利八世成爲英國國教的「教皇」，全國臣民都要宣誓效忠，摩爾拒絕宣誓，他被關入倫敦監獄。

他在獄中寫書，三次拒絕宣誓，而且他死不說「拒絕宣誓的理由」，所以沒辦法定他的罪。朋友諾福克公爵（Duke of Norfolk）來探監，兩個人有一段千古流傳的對話，

「在英國，不服從國王，就沒有好下場。」諾福克說。

「我再三思考過了，我不能違背自己的良心。」摩爾說。

「湯瑪士，我怕你將要付出很高的代價。」

「自由的代價的確很高，然而，即使是最低等的奴隸，如果他肯付出代價，也能享有自由。」

欲加之罪，何患無詞？無詞也要硬栽！摩爾最終被冠上「叛國罪」，罪刑是五馬分屍，亨利八世改爲砍頭。摩爾在獄中知道結果後，開玩笑的說：「求天主保佑我的親人，免於這種恩寵！」

1535 年 7 月 6 日，他上斷頭台前，還跟典獄長說：「請幫我上台，至於下台嘛，我自己來就好了。」臨刑前仍保持幽默，大義凜然，神鬼動容！

湯瑪士．摩爾的偉大，在於他不是空有理想，而是勇於實踐。爲了信念、信仰，他眞的到達「富貴不能淫、貧賤不能移、威武不能屈！」，泰山崩於前，不但面無懼色，還能幽默以對。他宛如一支熊熊火炬，照亮被權力、私慾籠罩的長夜。英國有這樣崇高的典範，這樣高貴的靈魂，才能指引後人，不懼威迫，向當權者爭取自由。

「對驕傲者不要謙虛，對謙虛者不要驕傲！」同樣名叫湯瑪士的傑佛遜總統說的這句話，不正是湯瑪士．摩爾的人

格寫照嗎？

同樣是接近權力核心，標準越高的人，越要節制權力的使用，以防濫權。標準低的呢，就去幫忙擴大權力，成爲濫權的幫兇！

●亨利八世時代的大法官湯瑪士．摩爾，寫下不朽名作《烏托邦》。

●亨利八世為娶新皇后，而與羅馬教廷反目，另創立英國國教。

5.17 少年的煩惱

「凡不是就著淚水吃過麵包的人，是不懂得人生之味的人。」這是德國大文豪歌德的名言。是的，歌德少年時爲愛而流的淚水，讓他初嘗人生之味，成就了不朽的名作。

1772 年的春天剛過，從萊比錫大學修完法律的歌德，依照父親的安排，從法蘭克福到威茨拉爾的法院工作。二十三歲的他認識了十九歲的夏綠蒂，彷彿向日葵迎向太陽，夏綠蒂的青春、美貌、純眞深深吸引著他。偏偏夏綠蒂當時已有婚約，而且是他朋友凱特士南的未婚妻。

歌德只能偷偷的愛慕她，但愛情的衝動是壓抑不住的。當凱特士南不在城裡時，歌德找到機會向夏綠蒂告白。夏綠蒂當然也被年輕又有才華的歌德吸引，她想鍾情於他，但又不能割捨原來的未婚夫，矛盾又徬徨。

終於，夏綠蒂向歌德傾訴自己的苦惱，而涉世未深的她竟也把歌德的求愛告訴了未婚夫。這下，忠誠與欲望、友情與愛情，在歌德的心頭全糾結成一團。他在不知如何是好的情況下，回到法蘭克福。

沒想到，他剛一到家，便聽到夏綠蒂已經在 **1772 年 5 月 17 日**，與凱特士南完成婚禮。歌德在心碎時，接著又收到他最好的朋友耶路薩林，因爲愛上有夫之婦，禁不起戀情的折磨，爲情自殺的消息。這下他的心如同壓碎的粉末，被狂風吹散，只剩一個無心的軀殼。

他在絕望的谷底，抬頭看不見一絲希望的光，自殺的念頭由底升起。他找了一柄鋒利的短劍，帶在身邊，他在等待一個淒美的時刻，準備隨時結束這痛苦一切。

愛情的痛苦切割了他的靈魂，同時也削尖了他的筆，讓他劃開另一個出口，他決定要寫出腦中的糾纏…… 他只用短短不到一個月的時間，把自己和好朋友的經歷交織起來，寫成了《少年維特的煩惱》。

這本薄薄的小書，一出版就造成轟動。不只書暢銷，還掀起一股「維特風潮」。少年男兒都按著小說裡維特的形象來裝扮，藍上衣、黃背心、馬褲、馬靴。少女們都嫌惡平庸的婚姻，嚮往絕美的愛情。更不斷傳出有人模仿「維特」，拒絕與現實妥協而自殺！連當時叱吒風雲的拿破崙，都讀了七遍《少年維特的煩惱》，遠征埃及時，還把這本書帶在身邊。

歌德因此一書成名，得到威瑪公爵的賞識，才三十歲就當上大臣，受封貴族。歌德活了八十二歲，一生榮華，創作無數。他另一本代表名作就是《浮士德》，這本書與《少年維特的煩惱》恰恰相反，是花了六十年的心血才完成的作品。

難怪歌德說：「痛苦留給你的一切，請細加品味！苦難一經過去，苦難就變爲甘美。」

還有：「決定一個人的一生，以及整個命運的，只是一瞬之間！」

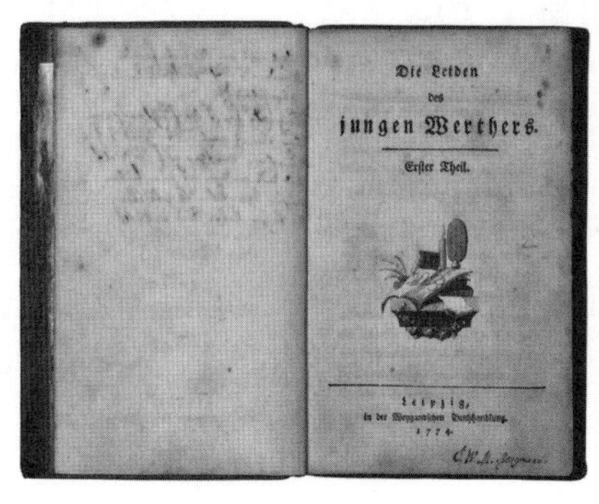

●《少年維特的煩惱》初版

5.18 創新的自由

現代企業最大的競爭力是什麼？是「創新」。但是你會發現一個公司不管多大，通常是誰在創新？是老闆。

創新最需要的是什麼？是自由。你要能自由運用時間，自由調動資源，創新才能被實驗、執行。誰有最大的自由？是老闆。

這就是爲什麼很多老闆每天喊創新，結果員工都像火車的車廂，如果沒有火車頭來拉，車廂自己不會動。問題是，火車頭力量有多大？能拉多少車廂？就算力量再大，總有一個極限。

那如果一個公司裡面有許多火車頭，或是人人都是火車頭，那公司的創新威力可不得了！但這可能做得到嗎？

一個公司如果有很多火車頭，那該往哪兒開？會不會造成更大的問題呢？

過去很多大公司，尤其是美國的大企業，就成立「獨立的研究實驗室」，作爲創新研發的基地。研究實驗室基本上獨立自治，不必管公司業績，也不受公司高層指導。他們有充分自由，來研發未來的產品。這個方法雖然有成效，但浪費很大，實驗室往往堆積毫無用途的創新垃圾。或是研發出好東西，但公司並不知道要用來做什麼好？因而錯失良機。

最有名的故事就是全錄實驗室讓賈伯斯去參觀，結果賈伯斯在那裡看見「滑鼠」，回來後立即使用，改變個人電腦的操作。「滑鼠」並不是賈伯斯的發明，是全錄實驗室的發明，卻被賈伯斯發揚光大。

爲什麼全錄這麼大的公司，這麼多人才，卻不知道滑鼠該如何使用？而被當時只是小規模的蘋果得利？因爲賈伯斯有自由，他想試什麼？整個蘋果全壓上去。反過來，當賈伯斯去世後，蘋果已成了大鯨魚，到現在一直被人嫌棄創新不足。因爲賈伯斯這個超級火車頭停開了。

艾瑞克・史密特（Eric Schmidt）在 2001 年擔任 Google 的執行長，史密特個人不像賈伯斯是個超級火車頭，但他與佩吉（Lawrence Larry Page）和布林（Sergey Brin）這兩個年輕老闆，創造了一個培植創新的工作「溫室」，使 Google 在創新上領先群雄。

2006 年 5 月 18 日，史密特實施一個 Google 獨有的管理模式，叫 Fedex Day。把員工上班的時間分成 70%，20%，10% 三塊。70% 的時間用來處理公司交給你的工作，20% 的時間用來發展與工作相關的創新開發，10% 的時間可以花在與工作無關的創新思考。

每個員工有「自由」拿部分工作的時間來研發自己的構思，也可以邀請其他人加入。所以在 Google 的內部網路，有一個創新專用的布告欄，張貼每個點子，看到的人可以提供意見或加入。

像 Google 有一群天文的愛好者，他們就想如果能把 Google Earth 的攝影鏡頭轉向天空，你就能找到你想要看的星座，一定非常酷！所以他們合力開發一套軟體，做出 Google 星空 Sky Map，其他像 Gmail、Google 新聞、Google 藝術、Orkut 網路社群服務、AdSense 自助式廣告系統全都是從這 20% 的自由時間所創造出來的。

這等於是一種民主「由下而上」的方式，來推動公司的創新，而不是傳統「由上而下」，高層交代任務給員工。

所以整個公司的創新活力完全改觀，員工的主動性和積極性不亞於老闆，打破過去公司在創新和紀律上，一直難以抓住平衡的盲點。

史密特認爲「混亂」是 Google 一項重要的特色，你必須保持「混亂」的特質，才能眞正發現下一步該做的事！

同樣的，在人才的競爭上，Google 也極具優勢。但是吸引人才的不是比較高的薪水和福利，而是「自由」。

正印證了富蘭克林的那句話：「哪裡有自由，哪裡才是我的祖國！」

● Google 執行長史密特

5.19 遲來的遺書

「我的小皮包呢？你有沒有看到？」

「媽，就在茶几上。」

黃老太太拿起小皮包，立刻打開，翻出身分證，看了又看。然後放心的把身分證放回皮包⋯⋯才一會兒工夫，老太太又拿起皮包，翻出身分證，一樣看個清楚，再放回去。重複的動作，一做再做。

女兒黃春蘭跟老太太說：「媽，不用擔心身分證。不見的話，我再幫你辦新的就好。」

「不行、不行，警察就要來檢查，丟掉會被抓去關。」

其實黃老太太罹患阿茲海默症很多年了，雖然她已經失智，但唯一不忘的是「時時檢查身分證」。因爲她生活在台灣「白色恐怖」的年代，而她的先生正是在那個年代的被害者，警察三天兩頭會上門「戶口調查」，她養成隨身帶個小包包，裡面隨時放著身分證的習慣。

現在什麼都忘了，就忘不掉恐懼！

黃老太太的先生是黃溫恭，出生在高雄路竹。父親是村長，也是當地的中醫。黃溫恭後來赴日求學，畢業於日本齒科專門學校，就是現在的日本齒科醫學大學。後來他被徵調到中國東北去當軍醫，因此也擁有外科醫師的執照。戰後回到台灣開業，是高雄路竹鄉唯一的牙醫。娶了小學老師楊清蓮小姐，生下一男兩女，後來搬到屏東，擔任春日鄉衛生所的醫師。黃醫師逃過戰爭，保全性命回到家鄉，又建立美滿家庭，本來應該過著幸福快樂的生活。

沒想到台灣先是發生二二八事件，接著國民政府撤退到台灣，台灣省政府宣布戒嚴令，開始了歷史上時間最長的戒嚴時期，也開始肅清「匪諜」的「白色恐怖」時期。而黃溫恭因為同學陳廷祥被捲入「叛亂」案，他也因此被捲入。當時抓人真的可說是用「捲」的，只要有點左傾思想，或被人誣陷是同學朋友的關係，一旦被「捲」到，就無辜犧牲，本省外省都有。1950 年代估計有四千多人遭到處死，八千人以上被判十年到無期徒刑。而黃溫恭被判定是「中共台灣省工作委員會燕巢支部的成員」，本來是判十五年，送到蔣中正手裡，改判死刑。

三十三歲的他在 **1953 年 5 月 19 日**，槍決前的夜裡，寫下了數封給家人的遺書。一封是寫給還未出生的女兒「春蘭」的：

最疼愛的春蘭　　1953.5.19 夜

妳還在媽媽肚子裡面，我就被捕了。父子不能相識！嗚呼！世間再也沒有比這更悽慘的了。雖然我沒有看過妳，抱過妳，吻過妳，但我是和大一、鈴蘭一樣疼愛著妳。春蘭！認不認我做爸爸呢？慕愛我嗎？慚愧的很！我不能盡做爸爸的義務。春蘭！妳能不能原諒這可憐的爸爸啊？

春蘭！我不久就要和世間永別了。用萬分的努力來鎮靜心腦，來和妳做一次最初而最終的紙上談話吧。我的這心情恐怕妳不能想像吧！嗚呼！臨於此時不能見妳一面，抱妳一回，吻妳一嘴…… 我甚感遺憾！長恨不盡！

春蘭！如果可能的話，爸爸希望妳做頂好的的律師。這是爸爸片面的妄想而已。可能的話是萬分湊巧的。但不可能的話，那不必勉強照這樣。

爸爸相信妳的身體、性質、頭腦都很好。我相信妳的將來一定是光明燦爛的。春蘭！妳不可因失了爸爸而灰心自暴自棄的秋蟬悲鳴，走入歧途。爸爸希望妳，克難、努力，成爲社會最有用的好人才，過著愉快而有意義的人生。

爸爸囑望妳好好的聽媽媽的教訓，和哥哥、姊姊要互相勉勵，協力。充滿著求知渴望的精神日日求進步。

爸爸非常誠懇的祝妳，健康！美麗！愉快！及無止境的進步！

嗚呼！離別的時間到了。連喊著妳的名——春蘭，春蘭，春蘭……爸爸瞑目而去了。

黃溫恭

再來一封是寫給兒子的：

最疼愛的大一　　1953.5.19 夜

一，你是我的寶貝！我如何疼愛著你，我相信你也知道吧。我不久就要和世間永別了。臨於此時不能和你做最後的話別，最後的擁抱，熱吻，我甚感遺憾！我的傷心眞是達於極點了。對於浮世我並沒有什麼留戀，唯一的留戀是不能親眼看到你的成器。一，你不可因失了爸爸而灰心，自暴自棄，走入歧途。一，我知道你的先天是很好，如果你的後天能夠配合的話，你的將來是非常的光明燦爛的。

如果你的數學之頭腦有辦法的話，我相信你適合做工程師。爸爸希望你做一個最能幹最有用的土木工程師，這是爸爸偏面的夢想而已，不必勉強照這樣。職業的選擇，對於哪一個人都很重要。我的失敗可以說選擇職業的錯誤而來的。

我不應該做醫師而應該做礦山工程師的。前車之覆轍可鑒。爸爸希望你徹底的檢討你自己的性質，才能，好好的選擇最適當的職業，向這個職業勇往邁進。

一，媽媽養育你是多麼苦的呀！她是很可憐的人。她和我結婚只有五年，其間我是窮的不得了。物質上，精神上，她一向都未能享福。失了我以後她獨力養育你們兄妹是多麼吃力的呀！我希望你們能做好孩子，聽媽媽的話，你是大哥，須要做兩個妹妹的好榜樣。感謝媽媽，安慰媽媽，幫忙媽媽，如果你們兄妹能夠做好孩子，我相信媽媽一定拼命的愛顧你們。媽媽是你們的，你們應該好好的奉侍媽媽。一，爸爸現在的心情你大概不能想像吧……

我的心窩兒，亂如麻，痛楚得如刺，如割，一切將要完了……過去的一幕幕在腦海裡依次的映著……抱你在路竹遊玩的街道……在春日和你餵雞鴨，一塊兒吃木瓜，甘蔗，鳳梨等水果……一塊兒遊玩的山坡……枋寮，水底寮……你最高興回去的家鄉……嗚呼！一切都如夢一樣的……兒童心理學明明有記載，教育上不可打，可是因爲修養不夠，爸爸打你好幾次……你有沒有恨爸爸呢？到今還記著，並且內心苦悶著……1952年6月下旬，因發脾氣要打媽媽，失手打到你右頭頂部，那個瘢痕是永久不會消滅的，同樣的我的罪惡也不會消滅的。一，你能不能原諒你可憐的爸爸啊？最後的時間到了。我希望你成爲有用的人材。爸爸很誠懇的呼喊祈禱你的健康！快樂！進步！我幻想著二十年後成人的你的偉姿瞑目而去了……我的寶貝！阿一！阿一！

黃溫恭

然後是寫給太太的：

留給心愛的清蓮　　1953.5.19 夜

永別的時到了。我鎮壓著如亂麻的心窩兒，不勝筆舌之心情來寫這份遺書。過去的信皆是遺書。要講的事情已經都告訴過妳了。臨今並沒有什麼事可寫，而事實上也很難表現這心情。我的這心情妳大概不能想像吧！

無奈只抱著妳的幻影，我孤孤單單的赴死而去了。我要留兩三點，奉達給最親愛的妳，來表現我的誠意。

蓮！我是如何熱愛著妳啊！這是妳所知道的。踏碎了妳的青春而不能報答，先去此世。唉！我辜負妳太甚了！比照著愛情的深切感覺得慚愧。

蓮！我臨於此時懇懇切切的希望妳好好的再婚。希望妳把握著好對象及機會，勇敢的再婚吧！萬一不幸，沒有碰到好對象，好機會，亦爲環境等而不能再婚的時候，妳也不必過著硬心、寂寞的灰色的生活。我是切切祈禱著妳過著幸福，快樂的生活。總而言之，妳需要邁進著妳自己相信最幸福的道路才好。

我的死屍不可來領。我希望寄附台大醫學院或醫事人員訓練機關。我學生時代實習屍體解剖學，得不少的醫學知識。此屍如能被學生們解剖，而能增進他們的醫學知識，貢獻他們，再也沒有比這有意義的了。以前送回去的兩顆牙齒，可以說就是我的死屍了。遺品也不必來領。沒有什麼貴重值錢的，預定全部送給難友們。謝謝妳的很多小包、錢、及信。對不起。嗚呼！最後的時間到了，緊緊的抱擁著妳的幻影我瞑目而去，再給我吻一回！喊一聲！清蓮！

黃溫恭

但是這些遺書，黃家人並沒有收到。當時是白色恐怖最血腥的十年。每隔一陣子就有一批人，大清早從牢裡押出，立刻送到刑場槍決。

死刑犯在刑場槍決前、槍決後，都要各拍一張照片，送到總統府「備查」，證明要殺的人眞的已經被殺了。屍體由台北極樂殯儀館運走，通知家屬領回，期限三日。

來領屍體要繳大筆的「修補屍體槍口費用」，有些繳不起錢，或者當時在外地，交通不便，來不及領回的，還有不敢來領的，外省人在本地無親無故，沒人領的，統統送去國防醫學院當教學材料。

事後再掩埋在台北市六張犁亂葬崗，共有三處。而死者的親屬多半深怕禍及幼小，從此噤聲隻字不敢提。只能心中暗自流淚、嘆息。

而黃溫恭未曾見面的女兒黃春蘭，當然對父親沒有印象，也不曾聽母親提起關於父親的事。直到她的女兒張旖容在 2007 年一場「二二八紀念基金會」主辦的文物展上，看到一份被槍決的政治犯名單，發現外公「黃溫恭」的名字。

她向國家檔案局申請外公的資料檔案，這才發現檔案中夾著五份遺書。檔案局本來不想歸還，經過兩年八個月奔走爭取，還開記者會，檔案局才退給家屬。

黃春蘭這才收到了父親寫給她的遺書，遲來五十六個年頭的父愛！而楊清蓮女士，也就是黃老太太，收到遺書時已經失智，連家人都認不得，當然聽不懂遺書的內容，更感受不到丈夫對她最後的愛！唯一在她腦中的殘影，竟是不可找不到「身分證」那深深、深深的恐懼！

這不是一家人，或幾家人的悲痛，這是一個時代的創傷。縫補傷口的第一步就是要「找到眞相」，「誠心正意」的找眞相。還有即使傷口縫補，也要時時檢視「疤痕」。

我們不能避開它，或任它隨時間而去。這樣下一個、下一個傷口還是會不時再出現。

5.20 意外的靈感

有的創意是「意外」想到的，有的是靠別人的意外。

1896 年 5 月 20 日，當天晚上巴黎歌劇院正在上演《特提斯與培雷》，演到第一幕快結束時，劇院的水晶燈突然墜落，不幸砸死一名看戲的婦人。

觀眾中有個人叫卡斯頓．勒胡（Gaston Leroux），他是個記者，這場意外激發了他的靈感。他開始去蒐集巴黎歌劇院的各種傳聞，作爲寫作的材料。1907 年他辭掉記者工作，專心寫作，爲什麼？寫《歌劇魅影》。1909 年 9 月 23 日，作品開始在報紙連載，廣受讀者歡迎。接著又被改編成歌劇、電影、音樂劇。《歌劇魅影》後來超越《貓》，成爲演出最多場次的音樂劇。

劇中最讓觀眾印象深刻的一幕，就是觀眾席上的水晶燈會突然掉下來，引起驚呼！當然這是特效，不會再砸死人了！這個意外是安排好的招牌橋段。

成功之路，你要自己走過，但有時可以搭人家的便車！

● 法國小說家卡斯頓．勒胡，代表作為《歌劇魅影》。

5.21 忠犬

古代人山盟海誓：「不離、不棄、不移、不易，天地合，乃敢與君絕！」這種境界，人，難做到！誰，做得到？

東京帝大農學院的教授上野英三郎有一條秋田犬名叫「八公」。八公每天會在大門送上野教授去上班，有時還會跟到涉谷車站。而上野教授回家時，八公也一定會在涉谷車站迎接他，然後一起回家。

1925 年 5 月 21 日，上野教授在學校突然病逝。那天八公還是如平常一樣去車站等人，等了又等，八公不知道已經等不到主人了。

所以八公還是每天定時去車站等，等不到人，晚了便回家。第二天同一時間再去車站等，這樣一直持續過了兩年。

後來，教授的家人把八公送給教授生前的好友小林菊三郎，八公雖然到了小林家，有了新主人，可是到上野教授下班的時間，涉谷車站就會出現八公的身影。八公一直在等教授下班！

這件事後來被朝日新聞報導，大家除了驚奇八公的靈性，更感念八公的忠心。

所以便在 1934 年 4 月 21 日，在涉谷車站外立了一尊「忠犬八公」的銅像。再來這天也該記住，1945 年 8 月 14 日，也就是日本宣布無條件投降的前一天，因爲打仗缺金屬，所以把八公的銅像拆了，熔化拿去鑄火車。當然拆八公銅像的人並不知道日本第二天就投降了！但就算日本沒有馬上投降，難道這樣不會太扯嗎？

可見人在戰爭中，會有多少荒謬的行爲，你眞的完全想像不到！

後來直到 1948 年，銅像才再重建，這就是我們現在在涉谷車站前看到的「忠犬八公」像。

● 八公死後，人們為牠舉行葬禮。

5.22 借用也是發明

創意有一條捷徑，就是把其他領域極成功、管用的東西，拿來借用、轉用，往往會產生很好的效果。領域越不相干，效果越大。

以前人刷牙，是有一罐牙粉，用牙刷沾滿牙粉，像沾鹽巴那樣，再放進嘴巴刷牙。牙粉使用、攜帶都不方便，最重要的是這樣沾來沾去，不夠衛生。

位在美國康乃迪克州，有一個牙醫名叫華盛頓．謝菲爾德（Washington Sheffield），他的兒子有一次去巴黎旅行，看到當地畫家在戶外寫生，用的是軟錫管裝的顏料，使用、攜帶都很方便。兒子回來後，告訴謝菲爾德這個見聞，激發了他的靈感。

1892 年 5 月 22 日，他成功發明了軟錫管裝的牙膏。這樣使用起來又衛生又方便，是牙膏革命性的改變。

但是牙膏這個成功的發明，卻和牙粉並存八十年之久，才全面取代牙粉。可見人要改變，有時真的像烏龜一樣慢。

不要以爲現在存在的東西都是理所當然，我們今日的幸福，都是昨日多少前人點滴累積的成果。

世界改變不是必然的，但必然有人想改變世界。

● 牙膏的發明人謝菲爾德

5.23 藝術的傳奇碰撞

總是說偉大的男人背後，一定有個偉大的女人。那偉大的女人背後，有沒有偉大的男人呢？

史蒂格利茲（Alfred Stieglitz）是美國現代藝術攝影的開山大師，他不僅是個藝術家，還是美國現代藝術的推動者。19世紀末來到20世紀初，歐洲的藝術產生極大動能，米羅、馬蒂斯、畢卡索……「未來的」大師輩出，但當時美國對他們很陌生，完全看不懂，對歐洲的現代藝術抱著懷疑和嘲笑的態度。這也難怪，如果沒有一點現代藝術的觀念素養，看到一個臉上畫兩個鼻子，或是彩色扭曲的變形蟲，當然會哈哈大笑或以爲是小孩亂畫。

史蒂格利茲就是把這些歐洲前衛的作品，和現代藝術的思潮引進美國的第一人。自然他也常受到冷水相潑，但他是一個熱情如火又有行動力的人，所以都能把潑在他身上的冷水加熱到沸騰！他寫作、出版雜誌，1905年他更開設了「291畫廊」。他的畫廊不只引進歐洲的現代名作，同時也支持美國本地的現代藝術家，常常以免費的場租和中間不抽佣，等於是義務贊助。因爲他能說善道，人緣極佳，所以能引領風潮，改變人們對現代藝術的視野。新銳藝術家只要經過他提點，很快就能受到關注，所以他發掘了許多現代藝術家，其中最主要的就是喬琪．歐姬芙（Georgia Totto O'Keeffe）。

歐姬芙的藝術天份從小就顯露出來。她在學生時代就經常獲獎，她讀的聖公會中學，在她畢業時，還把她的作品全部留下。她進入芝加哥藝術學院，成績也是數一數二。

1908年二十一歲的歐姬芙以朝聖的心情，來到紐約第五大道上291號的「291畫廊」，觀看羅丹的素描，見到了大她二十三歲的史蒂格利茲。那時她不知道這就是她未來藝術人生的導師，只是被他嚇壞了。因爲與歐姬芙一起去的兩個男同學，對羅丹的素描有些不以爲然，被史蒂格利茲狠狠教訓一頓。她不知所措只有儘量躲在一旁，恨不得鑽進牆壁，希望沒人看見她。

這一年，歐姬芙回到維吉尼亞州威廉斯堡的家裡，發現父親生意失敗，家裡沒錢供她繼續上學。於是她開始工作，接一些蕾絲設計圖案和廣告插畫來維生。過了一年，她得了痲疹，只好回家養病。這時她的媽媽得到肺結核，這個病在當時無藥可醫，只能靠休養。她雖然找到聖公會中學代課老師的工作，偏偏她那潦倒的爸爸，此時又精神失常……倒霉事全都一起來湊熱鬧。

通常要脫離這種灰暗人生，最好的方法是應該放棄藝術，找個好男人嫁了，踏實過一生。但歐姬芙在停止畫畫四年後，又重拾畫筆，進入維吉尼亞大學的藝術暑期班。在那裡遇到了好老師阿隆・比門特（Alon Bement），他教學生的概念和傳統不同，他不要學生臨摹別人的作品，他要學生多表現自己，強調「原創」。而且他用東方哲學來教育「少就是多」的觀念，要學生用眼睛去「直覺」，不要用腦去計算。這個啓發對歐姬芙未來影響很大。

1916年歐姬芙把她的畫作，寄給同樣是藝術家的朋友波莉澤（Anita Pollitzer），波莉澤把畫作帶給291畫廊，展示給史蒂格利茲看。「終於見到，女人能將自己的感覺畫出來。」史蒂格利茲非常感動，對波莉澤說：「你能代我寫信給她嗎？

告訴她，她是 291 畫廊創立以來，最純粹、最精緻、最誠摯的作品。我想幫她辦個展覽！」

1916 年 5 月 23 日，歐姬芙在 291 畫廊開辦個人首展。史蒂格利茲把外甥女的公寓借給她住，在經濟上給她支持，並且引導她展現自我，創造獨特風格。歐姬芙常自我懷疑，怕人們看不懂她的畫，史蒂格利茲就是她勇氣的靠山，鼓勵她不要怕，不要在意一般人的觀點，勇敢去走出不同的路。

史蒂格利茲還用自己的藝術能力投入歐姬芙的生命，他爲她拍了一系列的全裸照，驚豔藝壇，轟動一時，使歐姬芙聲名大噪。史蒂格利茲確實是公關高手，市場其實不懂藝術本身的價值，他們要的是知名度，只要畫家有名，畫得再怪也能炒高價格。他用藝術手段，巧妙炒高歐姬芙的知名度，避開一般商業的操作，使得歐姬芙保持藝術家的高度，讓市場仰首膜拜。

這樣心靈相通，惺惺相惜的兩個人，怎麼能不相愛？史蒂格利茲與歐姬芙陷入熱戀，像兩塊磁石，緊緊相吸。他因此結束原來的婚姻，與歐姬芙結婚。這段婚姻維持了三十八年，一直到史蒂格利茲去世。但兩人眞正在一起生活只有頭四年，後來又像兩塊同極的磁石，彼此相斥。

歐姬芙越來越受歡迎，她覺得不能有婚姻生活的負擔，於是她經常旅行尋求靈感。後來她長期住在新墨西哥州靠近沙漠的好友家，果然又創作一系列以獸骨爲主題的作品，得到更大的肯定。而史蒂格利茲漸漸覺得歐姬芙已經偏離他預設的軌道，他希望她追求的不只是「成功」，而是「偉大」。

他認爲她已經受市場擺弄，他對她的獨立有複雜矛盾的感受。「眞不敢相信，你已離我遠去。你現在是在自己的國度中了！」

歐姬芙雖然成功的走出自己的路，但她最在意的還是史蒂格利茲的看法，因爲她氣的是他另結新歡，但她知道他那一針見血的洞見，仍是最容易深深刺傷她。

沒有史蒂格利茲在背後，世界可能會錯過歐姬芙的光芒四射；沒有歐姬芙的耀眼，人們可能忽視史蒂格利茲的貢獻。他們兩人的恩怨、愛憎是藝術史最傳奇的碰撞！

● 史蒂格利茲為歐姬芙拍的照片

● 現代藝術攝影大師史蒂格利茲

5.24 遲到了七十年的愛

感情，經過時間的打磨，會顯出深沉的光亮。

湯馬士・瓊斯（Thomas Jones）是二戰時美軍的下士，1944 年他在帛琉被日軍狙擊手射殺。他嚥氣前，最後的遺言是把他的日記本交給女友蘿拉・瑪黛維絲（Laura Mae Davis Burlingame）。

請把我的日記交給我深愛的女孩，蘿拉・瑪黛維絲。

Please give my diary to Laura Mae Davis, the girl I love.

湯馬士和蘿拉是高中同學，男的是籃球校隊，女的是啦啦隊長，在鄉親眼中很登對。在畢業舞會後，蘿拉收下了湯馬士的畢業戒指，作爲定情之物。湯馬士從軍後，整本日記寫滿了對女友的愛戀。

但是湯馬士的遺願卻沒有達成，因爲他的父母認爲如果蘿拉拿到日記本，對她會是沉重的感情負擔。他們的兒子已經犧牲，不需要再多一個人受害。果然蘿拉在一年後嫁人，共築新家庭。

時間點滴過去，七十年後，**2013 年的 5 月 24 日**，蘿拉已經九十歲了。這天她來到新奧爾良的二次世界大戰博物館，參觀二戰殉職將士的遺物紀念展。

她看到玻璃櫃中，放著一本日記本，夾著一張少女的沙龍照。心頭震了一下，她緩步向前，貼近玻璃，仔細一看，泛黃相片中的少女，正是蘿拉，正是她自己。

這本日記正是湯馬士原本希望交給她的遺物，他對她綿綿的思念和永遠不滅的愛戀！

蘿拉當下淚流滿面，這份愛雖然遲到了七十年，但終於送到了她的手中，湯馬士的願望總算圓滿實現。

不管是天注定，還是純巧合，都是最圓滿的結局。真實的世界也處處有快樂的結局！如果沒有，那就製造一個吧！

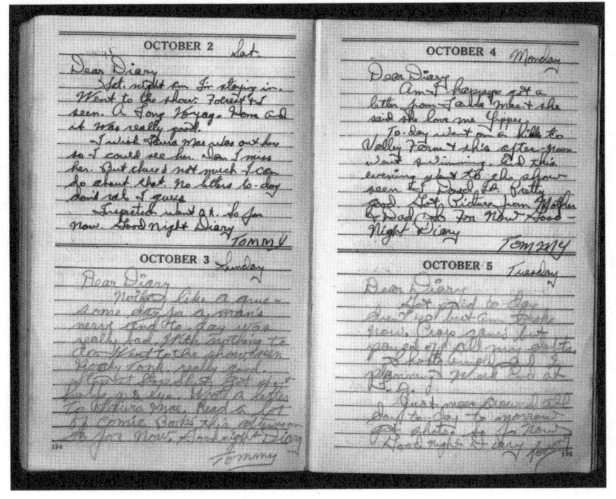

OCTOBER 2 Sat.

Dear Diary

Went to the show.

It was really good.

now. Good night Diary

TOMMY

OCTOBER 3 Sunday

Dear Diary

Nothing like a ...

So for Now. Good night Diary

Tommy

OCTOBER 4 Monday

Dear Diary

Night Diary

TOMMY

OCTOBER 5 Tuesday

Dear Diary

Good night Diary

194

195

●事隔七十年後，蘿拉終於看見湯馬士留給她的日記。

5.25 黑暗中看見頂峰

人要活得快樂，一是忘記過去，二是不知道未來。

如果你每件事情都記得，打一巴掌，痛一輩子；失戀一次，難過一生，那可不行。反過來，如果你已經知道未來會倒霉，未來沒有光明，只有黑暗，那你現在怎麼能快樂？

把眼睛閉上，想像你是爲人父母，如果知道孩子未來會完全失明，該怎麼辦？

艾力克・偉漢梅爾（Erik Weihenmayer）小時候被診斷出患了「視網膜剝離症」，這種病就是隨著他一天天長大，視網膜會一點點剝離，直到完全失明！他的父母如同腦袋被雷電重擊，心如刀割。從此，艾力克的媽媽對他特別嚴格，家裡的東西擺放在哪裡，都要他記得一清二楚。用過的東西一定要立刻歸放原位，只要一疏忽，就被處罰。

可是媽媽對艾力克的哥哥完全是兩樣，哥哥拿什麼東西都不用歸位，媽媽是慈愛又溫柔。所以小艾力克心裡很不平衡，他不明白媽媽爲什麼對哥哥這麼好？對他這麼兇？他感覺媽媽討厭他，所以他內心滿是怨恨。

到了艾力克十五歲時，他被黑暗籠罩，完全瞎了，什麼都看不見。媽媽給了他一根拐杖，要他拿著出去外面走走。烏雲也封閉了艾力克的心，他把拐杖折斷，整天悶在家裡，一步也不踏出家門。

有一天，快遞來按門鈴，家裡正好沒人。艾力克出來應門，然後順手拿起身旁的原子筆，在收單上簽字。快遞員有點遲疑的問他：「請問你的眼睛看得見嗎？」艾力克搖頭。

「那你怎麼能像正常人一樣行動自如？」快遞員的驚訝，像一陣風吹散了艾力克心中的烏雲。他霎時明白媽媽爲什麼對他如此嚴格。爲的是提早準備將來有一天父母不在，他也能獨立！

艾力克拿起媽媽爲他新準備的拐杖，踏出家門走出去，不再封閉自己。他想起自己長久以來對媽媽的怨恨，更令他感受到媽媽無盡的愛。他決定不只要做所有正常人能做的事，還要超越一般人，做看得見的人也深感困難的事，來證明自己的能力，回報媽媽。

他開始學攀岩，很快成爲攀岩的高手。特別他是個盲人，當然更受注意。這時，他的媽媽突然去世，艾力克傷痛之餘，立下一個宏願，他要登上世界第一高峰，用這個成就來紀念母親。

登世界第一高峰，對正常人都是大挑戰，何況是一個盲人！幸好，他有許多登山好友支持他，他們合力製作聖母峰的精密模型，讓艾力克用手清楚記下地形。還有不同拉力的繩索、鐵鎬，更重要的是鍛鍊登頂的體力。

登聖母峰還有一項大考驗，就是登山途中會有很多巨大的冰裂縫，如果失足摔進冰縫，那就死定了。而跨越冰縫，唯一的方法就是架梯子，爬過去。所以艾力克反覆練習再練習，熟練如何把腳踩在梯子上，如何使力穩健的通過。

終於，他跨過幾十個冰縫，還克服了陡峭的冰壁，雖然受到高山症的影響，但他以超強的意志和耐力，完全沒有拖累隊友，在**2001年5月25日**攻頂成功，成爲第一個站上聖母峰的盲人！

他當然不只登上聖母峰，其實他從1995年到2001年，登過了北美的麥金利山、歐洲的阿爾卑斯山、非洲的吉力馬札羅山、南美的阿空加瓜山，還有阿爾巴尼亞的結冰瀑布，他是當代登山界的傳奇。他也因此獲獎無數，主要的有美國最具勇氣運動員獎、ESPN 運動勇氣大獎。他現在利用登山，教失明的小孩學會用自己的力量克服困難，建立自信。

他說他在登上聖母峰的那一刻，耳邊響起母親跟他說的話：「人生，是自己創造出來的！」

是的，雖然艾力克的母親沒能看到他偉大的成就，是很可惜！但我相信在他媽媽辭世前，她已經清楚知道他的兒子將來會活得好好的。這對一個母親來說，跟成爲世界第一是一樣的！雖然她不知道兒子的未來，但她走時應該是安心、快樂的！

● 為了回報母愛，艾力克成為第一個站上聖母峰的盲人。

5.26 想清楚你不要什麼

有人問米開朗基羅：「請告訴我成爲天才的秘密，你如何創造出大衛像這個傑作中的傑作？」

「很簡單，我去掉不屬於大衛的一切。」

是的，米開朗基羅沒有雕大衛像，他是把大衛從石頭中解放出來。有時候別想你要什麼？想清楚你「不要什麼」？也會找到人生的路。

談起蘇珊·桑塔格（Susan Sontag）如果你愛看小說，你一定知道她的《火山情人》The Volcano Lover。這本充滿美學概念和收藏心理的歷史傳奇，是長期佔據排行榜的暢銷書。

還有她的《在美國》In America，這本引起強烈爭議的小說，爲她得到美國國家書卷獎。

如果你喜歡攝影，一定不能錯過她的《論攝影》On Photography，她深刻的討論攝影的本質、攝影與藝術的關聯，至今仍被譽爲「攝影界的聖經」。

如果你熱愛電影，一定對她演過的《食人族二重奏》Duett för kannibaler 和《應許之地》Promised Lands 不陌生。如果你迷舞台劇，應該知道她導過米蘭昆德拉《雅克與他的主人》Jacques and His Master 的世界首演。

如果你擁護女性主義，那你當然知道她和西蒙波娃（Simone de Beauvoir）、漢娜阿倫特（Hannah Arendt）並稱文化界三大傳奇女性。

更重要的是，她的評論《假仙筆記》Notes on "Camp"，被美國新聞協會選爲 20 世紀的百大重要文獻。她的文集《反對闡釋》Against Interpretation、《重點所在》Where the Stress Falls …… 每一本作品都是文壇的焦點，她談論的主題很廣，包含解構主義、法西斯、色情文學、流行音樂、當代藝術、國際糾紛、戰爭動亂，而且都有獨到的論點，敢和主流聲音唱反調，提出深刻省思，所以也被譽為「美國公眾的良心」。

她身分如此多重，不只在文壇耀眼，在流行界、娛樂圈也如明星般備受注目。其實她差一點就成為一個鑽研學術的學者。她從小成績就很好，一上小學就跳級讀三年級，十五歲就進了加州大學柏克萊分校。

1949 年 5 月 26 日，十六歲的她在柏克萊分校圖書館，翻閱英文系的論文，看到像是《伏爾泰作品中「你」與「您」的用法》、《布萊特．哈特在報刊上的作品總目》，看到這些艱澀冷僻的學術題目，她對學術能在無聊、無趣的東西大作文章，感到非常驚恐。她頓時對傳統學術失去熱情，發誓絕不要成為助教、副教授、教授 …… 那種學究。

所以即使她有優秀的成績，但從那一天開始，她下定決心要遠離學院生活，做一個有獨立聲音、反抗集團利益、為良心說話的人。因此成就了後來的蘇珊．桑塔格。

桑塔格說：

我有一種道德感，不是因為我是一個作家，而是因為我是一個人。

我反對庸俗，我反對道德、美學的膚淺和漠不關心。

我是好鬥的審美家，不閉門造車，我沒有準備那麼多宣言，但我壓抑不住！

新奇有趣的事物，當然會激起你的好奇，反過來腐朽無聊的東西也不是沒用，它會讓你知道人在醬缸中有多可怕，因爲害怕而逃開，進而找到美好之路！

●美國著名作家及評論家蘇珊·桑塔格

5.27 番茄融化仇恨

「恨需要學習，既然人們可以學會恨，那麼同樣可以教會他們愛。愛比恨更容易走進人的內心！」

羅本島在南非開普敦的西北邊，那裡有很大的採石場。

在採石場做苦工的不是採石工人，而是關在羅本島監獄的囚犯。

1963 年 5 月 27 日，納爾遜第一次來到羅本島監獄。他被關進一間不到一坪半的牢房，一天囚禁二十三小時，只有上午、下午各有半小時放風。他看不見羅本島的太陽，唯一見到的光，就是頭頂上那盞昏黃，透著死亡訊息的小燈泡。

不久，他被移監。隔年的 6 月 13 日，他再度回到羅本島監獄。這次他是以無期徒刑的重犯身分被送來，他將永遠被監禁在羅本島。他失去了名字，得到一個囚衣的號碼「466」。

466 被安排每天去採石場做苦工，這次他看到羅本島的太陽了。但是陽光照射在石灰石上，產生強烈的反光，每天看著刺眼的白光，長時間下來，他的視力逐漸下降。

雖然他視線模糊，但他清楚看到獄警動不動就揮舞皮鞭，往人犯身上抽。然後在模糊的血肉上潑辣椒水！

哀嚎、呻吟穿進他的耳中，像禿鷹在他腦袋上盤旋！

在這樣的人間地獄，學會恨還不容易？但 466 的身體已經失去自由，他不想讓他的心也被恨所囚禁。利用一次放風的機會，他向典獄長申請，能否給他一塊土地，他想種菜。

當然立刻被否決，但 466 有的是時間，他不斷的申請要種菜園。終於在五年後，獄方同意在牆角邊，給他一塊狹長的荒地，還有番茄、辣椒、蔬菜的種子，看看他能搞出什麼花樣？

從此，他的世界不再只有白色的強光，還有紅色的果實、綠色的菜葉。他在採石場被反光傷害的眼睛，在菜園中得到舒緩。漸漸的，其他的囚犯也主動來幫他照顧菜園，這不只讓他們得到額外的食物，也消解他們的痛苦和壓力。

當然，466 會把收成的果實，送給獄警享用。監獄的氣氛開始變化，無端的虐待、毆打，隨著菜園日漸茂盛，也跟著減少。拿過囚犯所種番茄的手，再要拿起鞭子，可就無力揮動了。一個獄警說：

「每當我衝動的舉起鞭子時，我就想到這是一群曾送我番茄吃的人，我的眼裡看到的不是囚犯，而是想起我自己的家人！」

466 在這裡種了十八年的菜園，直到他離開。

羅本島因他的番茄而改變，從冷酷火熱的地獄變成和平融洽的人間。466 不只在種植菜園，他是在耕耘人心！他的全名叫納爾遜・曼德拉（Nelson Mandela）。

是的，466 就是當代最偉大的人權鬥士、良知的導師「曼德拉」。

● 曼德拉在羅本島的牢房

●羅本島監獄採石場

5.28 撫慰人心的魔力

把自己當作種子，種入土中，大地會為你開出一片花。

南斯拉夫是二次大戰後，由強人狄托（Josip Broz Tito）所建立的新國家。它有「七個國境、六個共和國、五個民族、四種語言、三種宗教，兩套文字、一個國家」。

在狄托統治下，這個複雜的國家，內政相安無事，外交在以美國為首的「北約」和以蘇聯為首的「華沙公約」中間，左右逢源。

1980 年狄托去世，接著十年後，蘇聯和東歐的共產政權相繼垮台。南斯拉夫開始分裂，各邦尋求獨立，接著引發內戰。戰況最嚴重的就是 1992 年信奉回教的波士尼亞獨立之後，引發和信奉東正教的塞爾維亞之間的內戰。

塞爾維亞的軍備、火力比波士尼亞強得多，很快就占領波士尼亞六成的土地，包圍首都塞拉耶佛。這場戰爭最慘烈的是仗都是在城市中打，不只把好好的城市打成斷垣殘壁，最慘的是死傷的都是平民、小孩。

而且塞爾維亞的總統米洛賽維奇（Slobodan Milošević），高唱大塞爾維亞主義，所以他手下的軍人對波士尼亞平民毫不留情，男的都殺光，女的就強暴，搞「種族清洗」，所以特別慘重。

1992 年 5 月 27 日下午 4 點，有 22 個市民在塞拉耶佛排隊買麵包，忽然砲彈射來，一瞬間全部慘死。

第二天，**1992 年 5 月 28 日**下午 4 點鐘，一個身穿燕尾大禮服的男子，拿著大提琴，來到慘案發生的現場。他坐下來，為昨天無辜被殺的人演奏。

他叫史麥洛維克（Vedran Smailović），是塞拉耶佛歌劇院交響樂團的大提琴家。他對戰爭屠殺平民感到憤怒，他要在現場的街頭，連續演奏22天，表達對22位死難者的哀悼，和對屠殺的抗議。

他每天下午4點準時出現，同樣穿著正式，同樣聚精會神的演奏，完全不怕有槍彈、砲彈射來的危險。在他悠揚的樂曲中，背景卻是被戰火給破壞殆盡的建築，看來更令人悲痛。而他的勇氣和表達的方式，更令人動容。

美國《時代雜誌》報導了他的故事，西雅圖的藝術家貝莉絲・波哲（Beliz Brother）讀到報導後，組織了22位大提琴家，在西雅圖22個公開場所，演奏大提琴22天。

最後一天，全部22位音樂家集合在同一個地點演奏，背後商店的櫥窗裡面，展示燒焦的烤盤，盤中放著22條麵包，還有22朵玫瑰花。

另一個十二歲的男孩傑森・考爾（Jason Crowe）募款籌辦了一場音樂會，名為「大提琴仍在泣訴」The Cello Cries On，由21位大提琴家共同演奏，舞台上一把空椅子，上面放了22朵玫瑰花，向人在塞拉耶佛的史麥洛維克致敬。他小小年紀，發自善心的動力不停，他籌劃多次和平活動，最後在塞拉耶佛慘案的麵包店前，建立「國際兒童和平」的雕像。傑森在2000年獲頒「文化和平獎」。

以美國為首的北約組織，在各方壓力下，決定干涉波士尼亞戰爭，在持續空襲塞爾維亞軍隊三個禮拜後，在1995年壓制結束這場慘無人道的內戰。

統計南斯拉夫一連串內戰，死亡超過二十萬人，三百萬人無家可歸。而造成這個重大人禍的米洛賽維奇，在 2000 年被塞爾維亞人民轟下台，2001 年被捕，移送到海牙的國際法庭，以「戰爭屠殺罪」、「違反人道罪」受審，是第一個被送上國際戰爭罪法庭的國家領導人。這個被稱為「希特勒之後，最危險、最瘋狂」的「巴爾幹屠夫」，在 2006 年死在荷蘭海牙的獄中。

● 史麥洛維克以演奏表達對死難者的哀悼，和對屠殺的抗議。

5.29 賊也是英雄

善惡如同一個銅板，我們看到朝上的那一面，但底下永遠壓著另一面。

騙人詐財是不道德和犯罪的行爲，但如果被騙的是十惡不赦的壞人呢？對壞人做壞事，是不是反而是好事？

納粹第二號人物戈林（Hermann Wilhelm Göring），於戰後 1945 年 5 月向盟軍投降。隨後被送到紐倫堡進行審判，他是紐倫堡戰犯大審中位階最高的納粹將領。戈林除了被指控各項戰爭罪，還有一條惡行。就是德國每占領一個地方，他就趁機大肆搜括藝術名作，把別國的國寶占爲己有。

所以在戈林被捕後，**1945 年的 5 月 29 日**，一個叫米格倫（Han van Meegeren）的荷蘭畫商在阿姆斯特丹也被抓了起來，罪名是「通敵」。因爲他把荷蘭的國寶賣給戈林。

希特勒也喜歡收藏藝術品，他最喜歡的畫家是十七世紀荷蘭的維梅爾（Jan Vermeer）。維梅爾的作品都不大，題材都是日常生活，畫中通常只有一、兩個人物，最大的特色就是他捕捉光線的生命力，你可以從畫中看到光線像音樂般流動，如眞珠般晶瑩閃動，感受到刹那變永恆。最著名的作品有《倒牛奶的女僕》、《手持水瓶的年輕女子》、《讀信的藍衣少婦》、《戴珍珠耳環的少女》。但維梅爾傳世的作品很少，知道的只有四十幅。希特勒死搜活刮，也只到手兩幅。

上面有愛好，底下的人跟著仿效。希特勒說好，當然就是寶。所以當時納粹頭子個個都想得到維梅爾的作品。戈林當然也是希特勒的跟屁蟲，所以他千方百計的搜，終於讓他搜到一張維梅爾早期的作品《耶穌與通姦的女人》。這張畫是誰賣給他的？對，就是米格倫。米格倫等於是把荷蘭國寶賣給敵軍頭子，幫忙敵人盜取國寶，這就是賣國通敵，是「荷奸」。這條罪是會判「絞刑」的。

米格倫入獄後，辯稱他確實有賣維梅爾的畫給戈林，但他沒有通敵，因爲他賣給戈林的畫是「假的」。所以他不算荷奸。檢察官當然不相信，這一定是米格倫的脫罪之詞。但米格倫說：

「不相信，我可以畫給你們看，因爲假畫是我畫的。」

於是他就在大牢中畫起畫來，獄方照著他的要求，買來他需要的顏料、畫筆、畫布，給他作畫需要吃的好酒好菜。果然他不是吹牛亂蓋，他確實有兩把刷子。他不只畫得像維梅爾那般好，而且他因爲要宣稱這是這是維梅爾早期的作品，還故意畫得比維梅爾後來的成名作「生硬」，就是故意壞差一點，這樣才有進步的「空間」和「想像」。

這樣更好賣，維梅爾早期畫過什麼，眞的沒人知道。最最重要的是，你要收藏跟偉大領袖一樣的愛好，怎麼可以收一幅跟他比美的作品呢？當然要收「差一點」的，這樣表示你和領袖的眼光一樣，但永遠不及他。否則拍馬屁不成，反而拍到馬腿，那下場一定比吃馬糞還慘。

米格倫還透露，他都是去買古代留下來的爛畫，刮去畫布上的油彩，用當時的畫布來畫畫，這樣檢驗材料就能蒙混過關。時間久了，油彩會變硬，所以他會添加幾種配方混進新油彩，之後，會把畫再送進烤箱烤一烤，油彩就會變硬，不同年代要用不同時間烤，他堅持不講出配方是什麼？要烤多少時間？他越講越得意，講出還有三幅被博物館收藏的維梅爾作品和其他一些名畫都出自他的手筆。

法官這下相信他，撤銷他通敵賣國的罪名。米格倫從荷奸搖身一變，成了愛國英雄。因爲他騙倒了納粹頭子，削了戈林五十萬美金。這筆錢在當時可不得了。雖然你騙的是壞人，但還是「騙」。所以法官改判他「僞造藝術品」罪，刑期一年。

回到戈林這一邊，據幫戈林辯護的律師後來敘述，當他告訴戈林他買的那張《耶穌與通姦的女人》是假的，戈林好像被閃電擊中，目瞪口呆直呼這世界實在太邪惡了，他從來不曾遇到如此不道德的事。

你看，罪孽深重的人，遇到不道德的對待，他也會感覺世間沒有天理！

戈林當然被判死刑，是絞刑。但戈林要求「槍斃」，他要死的像一個軍人。吊死太不英雄，有點難看。法官駁回他的要求，所以戈林後來偷偷服毒自殺。自殺前還寫下遺書，告訴法官，毒膠囊是他入獄時自己偷帶在身上，其中兩顆被獄方搜出，第三顆他藏得太好，沒搜到。所以都是他的錯，請不要處罰看管人員。

你看，有些人就是「小善」他挺在意，忘了自己做下的「大惡」。據他律師說，戈林知道畫是假的，兩天後就自殺了。而當時他的遺書已寫好了。反正不管怎樣，戈林知道自己畢生最得意的收藏竟是假畫，在他人生的最後又挨了一記重拳，讓他萬念俱灰。

米格倫是逃過死刑，只關一年就可出獄，但他被宣判後不到三個月，就心臟病發死在獄中。眞的沒有人害他，因爲獄方有讓他多次保外就醫。而且他此時已是荷蘭的民族英雄，誰要害他呢？只有一個可能，就是以前跟他買「買畫」的人吧！

●米格倫仿造的維梅爾作品《耶穌與通姦的女人》。

●納粹二號頭子戈林

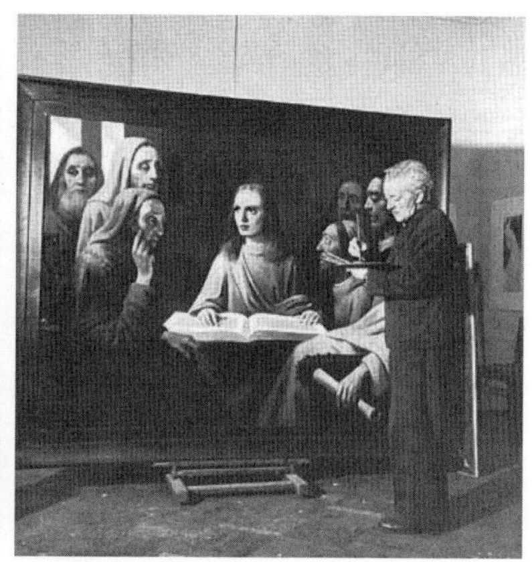

●正在仿製維梅爾畫作的米格倫

5.30 因爲愛

信念，就是當你看不見前方的路，看不見下一段階梯，還讓你勇敢踏出下一步的力量。

三芥子酸甘油脂（glycerol trierucate）、三油酸甘油酯（glycerol trioleate）這是什麼東西？我跟你一樣不知道。一看就是化學專家的事，讓人頭大，跟我們無關吧！

奧古斯都（Augusto Odone）和蜜雪菈（Michaela Odone）兩夫妻，本來跟你我一樣，跟上面這兩樣東西是陌生人，但是他們因爲命運的無情，而變成由這兩種東西合成的「羅倫佐的油」的爸爸和媽媽。

六歲的羅倫佐（Lorenzo Odone）突然跌倒，他不是腳步踩空，而是罹患 ALD，這是一種基因突變引發的疾病，它會破壞神經系統和大腦，醫生斷定他不出兩年會死亡。

羅倫佐的父母奧古斯都和蜜雪菈帶他看遍名醫，結論都一樣。就是孩子沒有救，只能等死，而且會死得很痛苦。奧古斯都和蜜雪菈看著兒子一天天癱瘓，最後如同植物人，心中劇痛像被利刃一刀一刀割。

求醫無用，他們決定自救。兩人輪流照顧兒子，輪流到圖書館、醫學中心查資料、讀資料，遍訪世界的醫生，聯絡有相同難題的家長。在他們不眠不休的奮鬥下，發明了一種從橄欖油和油菜籽油提煉，把三油酸甘油酯和三芥子酸甘油脂以四比一的比例混合的油，讓兒子服下，結果成功控制住病情，沒有惡化。

可惜他們發明這個「羅倫佐的油」時，兒子已經完全癱瘓，無法恢復，但仍然保有意識。雖然兒子來不及使用，但「羅倫佐的油」卻救了其他無數的兒童，可能患有 ALD 的孩子，只要早期服用，就能預防病發。但一旦發病，就只能控制，不能治癒。但能控制病情就是其他父母的福音，只要保持住現況，以後就有機會。

這個眞實的故事，後來在好萊塢拍成電影就叫《羅倫佐的油》Lorenzo's Oil。電影情節並不誇張，事情本身過程其實更沉重、痛苦、艱辛。

2005 年 5 月 30 日，羅倫佐因食物卡在肺部，引起吸入性肺炎，而離開人世。他活了三十歲，比醫生預估的多活二十二年。而且他的死因與 ALD 無關。

奧古斯都把兒子的骨灰和妻子的骨灰葬在一起。羅倫佐還比媽媽多活了三年，蜜雪菈在 2005 年去世。因爲她的信念，她終究沒有白髮人送黑髮人。相信她過世時，仍然帶著兒子有一天會好起來的希望離開！

「羅倫佐的油」沒有信念是做不到的，因爲得這種病的孩子是少數，政府、藥廠、醫院不會爲他們投入資源，因爲賺不到錢。他們才不管「羅倫佐」或是「羅伯托」會因此失去健康、生命，因爲那不是他們的孩子。

反過來，出於愛孩子的信念，讓奧古斯都和蜜雪菈從醫學門外漢，成爲專家中的專家，創造了奇蹟，拯救了後面無數孩子的生命。

5.31 挫折其實是轉折

愛迪生發明燈泡，試了二千種金屬，才找到鎢絲可以發亮又不會燒掉。別人問他：「試這麼多次都失敗，不會感到挫折嗎？」

「不會，因爲每一次失敗，都讓我又發現一種金屬不能做燈泡。」

能實現夢想的人，一定有樂觀的性格。他們的思考語言是「有可能」，沒有「不可能」。

因爲相信世界會改變，他們才會改變世界。

「挫折」對他們來說，不是失敗，而是「路標」。是告訴他這條路不通，但走其他路可通！

一個人二十歲在家裡車庫，和兩個傢伙創辦一個三人公司。不到十年，公司一飛沖天，變成市値二十億美金，四千人的大企業。他三請四請，挖來另一個大公司的行銷大師，以爲老虎加翅膀，世界無法擋。

沒想到他請來的專業經理人，和他意見對立，水火不相容，而他的股東更站到他的對面。一個人被自己創立的公司開除，世界上還有比這個更倒霉、更羞辱的嗎？

1985 年 5 月 31 日，蘋果公司的創辦人賈伯斯（Steve Jobs），被自己找來的總經理，約翰史考利（John Sculley）聯合董事會把他開除。史考利原來是百事可樂的總裁，賈伯斯對他說：

「你是要一輩子窩在這裡賣有氣的糖水，還是要跟我一起去改變世界？」

結果打動史考利，讓他投效蘋果。他來到蘋果後，沒有改變世界，但改變了蘋果股東對賈伯斯的支持，大家一致同意把賈伯斯開除，才能解決蘋果的問題。而且要斬草除根，賈伯斯連想留個辦公室都不行。

別人遇到這種打擊，不是跳樓也是發神經。結果賈伯斯卻得到他沒想過的放鬆，體會「成功者的沉重負擔沒有了，取而代之的是初學者的輕鬆」。

他在最低潮時，遇到眞愛，有了美滿家庭。還投入新事業，機緣巧合買下「皮克斯」，開創新高峰。然後在蘋果奄奄一息時，再回到蘋果，創造更大的奇蹟，改變世界，成爲當代最具影響力的人。

所以如果你遇到失意、失足、失敗，心情低落時，請你默念「賈伯斯」。只要你沒有比他更慘，怎麼會完蛋呢？

如果你比他還慘，那你能闖這麼大的禍，一定不同凡人。那還得了？如果再起，一定比他更成功！

所有成功的人，都有一個共通點，就是一定經歷過失敗。問題不是你失敗會怎樣？而是你怎樣看待失敗？

●賈伯斯曾被自己創立的蘋果公司開除。

6月

June

無論我們身在何處，

都不應該被困在原地。

因爲我們是人，

不是一棵樹！

人生最重要的不是我們置身何處，

而是我們將前往何處？

6.1 以賊騙賊

「怎樣？又發生竊案？」

「對，快煩死人！」

「這是這個月第幾起？」

「多到我都記不清了！每次碰到這種竊案，就得立刻趕到現場，收集證據，可是現在小偷沒那麼笨，現場根本找不到指紋、腳印。然後要找目擊證人，如果已經偷成功，哪會有人看見？」

「而且現在的人都怕麻煩，如果他說他看見什麼，還要來警局做筆錄，破案他又沒好處，他何必麻煩呢？」

「是啊，就算有點證據、就算有目擊證人，還要循線去抓。就算抓到，結果小偷也判不了多久。等於用大釣竿釣小魚，既浪費時間，又不划算！」

「等一下，你說釣小魚？」

「怎麼？有什麼不對？」

「不是，是太對。大魚是用釣的，小魚呢？」

「小魚？我不知道你是說……」

「小魚是用撈的，用網撈！」

「所以呢？」

「我問你小偷東西到手，他要幹嘛？」

「把贓物賣掉換錢啊！」

「對，他要銷贓。所以我們要從終端下手。」

「你是說追收贓客，這個本來就有做。但是收贓客不會跟我們合作……」

「不是，我們自己來做收贓客，讓小偷跟我們接線，讓他自己來找我們。」

「就是說，我們張開一個收贓漁網，小偷就會像魚一樣游進來。我們坐著等他們自投羅網嗎？」

「對！」

「這是好主意，但小偷有這麼笨嗎？」

「當然，他不笨幹嘛做小偷？難道來當警察？」

1993 年 6 月 1 日，英國警方成立代號「大黃蜂行動」，用不同名義在報紙上登廣告，專收二手電子品、二手珠寶，並且註明「不會過問貨品來源」。

果然廣告一登出，立刻吸引許多賣家上門，其中當然有一堆急著想銷贓的小偷。

一次行動不只讓警方抓獲許多竊犯，還追回二十七萬英鎊的贓物。

是的，欺騙善良的人，倍加可惡。欺騙犯罪的人，大快人心。魔如果高一丈，那道得要高十丈才行。

6.2 世界上最遙遠的距離

世界上最遙遠的距離，
不是生與死，
而是我站在你面前，你卻不知道我愛你。

世界上最遙遠的距離，
不是我站在你面前，你卻不知道我愛你，
而是明明知道彼此相愛卻不能在一起。

世界上最遙遠的距離，
不是明明知道彼此相愛卻不能在一起，
而是明明無法抵擋這股想念，
卻還是故意裝作絲毫沒有把你放在心上。

世界上最遙遠的距離，
不是明明無法抵擋這股想念，
卻還是故意裝作絲毫沒有把你放在心上。
而是用自己冷漠的心，
對愛你的人掘了一條無法跨越的溝渠……

這段在網上流傳的詩，都說是泰戈爾的傑作。我讀到時，是感動，但也冒出一個疑問，印象中怎麼沒讀過泰戈爾這首詩？我把泰戈爾的漂鳥集、新月集、採果集、頌歌集、園丁集、愛貽集、橫渡集，全部重讀一遍，果然沒有。忽然想起張小嫻好像有寫過類似的文句，是不是她讀過泰戈爾在其他地方寫的詩句，但並沒有收在他的詩集裡？

我有一次去香港，正好和張小嫻及她的老闆出版家麥成輝一起吃飯，席間我就問她：「泰戈爾這首詩，你是在哪兒讀的？」

張小嫻沒好氣的說：「這不是泰戈爾的詩，是我寫的，但我只寫了『世界上最遙遠的距離，不是生與死，而是我站在你面前，你卻不知道我愛你』這一段。後面是網路上別人接的。怎麼你也不知道？眞是世界上最遙遠的距離！」

我一邊道歉，一邊說：「果然，我就不記得泰戈爾有這一段嘛！」

那麼這一段所謂泰戈爾的名作是哪裡來的？原來是一個台灣某醫學院學生，署名 merlin，在 **1999 年 6 月 2 日**，用張小嫻所寫的第一段，在網上接著補上一段，有幾個同學在網上玩起接龍，共同創作這首詩。後來傳來傳去，傳成了作者是泰戈爾。

說實話，這詩雖不是名家所做，但卻接得極好，是動人之作啊！只是還有人寫信跟張小嫻抗議，說她抄了泰戈爾的詩，爲什麼不說？讓她小困擾。

傳言、傳言，傳得距離越遠，越容易失眞。但如果這詩不傳說是泰戈爾的作品，我們會感覺這麼好嗎？會傳得這麼廣嗎？

6.3 道德的交易

看一個人把錢用在哪裡？可以看出他的人格。

同樣的，看一個國家把錢花在哪裡？可以看出國格，知道國家追求的價值。

1992 年 6 月 3 日，德國聯邦議會舉行了一場公聽會，揭開了一項持續二十六年，高達八十億西德馬克的秘密花費。1961 年東德修建了柏林圍牆，成功的阻止了許多人逃向西德，但也因此引起國際對東德人權問題的關切。這時東德想出一個一石二鳥的招數，他們想把一些「政治犯」送到西德，但要西德秘密付錢，等於替政治犯贖身。一來可以降低國際壓力，二來又可以增加財政收入。

東德透過一個在西柏林的律師斯坦格（Jürgen Stange）向西德傳達這個意圖。西德政府立刻成立一個「教會事務 B 組」，由瑞林格爾（Ludwig Rehlinger）負責，任務是營救東德的政治犯，用什麼救？用東德最想要的東西，錢！

從 1962 年瑞林格爾開始和東德派出的代表，一個叫佛格（Wolfgang Vogel）的律師，進行談判。東德第一次交給瑞林格爾的名單有一千人，可是越談，東德願意放的人越少，終於談成釋放八個人。再來是談錢，東德的概念是國家對人的栽培費，工人三萬，教師五萬，醫生要十八萬。最後達成西德付三十二萬馬克，交換八名政治犯。

瑞林格爾和斯坦格帶著一皮箱現金，坐火車進入東德，避過層層檢查，在一個不起眼的小站，把錢交給佛格，過程跟演諜報片電影幾乎一樣。

1963年10月2日，八名東德的政治犯，坐著一輛藍白條紋的巴士，從東德來到西德，重獲自由。這輛巴士從此變成了神奇的救命巴士。它在往後的二十六個年頭，共載運33755名東德政治犯來西德。

這些人都是瑞林格爾和佛格一次又一次的談判，一回又一回討價還價所達成的交換。最初四次是用現金交易，後來改變成用咖啡、可可、水果、小麥、石油、鑽石來交易，以避人耳目。瑞林格爾不只救出了三萬四千名政治犯，還將政治犯家屬多達二十五萬人救來西德。他前後二十六年，直到柏林圍牆倒塌，救援工作才停止。帳面花掉了三十四億西德馬克，加上其他打點開銷共八十億西德馬克。

瑞林格爾說：「這些被贖出的人，都是良心囚犯，沒有刑事案底，在道德上也是清白的。我們的目的是幫助這些人重新開始生活。在道義上，我們站在正義的一方。而我的談判對手佛格，他通過這些交易，成爲東德最富有的人之一：住豪華別墅，開昂貴的賓士。有人問他爲什麼會這麼有錢，他回答，爲什麼搞社會主義，就不能富有呢？不過，我認爲他是一位誠實的談判對手。他答應了什麼，都會兌現。」

佛格在東西德統一後受到司法審判。後來因爲他在救贖東德政治犯的交易中所做的貢獻，獲得釋放。他於2008年壽終正寢，終年八十二歲。他曾經評價自己說：

我的人生道路不白也不黑，應該屬於灰色的。

多年後的一天，當瑞林格爾在騎車時，突然後面有人叫他，是一對夫婦。瑞林格爾停下車，一個老人站在他面前，緊緊的擁抱著他，說：「瑞林格爾先生，是您救了我的命！」

他是賽德爾（Seider），是前東德著名的自行車賽車手。在柏林圍牆修建好不久，他就嘗試逃往西邊，並幫助別人從地道偷渡邊境，奔向自由。後來他被東德秘密警察的線人出賣，被判處無期徒刑。是瑞林格爾在 1966 年用一輪船玉米的代價，把他從東德監獄裡贖了出來。交易快成功的時候，東德政府卻出爾反爾。瑞林格爾威脅將載玉米的輪船停在布萊梅港，堅持要釋放賽德爾才發貨。東德政府被迫讓步，賽德爾才終於獲得自由。

但囚犯如果是東德迫切需要的專業人才，通常很難被列入交易名單。東柏林的女醫師薇維克（Renate Werwigk），她試圖追隨已經逃跑的兄弟，穿越一條隧道前往西德。東德秘密警察聽到風聲，薇維克和父母因此被判處多年監禁。

在她獲釋後，薇維克聯絡到佛格。佛格起初認爲她前往西德的希望渺茫。最後，佛格想出了辦法，他要薇維克再一次被囚禁。所以她故意用一本假護照，從保加利亞前往土耳其，失敗被捕後，1967 年再次入獄。一年後，西德釋放了一名東德間諜，並支付十萬馬克，終於將薇維克贖出。

沒錯，西德是經濟大國，是很有錢。但關鍵是他們怎麼花錢？爲什麼花？爲誰花？爲富有不仁，也有仁！

●瑞林格爾代表西德政府，營救東德政治犯。

6.4 駭客第一人

1903 年 6 月 4 日的下午，倫敦皇家科學院禮堂，擠滿了好奇的人們，會場安靜的連咳嗽一聲都像打雷，所有人都在屏息等待，觀看一場歷史性的科學展示。

台上是著名物理學家約翰．弗萊明（John Ambrose Fleming），對，他就是提出弗萊明左手定律的大師，就是你左手的拇指、食指、中指張開互成 90 度，食指就代表電動機磁場方向，中指是電流方向，大拇指是導體運動方向。那有沒有右手定律，有，右手是發電機，一樣把拇指、食指、中指張開 90 度，食指是磁場方向，中指是電流方向，大拇指是導體運動方向。記得「左電右發」就對了。

弗萊明今天是要展示馬可尼（Guglielmo Marconi）發明的無線電。

馬可尼是義大利的發明家，他是無線電通訊的先驅。他現在人在四百八十公里外的一座發射台，準備向皇家科學院發送訊號。他宣稱他的無線電裝置可以完全取代傳統電纜，來收發電報。時間短、成本低，而且距離多遠都不會遺漏。

更重要的是，他保證只要調到特定的頻率，別人就無法截取，絕對安全可靠。

馬可尼請弗萊明做顧問，爲他站台，想藉弗萊明的聲望來打響他的發明，所以安排了這場發表會。一切準備就緒，弗萊明正要講話，這時皇家科學院的接收器響了，

滴、滴、滴……

弗萊明本來以爲是馬可尼搞錯時間，提早發送電報，

R……A……T……S……R……A……T……S……

放在一旁的摩斯碼打字機打出了

Rats、Rats、Rats……鼠輩、鼠輩、鼠輩……。

接著打出了「有個年輕的義大利小夥子，他是個花言巧語的騙子」，然後又是一串莎士比亞的打油詩，都是在嘲弄馬可尼……，觀眾從驚訝，然後交頭接耳，到哈哈大笑。

過了幾分鐘，馬可尼的訊號才眞的發過來，弗萊明這邊的接收也是很順利，一字不差。是，馬可尼的發明跟他講的一樣有用。但有一點他就吹破牛皮，別人的訊號可以中途插進來，所以也可以把訊號在中途截走，無法避免被竊聽。

這是史上第一起「駭客事件」。

馬可尼和弗萊明被人惡搞，非常光火。但卻不知兇手到底是誰？弗萊明寫了一封投書到《泰晤士報》，稱這個惡作劇是「科學史上的流氓事件，是對皇家科學院優良傳統的羞辱！」他呼籲讀者幫忙來捉賊，一起揪出這個惡棍，我們現在慣用叫「駭客」和「肉搜」。

不久，《泰晤士報》刊出了「兇手」的來信，這個史上第一的駭客是誰？他叫內維爾．馬斯基林（Nevil Maskelyne），是一個魔術師。他也是出身發明世家，他的老爸發明過「投幣廁所」。他也對無線電鑽研很深，但因爲馬可尼申請了許多專利，害他研發的心血都白幹了。因此他懷恨在心，計畫這次報仇行動。

當馬可尼在 1901 年 12 月 12 日成功實現無線電橫跨大西洋時，他就投身馬可尼的對手公司，幫他們竊聽馬可尼的訊號，然後利用這次皇家科學院的「科學秀」，結結實實打了馬可尼的臉，表示他的無線通訊系統有很大的老鼠洞！

馬斯基林當時在英國小鎮波斯克西部海岸，設立了一座五十公尺高的天線柱，這是他駭客的武器，至今仍然保留在原地。

● 駭客事件的受害者弗萊明

● 馬斯基林是史上第一個駭客

6.5 湯姆叔叔的小屋

19 世紀最暢銷的兩本書，一本是聖經，而另一本是《湯姆叔叔的小屋》。林肯總統在見到這本書的作者哈里葉．史托（Harriet Beecher Stowe）時，大叫說：「啊，你就是那位寫了一本書發動這次大戰的女士！」

哈里葉小時候對文字就有特殊天分，她姊姊說她才五歲，就已經能背二十七首讚美詩和聖經裡長長的章節。而哈里葉自己卻不記得這些事，只記得她第一次看到《一千零一夜》這本書，就深深沉迷在其中，一讀就停不下來。

她的父親是一位牧師，後來從新英格蘭搬到辛辛那提，她因此認識了卡爾文．史托（Calvin Ellis Stowe），兩人墜入愛河，結爲連理。史托也是一名牧師，他欣賞哈里葉的文學天份，也很支持她寫作。但孩子一個接一個出生，哈里葉照顧孩子和老公都來不及，所以能寫的東西很少。

辛辛那提隔著一條河就是肯塔基，肯塔基屬於南方實施黑奴制度的州，也就是一條河分隔了黑人的天堂與地獄。1850 年美國國會在南北妥協下，頒布了《逃奴追緝法》，禁止黑奴逃往北方，並准許南方白人擁有追回黑奴的權利。

北方贊成廢奴的白人，爲了幫助南方黑人獲得自由，建立了秘密逃亡到加拿大的路線，稱爲「地下鐵道」。哈里葉的一家，爸爸、姊姊、弟弟、丈夫都是反對蓄奴的積極份子，所以他們家自然成爲「地下鐵道」的一站。

她在家中招待過很多逃亡的黑奴，親耳聽見他們講如何被殘酷壓迫的經歷，幾乎每次都聽到痛心流淚。她的姊姊不只一次對她說：「我如果像妳一樣會寫作的話，我一定要使全國人都知道，奴隸制度是多麼應該被詛咒的東西！」

有一天，哈里葉在教堂聽講道，突然腦中閃出一部小說的「結尾」，回家後立刻寫出來，就是「湯姆叔叔死去」……寫完後，唸給十二歲和十歲的兒子聽，唸完後兩個孩子已經泣不成聲，說：「噢，媽媽，奴隸制度眞的是世界上最殘酷的東西！」

兒子的反應讓哈里葉信心大增。她寫信給反對「逃奴追緝法」的《國家時代》，說想寫一個故事登在他們的雜誌：「我現在感到，該是時候了。連女人和小孩都應該要爲自由說句話了，人道精神應該發聲，我希望每個能寫作的女子都不要沉默！」

1851年6月5日，《湯姆叔叔的小屋》開始連載在《國家時代》，一出刊立刻造成搶購，各大報刊紛紛轉載。波士頓一個出版社來找哈里葉出書，她起先還覺得書很貴，沒有人會爲了這樣的故事花錢買吧？

沒想到出版第一年就賣了三十萬本，她收到的版稅超過他們夫妻三十年的收入。其實書不只賣三十萬本，因爲當時版權保護不週，至少有十六家出版社都拿去印，盜版的至少賣了一百五十萬本。後來被翻譯成十九種文字，海外賣多少本就算不清了。

這本最先完成結尾的《湯姆叔叔的小屋》，改變許多人的思想，推動了廢奴的風潮。北方各州立場越來越鮮明，也不再與南方妥協，雖然其中也有利益的考量，但道德的高度，還是解放黑奴最大的動力。

所以林肯在1862年11月25日，與哈里葉在白宮相見時，他才會脫口說出是《湯姆叔叔的小屋》引發了南北戰爭！這本書被舉世公認是改變美國歷史，最直接、最重要、最有影響的小說！

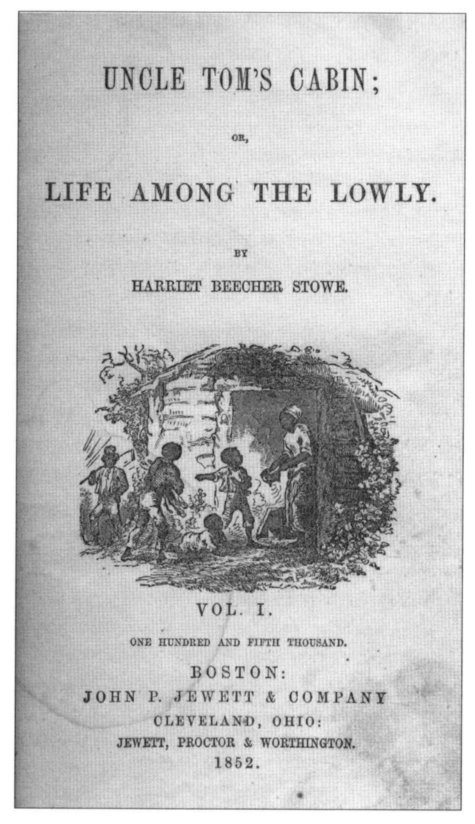
UNCLE TOM'S CABIN;

OR,

LIFE AMONG THE LOWLY.

BY

HARRIET BEECHER STOWE.

VOL. I.

ONE HUNDRED AND FIFTH THOUSAND.

BOSTON:
JOHN P. JEWETT & COMPANY
CLEVELAND, OHIO:
JEWETT, PROCTOR & WORTHINGTON.
1852.

● 《湯姆叔叔的小屋》的最早期版本。

6.6 六月六日笑斷腸

以前有部電影說的是「諾曼第登陸」，片名叫《六月六日斷腸時》，這個名字取得朗朗上口，所以一講到六月六日，很難不想到「斷腸時」。

所以這天來顛覆一下，找個好笑的來寫。

2014 年 6 月 6 日，英國《每日郵報》的網站刊出一則來自馬來西亞的報導，有一個叫昂（Ong）的男子，花了一百英鎊，相當台幣五千塊，在網路上買了一具「陰莖增大器」。

當他收到包裹，滿懷希望的打開一看，發現裡面放著一支「放大鏡」！

他氣壞、斷腸、報警，有用嗎？

當然沒用。警方說，同樣的案件，來報警的已經有好幾起。其中有男，也有女……

我們喜歡笑，也喜歡會讓我們發笑的事。但我們哈哈大笑，笑到斷腸，並不會對使我們發笑的東西產生一點敬意！

6.7 被丟出火車的大律師

世界上有兩種人，一種會在黑暗中清醒，一種會在光明中昏睡。

火車在南非的大地奔馳，列車長進入頭等車廂查票，當他拉開一間包廂的門，看見坐在裡頭的乘客，眉頭不禁皺成一團，說：

「喂，小子，你不准坐在這裡。」

「車掌先生，這是我的車票。」

「我說了，你不能坐在這裡，這裡是頭等車廂。」

「沒錯，我買的是頭等車票。」

「沒錯，你買的是頭等車票，但你不是白人，有色人種不准坐頭等車廂。」

「我是大英帝國的律師……」

「我不管你是幹什麼的？你最好馬上離開這裡，到三等車廂去。」

「我買的票是頭等，而且我是律師……」

「你怎麼聽不懂呢？你現在就給我去三等車廂，否則，別怪我不客氣……」

火車停在一個叫彼得馬里茨堡的小車站，律師和他的行李被丟出火車。

火車又啓動往前開，消失在寒冷的霧氣中。空蕩蕩的月台上寒風刺骨，孤零零的律師全身發抖。

這時他下定決心要「改變」。改變「種族歧視」、改變「不平等的殖民法律」。

這天是 **1893 年 6 月 7 日**，而這個瘦小的律師就是「甘地」。泰戈爾稱他爲「聖雄」。

這個事件改變了他，他改變了全世界。甘地有句名言說得好：「在這個世界上，你必須成爲你希望看到的改變。」

● 甘地因是有色人種，曾被趕下火車，讓他自此下定決心對抗種族歧視。

6.8 赤裸裸的殘酷

巨大、尖銳的音爆，割裂陰雨的天空，一架 A-37 攻擊機低空呼嘯，投下四枚炸彈，緊跟著丟下四枚汽油彈。

爆炸、火起、濃煙直竄上天。從黑煙中冒出五個狂奔的小孩，他們尖叫哀嚎。其中一個女孩，全身衣服被燒光，她赤身裸體沒命的向前跑。

二十歲的黃幼公本能的對焦、按下快門，這一瞬間，他拍下一張舉世震驚的照片，一張改變美國越戰決策的照片——《戰火中的女孩》。

黃幼公是典型的越戰受害者，因爲戰亂和貧窮，沒有辦法上學。1967 年，他的哥哥在西貢美聯社當攝影師，不幸遇難。他經過嫂嫂的介紹，進入西貢美聯社打雜，然後在暗房幫忙沖洗照片。當時美聯社有很多閒著沒人用的相機，他便學著拍照。有一次人手不夠，就把他也派出去採訪。

沒想到，他拍回來的照片，主管很滿意，從此他就成了攝影記者。那時他才十六歲，是最年輕的戰地攝影師。

1972 年 6 月 8 日早晨 7 點，黃幼公跟著兩位前輩出發去採訪，其中一個前輩是《時代雜誌》赫赫有名的大衛．伯耐特（David Burnett）。他們快到目的地時，看到一架 A-37 丟下四顆炸彈和四顆汽油彈，汽油彈沒有擊中目標，反而炸中躲在一間破廟裡的平民，情況慘到不行。他們看見一個媽媽抱著自己被炸死的小孩痛哭，在場的記者抓住機會，猛拍這位母親。

這時從濃濃的黑煙中，跑出五個小孩，其中一個女孩衣服被燒光，全身嚴重灼傷，她邊跑邊叫。而所有人剛剛爲了拍那悲痛的母親，膠卷都用完，正在換底片。只有黃幼公相機裡還有底片，他用他的萊卡 M2，抓住這驚天一瞬，拍下照片。而伯耐特以最快的速度裝上新底片時，小女孩已經跑過他們，被兩個大人用毯子包住、抱住，他只拍到背影。

這張照片登上《紐約時報》的頭版，各大媒體紛紛轉載。全身被燒傷的裸體小女孩，沒有比這更鮮明的揭露越戰的殘酷、荒謬和泯滅人性。

本來此時越戰經過長期的爭論、無休止的互相指責，美國人民已經被搞得有點麻木不仁，想避之唯恐不及。本來已疲乏的良知，又再一次被重重敲醒，掀起一波更大的反戰浪潮，促使美國決定退出越南，使越戰提早結束。

黃幼公也因這張照片得到普立茲獎。

「這張照片確實完全改變了我的人生。我當初加入美聯社才十六歲，四年後，我因爲這張照片而變得家喻戶曉。之後各種獎項也紛至沓來，我的照片在接下來的三十多年中被世人不斷提起，而我也感謝這張照片，它讓我認識了更多不同的人，走了那麼多地方，特別是當我看到美國退伍老兵說起這張照片熱淚盈眶的情景，我覺得自己收獲了很多。

也許對別人來說，這只是一張反戰的照片，然而對我來說，它卻是我一生的寫照。」黃幼公接受採訪時說。

妙的是，三十五年後的同一天，2007 年 6 月 8 日，五十六歲的黃幼公寶刀未老，看到芭莉絲・希爾頓要被抓去坐牢，從家裡走出，坐上車子，回首從車窗望著自己家，突然淚崩，黃幼公此時一個人正好跑到大批記者站立的馬路對面，又舉起相機，按下快門，拍到唯一一張芭莉絲淚眼矇矓的照片，再度技驚新聞界。

當然大家更津津樂道的是，6 月 8 日真是黃幼公的幸運日，能在同一天拍到兩張世界名作，

●黃幼公拍下《戰火中的女孩》，因而得到普立茲獎。

6.9 愛心紅豆餅

發光閃亮的不全是黃金，慷慨高貴的常不是富豪。

鄒樹，家在南投。靠賣紅豆餅、牛奶餅、芋頭餅賺錢，養育四個子女長大。有一天，他看到報紙上寫，在國姓鄉港源國小有一對羅姓的姊妹，爸爸中風、媽媽得到癌症，生活十分貧困。他於是開著紅豆餅的攤車，跑到港源國小，想送一筆慰問金給這對小朋友，幫幫她們。

他車子開到那裡，發現山區的小學地方偏遠，沒有什麼商店，攤販也沒見到。小朋友連零食都買不到、吃不著。

於是他把攤車上所有材料，全拿來烘焙，做成一個個香甜的紅豆餅，免費請孩子吃。看到孩子吃得歡天喜地，他也非常快樂，便和小朋友約定，下次一定會再帶更多紅豆餅來請大家吃。

從此，他就固定在幾個國小巡迴，請小朋友吃紅豆餅。後來他把紅豆餅加上獎勵功能，就是小朋友要考試得一百分，才有紅豆餅吃，一科一百分得一個，兩科一百分就可以吃兩個。既能佈施愛心，又能激勵學生功課進步。

1999 年 9 月 21 日，南投發生大地震，他的房屋也被震垮、全毀。他用了十五萬元買了兩個貨櫃當家，繼續生活，繼續巡迴國小請小孩吃紅豆餅。

2003 年 6 月初，不知道是哪個不長眼的小偷，把他的攤車偷走。這下他失去生財工具，而他更惦念想吃紅豆餅的孩子們。幸好中華汽車與匯豐汽車從報導中知道這件事，於是也起善心，決定捐贈一輛與先前遭竊同款的全新威利貨車給他。這一個舉動引起連鎖反應，一位住在台中的張碧娥女士也捐出全套的紅豆餅烘焙工具。

2003年6月9日，捐贈儀式在南投信義國小舉行，「紅豆伯」又可以爲孩子烤紅豆餅，請他們享用。

多年來，鄒樹的足跡遍及中南部的山區、濱海各個偏遠小學，他的紅豆餅在三百多所國小飄香。

鄒樹平常賣一天紅豆餅，賺不到三百塊，跑一趟國小，光油錢就要花掉五百多塊，所以要做兩天生意，才能圓一趟孩子們的紅豆餅夢。這還沒算材料錢呢！

「愛心紅豆餅很不一樣，吃起來有種幸福滿滿的甜蜜感。」、「紅豆伯的愛心紅豆餅比外面賣的好吃多了！」

對他來說，看到小朋友咬下皮脆香甜的紅豆餅，露出笑容，就是他最大的滿足。

眞正的慷慨，不是施捨給別人需要的東西，而是把自己的需要，也給別人。

6.10 世俗認不出的天才

低頭走路的人，比盲人更危險。

華盛頓大學最近做了一個實驗，他們在一棵路樹上掛滿了美金大鈔，看看路過滑手機的低頭族會有什麼反應？結果有 94% 的低頭族，根本沒看見樹上掛滿了鈔票，就給它走過去。見錢讓人眼開，但如果你低頭滑手機，那就什麼也看不到。看不到錢，只是讓幸運擦身而過。更糟糕的是，看不到危險，那你可能會和死神撞個正著。

安東尼·高第（Antoni Gaudi）是世界上最獨特的建築師。他從小因爲得了風濕症，不能和其他小朋友一起玩耍。反而讓他把時間花在觀察自然上，養成敏銳的觀察力。他發現自然界並不存在眞正的直線，他說過一句名言：

「直線屬於人類，曲線屬於上帝。」

他的建築最突出的風格，就是沒有直線，而用曲線來呈現強烈的生命力。

他最偉大的作品，就是巴塞隆納的「聖家堂」，他從三十一歲接手教堂設計，奉獻了四十三年的歲月，把全部天才、精力都投注進去，結果他過世時，聖家堂還沒有完成。爲什麼？其中一個原因是他中途出了意外。

怎麼回事？因爲他「低頭」走路。

1926 年 6 月 7 日傍晚 6 點左右，高第一如往常，從聖家堂的工地走出來，步行到菲利浦·涅利教堂祈禱。這條路，他天天走，很熟⋯⋯他一邊走，一邊低頭思考聖家堂的工程細節，哪裡應該要修改⋯⋯沒有看見一輛電車朝他開來，結果被電車撞到，慘的是還被拖行了整條街！

更慘的是，他長年爲聖家堂耗費體力、精力，因而無心吃好、穿好。所以當時外貌邋遢，被誤以爲是街頭流浪漢，連司機也懶得救他，所以延誤送醫。好不容易送醫院，醫院也以爲他是流浪漢，所以不在乎，延誤治療……

到了 **1926 年 6 月 10 日**，才有人認出他是當代最天才的建築師高第！但是已經回天乏術，來不及救活，一代大師就在這天死了。

而高第留下的聖家堂設計稿、模型、資料、筆記都在西班牙內戰時被燒毀。這下子沒有高第，又沒有圖稿，沒有人知道高第到底是如何思考？

所以聖家堂就蓋不下去。一直到 1954 年才重新復工，到現在還沒完工。

這件事的教訓告訴我們，一，不要低頭走路。

二，醫院的理想雖然是「救人濟世」，但眞實狀況還是很現實，所以人要衣裝，衣服還是穿好一點！

高第原來穿著十分講究，他的帽子都是從最昂貴的「阿爾瑙帽子店」買來的。他的鬍子都是最有名的理髮師歐多納爾修的，還特地染成若有似無的淡灰色。連名片也是精心設計……他是當時高雅時尚的第一人！但投入聖家堂的工作後，他就變了個樣，不再在意穿著打扮，一心只想蓋出最美麗、最偉大的教堂。

有人問他爲什麼要蓋這麼久？他說：「我的客戶並不急！」這個客戶，他指的是「上帝」。

沒錯，上帝不急，但你也不能低頭走路。上帝不急，但世人很勢利！

● 衣著考究的
建築大師高第

● 至今未完工的
聖家堂

6.11 女孩要對世界說的事

一個十二歲的女孩能告訴世界各國的領導人什麼？讓他們沉默深思。

1992 年 6 月 11 日，聯合國地球環境高峰會議，在巴西的里約熱內盧召開。一位來自加拿大十二歲的女孩瑟文．鈴木（Severn Suzuki），向各國領導人發表一篇六分鐘的演講。我感覺這個世界越有權、越有錢的大人，越應該多讀幾遍。現在，我把全文抄給你，請細細讀。

大家好，我是瑟文．鈴木，代表 ECO 發言。ECO 是兒童環保團體 Environmental Children's Organization 的縮寫。凡妮莎．蘇提（Vanessa Suttie）、摩根．蓋斯樂（Morgan Geisler）、蜜雪兒．桂格（Michelle Quigg）和我，我們是一群十二歲和十三歲的小孩，努力想改變世界的現狀。

我們自己募集旅費，跨越五千英里的距離來到這裡，只爲了告訴各位大人們，你們必須改變你們的行爲模式。

我今天來到這裡，背後沒有任何動機。我只是爲自己的未來奮鬥。失去自己的未來，跟選舉落敗、股票下跌是不一樣的。

我來到這裡，是要爲未來世世代代的孩子們發聲，也是爲了世界上那些飽受飢餓之苦，卻無人關心的孩子們，以及無路可走而死亡殆盡的無數動物們發聲。

我現在很怕站在太陽底下，因爲臭氧層有破洞。我就連呼吸也會害怕，因爲我不知道空氣裡會不會有毒？以前跟爸爸常去溫哥華釣魚，但是幾年前發現魚身上長了許多癌症之後，我們就不再去了。而現在，我們幾乎每天都會聽到動植物絕種的消息。牠們消失之後，就永遠不會再出現了。

我希望在我的一生中，能夠看到叢林和雨林裡，有著許多野生動物和鳥兒、蝴蝶。但現在，我甚至不知道我的孩子有沒有機會看到這樣的景象？你們在我這個年紀時，是否曾經擔心過這樣的問題呢？這麼重要的事情就發生在我們的眼前，但是，我們人類卻用無關緊要的態度來面對。

我只是個小孩，我不知道要怎麼解決這些問題。但我要你們知道的是，你們自己也不知道該怎麼解決！

你們不知道，該如何填補臭氧層的破洞吧？

你們不知道，該如何讓鮭魚重回變成死水的河川吧？

你們不知道，該如何才能讓絕種的動物復活吧？

還有，你們也不知道該怎麼讓沙漠重新長成森林吧？

如果你們不知道該如何恢復，請別再破壞下去！

在座的大家可能是政府、企業和團體人士的代表，也許還有記者和政治家吧！但是，你們同時也是別人的母親、父親、姊妹、兄弟、叔叔伯伯、阿姨嬸嬸，而你們每個人同樣也都是爲人子女吧！我還是個小孩，但我知道在場的每個人，都是同一個大家庭的一員。我們是個擁有五十億以上人口的大家庭。不，其實，是由三千萬種生物所構成的家庭。

即使我們來自不同國家，擁有不同政府，都不會改變這個事實。我只是個小孩，但是我明白，大家身爲這個大家庭的一員，就必須朝著同一個目標團結行動。

我很憤怒，但我沒有迷失自己。我很害怕，但我覺得真實的把自己的想法說出來，一點也不可怕。在我的國家，大家都很浪費。東西買了就丟，再買過又再丟。這樣浪費物資的北方國家，根本無法將資源分享給貧困的國家。即使生活富足，我們還是害怕分享。我們害怕失去擁有的資產。

在加拿大生活的我們很幸運，擁有很多食物、水和住的地方，我們有手錶、腳踏車、電腦和電視機。我們擁有的一切數上兩天都數不完。兩天前，我在巴西這裡遇到一群無家可歸的流浪兒。我們很驚訝，因爲其中有個孩子跟我們說：

「我眞想變有錢。如果我有錢的話，我要給所有無家可歸的孩子們，食物、衣服、藥品、房子，以及愛與溫暖。」

一個一無所有的流浪兒，都願意分享，那麼擁有一切的我們，爲什麼會這麼貪心呢？讓我很難忘的是，這些不幸的孩子們，年紀都和我相仿，原來出生在不同的地方，會對我們的人生產生這麼大的影響。

所以我也有可能會是住在里約貧民窟的孩子，也有可能是住在索馬利亞的飢餓兒童、中東戰爭的難民，或是印度的乞丐。我只是個小孩，但是我很清楚，如果把花在戰爭上的錢，全部用來改善環境、解決貧窮和訂定協議，地球將會變成一個多美好的地方啊！

在學校裡，甚至從幼稚園開始，你們都教導我們，該如何在這世界上遵守規範。像是：不要爭吵、要一起解決問題、尊重他人、東西弄亂要自己整理、不要隨便傷害其他生物、要和別人分享、不可以貪心。

但是，爲什麼你們又要做這些你們不要我們做的事呢？請不要忘記，你們參加這場會議的原因，還有，你們爲了誰才來到這裡。是爲了你們的孩子，也就是我們。在這場會議中，你們將會決定我們會在什麼樣的世界中成長。

父母總會安慰孩子，「一切都會過去的」、「再怎麼糟也不會是世界末日」、「我們已經盡力了」。但我不認爲，大人們還能夠這麼安慰小孩了。畢竟，你們有將孩子的未來排在第一順位嗎？

父親總是告訴我：「你做的事證明了你是怎麼樣的人，而不是你說的話。」

但是你們大人的所做所爲，卻讓我在夜裡流淚。

大人們總說愛我們，但請你們用行動證明。

謝謝你們聽我說完。

6.12 日記

1942年6月12日，十三歲的少女得到她想要的生日禮物，一本紅白格子封面，還附小鎖的筆記本。她用筆記本來寫日記，她永遠不知道這本日記，會成爲見證人類大悲劇的世界名著。

少女的名字叫做安妮法蘭克（Anne Frank），她的父親奧圖法蘭克（Otto Frank）本來在德國經商。他們是猶太人，所以當納粹在德國興起時，奧圖便放棄在德國的事業，全家移居荷蘭的阿姆斯特丹。沒想到這樣也逃不過納粹的魔掌，沒多久，德國就佔領了荷蘭，荷蘭也掀起迫害猶太人的風暴。

奧圖和他的荷蘭員工想出一個辦法，他們全家四口藏進公司的小閣樓，用書櫃把出入口擋住，做成一個密室。生活飲食、對外聯絡都由奧圖的員工梅普基斯（Miep Gies）來照顧。從此安妮一家便過著不見天日的生活，希望能躲過這場災禍。

安妮就在這小小的「秘密之家」，以天眞善感的文筆，寫下一頁頁讓人驚豔、感動、流淚、心痛的日記。

日記寫到1944年的8月1日，三天後因爲有人告密，安妮一家被德國秘密警察逮捕。事後梅普冒著被捕的危險，回到「秘密之家」，找到安妮的筆記本和散落在地上的紙張，連同家庭的相簿一併收好，等待法蘭克一家劫後歸來。

戰後，從荷蘭被抓走的十一萬猶太人，只有五十四個人逃過大難，奧圖是其中一個。他回到荷蘭，找到了梅普。梅普把東西都交還給他，包括安妮的日記。

這本日記梅普並沒有打開來看。所以不知道寫些什麼。奧圖拿到後，基於尊重女兒的隱私，也沒有打開來看，一直等到一年多後，他確定自己心愛的女兒安妮已經在集中營遭到毒手，他才把日記翻開來看。安妮的日記日後出版，被翻譯成五十五種文字，成為 20 世紀最有影響力的名作。

我想說的不只是一個少女的心聲，道出納粹屠殺六百萬猶太人的悲劇。而是奧圖法蘭克和梅普基斯他們對隱私的尊重，即使是面對一個小女孩，他們也以平等的態度來對待。只要安妮還活著，沒有得到她的允許，絕不看她的日記。

就是這種教養，這種對人的價值的尊重，才能使人類逐步走向文明，而不被邪惡的狂潮所吞沒。

● 《安妮的日記》手稿

6.13 總要有人不噁心

一張老照片，讓女兒在五十五年後，發現自己的爸爸是勇敢的英雄。

奧古斯特・蘭德梅瑟（August Landmesser）1931 年爲了容易找工作，加入納粹黨。進入德國漢堡造船廠當工人，他愛上伊爾瑪・艾克樂（Irma Eckler），伊爾瑪是猶太人，蘭德梅瑟不管這些，兩人在 1935 年訂婚，他因此被開除黨籍。

開除就開除，不過是片烏雲，他們之後在漢堡登記結婚。一個月後，眞正的暴風雨來了。「紐倫堡法條」反猶太的法律生效，他的婚姻在法律上失效。但他們照舊如夫妻般生活在一起，生下第一個女兒英格麗（Ingrid）。

1936 年 6 月 13 日，漢堡造船廠建好一艘海軍訓練艦，舉行下水典禮。下水的那一刻，所有人都舉起右手行納粹敬禮。只有一個人，雙手交疊，抱著胸前，一臉苦瓜相，一副老子不甩怎麼樣的姿態。

是誰這麼大膽？敢眾人皆醉我獨醒，就是蘭德梅瑟。

好巧不巧，照片剛好拍到他。

他知道德國待不住了，1937 年便帶著老婆、女兒逃到丹麥，結果被抓。他被以玷汙亞利安民族的罪名起訴，他在法庭上一再辯稱他不知道，伊爾瑪也不知道自己是猶太人。1938 年 5 月 27 日，法庭因爲證據不足，將他們無罪釋放，但他被警告如果不和伊爾瑪解除婚姻關係，一定會倒大霉。

他還是不鳥，依然和伊爾瑪公開的在一起，而且以夫妻相稱。7 月 15 日他又被逮捕，這回運氣沒那麼好，被判刑兩年半，送去集中營。

伊爾瑪也被蓋世太保關起來，在監獄中生下第二個女兒艾琳（Irene），之後她被送往猶太集中營。兩個女兒先送去孤兒院，後來大的送去給外婆，小的送去寄養家庭。

1942 年 2 月伊爾瑪可能在一次集體屠殺中送命。

1944 年蘭德梅瑟被迫加入由囚犯組成的敢死隊，10 月 17 日在克羅埃西亞失蹤，極可能喪生。戰爭結束後，1949 年蘭德梅瑟和伊爾瑪被法院正式宣告死亡。1951 年他們兩人的婚姻由漢堡法院宣布恢復效力。

回到 1936 年 6 月 13 日那張照片，大家擁戴偉大領袖，怎麼有人敢不舉手？這樣的照片當然不會刊登出來，直到 1991 年 3 月 22 日才在德國的《時代週報》Die Zeit 作爲特殊歷史意義的照片刊出。

而蘭德梅瑟的小女兒艾琳正好看到報紙，認出那個膽敢不舉手的人是她的爸爸，父親死去超過半世紀，她才發現自己的父親是英雄，人們也才知道這個英雄是誰！

人類是群居的動物，遠古的人必須加入團體。被團體排斥，代表死亡。但人融入團體，也代表你會被迫做團體要求的事。這些事可能是偏見、歧視、仇恨帶來的殘忍、罪惡、不道德的行爲。可怕的是連你至親好友都要出賣，無辜小孩都要屠殺。

不錯，團體製造的罪惡，個人無可抗拒，好像是一種必然。但這種惡性眞的無可改變嗎？

當然不，因爲有蘭德梅瑟這種人，這種「雖千萬人吾不往矣」的勇者。

而且不要忘記，鼓動團體行惡的人，剛開始也是一兩個瘋子加上一小撮傻瓜，只是你要像對待「雜草」那樣，剛生出來就要拔掉，否則生成一片就麻煩了！

任何人，如果知道，自己會成為兒女心目中的英雄，就死能瞑目了！

● 漢堡造船廠下水典禮中，唯一一個不願向納粹敬禮的人——蘭德梅瑟。

6.14 天才冤家

海涅（Heinrich Heine）是 19 世紀最重要的德國詩人，也是作品被翻譯最多的德國詩人。他不只是文學的天才，也是自由的鬥士。他曾說：「我不盼望我的墓碑佈滿詩人的桂冠，卻只要戰士、寶劍和頭盔。」

海涅的作品被世人讚頌，但他的婚姻卻讓大家替他頭痛。他的妻子叫歐仁妮．米哈（Eugénie Mirath），海涅叫她「瑪蒂達」Mathilde，是一個在巴黎小店的店員，沒有受過教育，當然不懂德語。結婚之初，她連丈夫是名滿天下的詩人都不知道。在別人眼裡，這根本是烏鴉配鳳凰。海涅也常對別人訴說他婚姻的不幸：「我娶了瑪蒂達，七年來天天打架！」

海涅臨死前，寫下了「著名」的遺囑；他決定把所有財產都留給妻子，但是有一個條件，就是瑪蒂達必須再嫁一個人。這樣世界上起碼有一個男人，「因他的死而感到遺憾」！很沉痛的幽默吧？

那爲什麼出身貴族豪門、才華洋溢、名滿天下的詩人海涅，要娶瑪蒂達呢？

海涅是文名滿天下，但也是花名滿天下。他熱愛追求漂亮的女生，用情很短。所以他有一個特別的習慣，他會給每一個相好過的女生取一個「親暱的小名」，因爲他知道不久就要投向別人的懷抱，留下只有彼此才知道的暱稱，可作爲他「永遠獨佔」那個女生的部分。浪漫詩人的情懷，豈是凡夫俗子能懂！

1834 年海涅遇到瑪蒂達時，立刻被她如火的雙眼，如火的身材，如火的紅髮，和如火的青春所迷醉。三十七歲的海涅立刻付了三千法郎給瑪蒂達的姑姑，把這比他小十八歲，巴黎城郊農民的私生女帶回家。海涅給她取的暱名叫「瑪蒂達」，意思是「聰慧」，正好與她是文盲又粗俗形成對比，海涅的好友都知道這是他的諷刺小把戲。

有人崇拜，當然也會招人忌恨。當時有個叫貝爾納的記者，就常常以海涅喜歡追逐粗俗的妓女來攻擊他，後來貝爾納死了，海涅發表一篇刻薄的文章，好好的挖苦了貝爾納。海涅火力全開，流彈打到貝爾納的朋友史特勞斯，海涅說他是「一頭有角的驢」。

問題是史特勞斯也和海涅有交情，**1841 年 6 月 14 日**，兩人在巴黎街頭相遇，史特勞斯要求海涅道歉，沒想到海涅不但不道歉，還當眾打了人家一耳光！史特勞斯氣不過，要求決鬥！

當時瑪蒂達已經和海涅在一起七年，雖然是天天打架的七 年，但海涅仍愛著她。他怕決鬥萬一丟了命，瑪蒂達沒有名份，便得不到遺產。所以他便和瑪蒂達在 1841 年的 8 月 31 日結婚。而他在 9 月 7 日與史特勞斯決鬥，結果他一槍沒打中人家，人家一槍打中他的屁股側邊，還好不是重傷，結束一場鬧劇。而因爲這場決鬥鬧劇，海涅娶了瑪蒂達。

海涅的朋友都看不起瑪蒂達，爲海涅抱屈。海涅也花了不少錢，給她請老師，教她認字、禮儀，但毫無效果。海涅自己也是個醋缸，他看到人家盯著瑪蒂達的胸部看，立刻就打人耳光。還有教跳舞的老師，也被海涅扔出窗外，因爲他懷疑老師把瑪蒂達抱得太緊。

瑪蒂達也很妙，大家都說海涅是偉大的詩人，但她不覺得，因爲海涅在家時，「總是說對自己的詩不滿意，連他自己都不滿意，別人怎麼會覺得好呢？」所以她充滿疑問，還私下偷偷問朋友，海涅是不是眞的很有名？是不是在吹牛？海涅知道了，不但不生氣，反而樂不可支，因爲「她愛的，眞的是我這個人！」

最奇怪的是，他固定每個星期一，一定會把瑪蒂達抓來揍一頓。海涅長期被神經痛所苦，到了 1848 年幾乎癱瘓。他得的是多發性的硬化症，但是他卻認爲自己得到的是「梅毒」。可見他雖與瑪蒂達結婚，還是風流浪蕩。他把自己的臥床取名叫「床褥墳墓」，而日夜照顧他的，還是他的冤家瑪蒂達。

海涅在臥榻不但繼續寫出新的詩作，追求美女的激情也依然不減。他根本無法行動，出入都要靠朋友背，這樣他也能去跟美女約會。只是這時都限於精神交往，但他說這樣也大大減輕了他的病痛。

1856 年在長達八年病痛纏身的日子後，海涅終於在 2 月 17 日離開人世，死前還寫了那份幽默自嘲的遺囑。只是這時瑪蒂達發福得厲害，據說重達九十六公斤，難怪馬克思寫信給恩格斯說：「那頭母豬終於折磨死了可憐的海涅！」

● 德國詩人海涅

● 海涅的妻子瑪蒂達

6.15 民主帶來的甜頭

為什麼要民主？因為帝王權貴都很自私，他們會把好東西佔著，不給你享受。

好東西還不是奇珍異寶，連簡單、便宜的也當做秘密，不給你用。好像皇帝感覺「黃色」很棒，有帝王氣勢，從此只准他用，別人都不可以用黃色，黃色變成皇帝專用。

還有什麼好東西被皇室久久佔用呢？有一樣現在大家都喜歡，小朋友最愛的，叫冰淇淋。

中國早在商朝就會把隆冬時的結冰，取下來儲藏在地窖，等到夏天來使用。周朝，官府設立專門管取冰、存冰、用冰的官員，稱為「凌人」。

唐朝，大街上就有賣冰冷飲的小販。南宋，是製冰的大躍進，當時已經會用硝石放入冰水做為製冷劑，而且用奶為原料，一邊攪拌一邊冷凍凝固，做成「冰酪」。這應該是冰淇淋的爸爸。

元朝佔領中國後，元世祖忽必烈禁止皇宮以外的人做冰酪。從此只有皇帝可享受，或是皇帝高興時賞給臣子吃。好東西只跟親貴分享，不給人民吃。

後來，馬可波羅來到中國，忽必烈寵信他，不但賞他吃冰酪，還把做冰酪的技術、秘方傳給他。眞的是「寧贈朋友，不與家奴」。

馬可波羅回到義大利，把這個技術獻給義大利宮廷。義大利宮廷又將這個寶貝當禮物送給法蘭西王室。而眞正的冰淇淋應該是 17 世紀的法國宮廷大廚傑拉爾德．迪薩做的，這是第一個用牛奶和奶油製作而成冰的甜點，而最先享受冰淇淋的是英國國王查理一世。

往後的兩百年，冰淇淋一直都是王室權貴的獨佔品。

一直到了19世紀，美國巴爾的摩的牛奶商雅各布·富賽爾（Jacob Fussel）注意到，因為牛奶的銷量不穩定，有時會浪費大量牛奶。他發現最好的保存牛奶的方法，就是冷凍。如果能做成冰品那就完全不浪費。**1851年6月15日**，他創辦了第一家冰淇淋工廠，開始大量生產冰淇淋。這麼好吃的東西，當然很快就在美國流行，變成平民百姓最愛的甜品，而後風行世界，富賽爾被公認是冰淇淋之父。

是吧，我們現在能吃冰淇淋，享受這美好的滋味，真的要感謝美國的民主革命，不民主，人們不是沒有政治權、言論權而已，連冰淇淋也沒得吃啊！

6.16 烈火燃燒成的文學

喬埃斯的巨著《尤利西斯》被譽爲 20 世紀一百大英文小說的第一傑作。故事是寫廣告推銷員布魯姆先生、他的妻子茉莉和年輕的學生史蒂芬，三個人於 **1904 年 6 月 16 日**，從凌晨到午夜二十四小時之間，在都柏林經歷的日常生活。

小說的書名取自希臘神話中的英雄奧德賽（Odysseus），拉丁名是「尤利西斯」。書中的章節也和荷馬寫的《奧德賽》平行對應。人物呢？布魯姆先生正是奧德賽的「反英雄」的現代翻版，茉莉對應奧德賽的妻子帕涅羅佩（Penelope），史蒂芬則是對應奧德賽的兒子特勒瑪科斯（Telemachus），也是喬埃斯自己的原型。

寫什麼？喬埃斯把布魯姆先生的一日遊歷，比作奧德賽的海外十年的漂泊，同時描寫不忠的妻子茉莉，刻劃青年學生史蒂芬追尋精神導師和父親的心理。

怎樣厲害？喬埃斯運用細節的處理，以「意識流」的手法建構一個時空交錯的複雜舞台，形成一種前所罕見的獨特風格。說老實的，讀過的人不算多，讀完的人更少，讀懂的更是沒幾個。但它確實是一部偉大的小說！爲了紀念這部小說，現在每年的 6 月 16 日，被文學界定爲「布魯姆日」。

那喬埃斯爲什麼選 1904 年 6 月 16 日這天，作爲《尤利西斯》的一天呢？這是什麼特殊的日子嗎？是的，這天是喬埃斯和他妻子娜拉第一次約會的日子。

當時的喬埃斯剛滿二十二歲，他在都柏林的街上閒逛，看到一個紅髮美女迎面而來，他不知哪來的勇氣，當場上前搭訕。那女孩名叫娜拉，也不知看上他哪一點？居然沒有拒絕，兩人還講好 6 月 14 日來約會。

結果呢？喬埃斯等了又等，娜拉卻沒來，放他鴿子，爽約。喬埃斯沮喪之餘，第二天寫了一封信給娜拉：

或許是我眼盲，我竟望著一頭紅褐色的頭髮，久久視線不移。最後看清那不是你，十分失望的回家。我想和你再約個時間，但或許對你不方便。希望你好心和我約個時間，假如你還沒有忘記我的話……

隔天，6 月 16 日的晚上兩人再次相約碰面，這次娜拉有來，兩人見面後，一同走到碼頭，在僻靜的海邊散步。娜拉雖然只有二十歲，但已經談過多次戀愛，經驗比喬埃斯多。兩人並肩在沒人的海邊漫步，走沒多久…… 喬埃斯發覺娜拉停下來，然後解開他褲子的鈕扣，伸手進去 …… 在海風微涼的星夜，喬埃斯「成爲一個男人」Make Me a Man！

他們不是乾柴對上烈火，而是烈火對上烈火。雖然娜拉只有小學畢業，不懂文學，更不懂喬埃斯的腦袋，喬埃斯仍然愛得死去活來。

鐘響了，時間是午夜 1 點，我從 11 點半回家後，像傻瓜一直坐在安樂椅。什麼事也不能做，除了你的聲音，什麼也聽不到！和你在一起時，我放下了傲慢和多疑的本性。但願此刻能夠感覺你的頭擱在我肩上。我該上床了。我花了半小時寫這封信，你能寫點東西給我嗎？希望你會寫！

娜拉文字修養不足，如果要給喬埃斯回信，還要拿本「書信指南」來抄，結構混亂，語句錯置。可是喬埃斯那最厲害的獨門風格「意識流」的文體，便是模仿娜拉的「語無倫次」的表達方式呢！

所以，1904 年 6 月 16 日，是喬埃斯身、心劇烈變化的一天，也成為偉大小說《尤利西斯》的一天！

● 年輕時的喬埃斯

6.17 打贏最後一場官司

有學問的傻瓜遠比無知的傻瓜還要傻瓜！

美國南北戰爭的時候，俄亥俄州有個叫克萊門．維藍帝罕（Clement Vallandigham）的政客，在內戰結束後改行當律師。他工作認眞像一頭牛，蒐證能力像一隻獵犬，訴訟答辯像一隻狐狸，所以是法庭上的常勝軍，幾乎沒有打輸過任何官司。

1871 年 6 月 17 日，克萊門爲一個被指控在酒吧開槍殺人的男子辯護。克萊門指出被殺的酒客其實是被自己的槍打死，因爲他當時跪坐的姿勢，造成槍枝走火，誤殺了自己。

克萊門爲了要說服陪審團，所以拿了一把上膛的槍，親自表演給大家看。結果他說的沒錯，果然那樣跪坐會造成走火，「砰」的一槍，克萊門被自己射中，當場死亡。

陪審團於是判克萊門的當事人無罪。克萊門打贏了最後一場官司。

● 打官司不敗的律師克萊門

6.18 榮譽

說起「演化論」，你想到誰？達爾文。沒錯，但演化論是他一個人獨創的理論嗎？有一個人可能比他更早，但被世俗之見埋沒，沒有得到他應有的榮譽。

1858 年 6 月 18 日，達爾文在倫敦收到一封遠從印尼寄來的信，信是華萊士寫的，還附上一篇他所寫有關生物演進的論文。華萊士（Alfred Russel Wallace）從小就對甲蟲有狂熱偏好，也展露他對生物觀察的天份，只可惜他因家貧沒錢上大學，因此沒有學院的背景，所以只被學術界看做是一個爲博物館收集標本的獵人。

後來他結識了達爾文，找到知音。達爾文非常重視他的意見，常常跟他書信往來討論學問，完全不看輕他的出身。

1858 年 2 月華萊士在印尼的摩鹿加群島收集標本，染上瘧疾，他發高燒躺在床上，身體虛弱。但長期在他腦袋一直思考的理論，卻清晰的浮現出來。他認爲大自然對生物有長期的「自然選擇」，造就了今日物種的樣貌。他高燒一退，立刻把論文的一半補齊，並寫信給達爾文，請他先過目。

達爾文收到信後，感覺就像看見鏡子中的自己走出來，十分吃驚。因爲華萊士想的事，和他在寫的《物種原始》立論一樣。他們兩個都認爲物種是「物競天擇」而來。

於是他在 6 月 18 日接到信後，晚上立刻寫信給好朋友地質學家雷爾（Charles Lyell），告訴他這個巧合。他想把華萊士的論文和自己的同時寄出，免得抹殺華萊士的成就。雷爾贊成達爾文的看法，他們都同意華萊士是先行者，他和另一位學者胡克（Robert Hooke）建議達爾文和華萊士共同署名，作爲「演化論」的共同發表人。後來雷爾和胡克將達爾文和華萊士兩篇論文同時送到最權威的學術單位「林恩學會」，在1858 年 8 月的期刊同時發表，演化論從此改變了生物學。

那爲什麼我們都說是「達爾文的演化論」呢？因爲學術偏見，沒有讀過高等學院的華萊士被忽視，所有的榮耀、討論都集中在達爾文身上。如果華萊士當時沒有先把論文寄給達爾文看，而是直接寄去林恩學會，那麼歷史就要改寫。華萊士有沒有怨嘆？沒有，他一直很感激達爾文對他的尊重，也不計較名利，他只在乎他所思所想是否正確。他繼續埋頭苦幹，萬里遠行，搜集更多物種，寫下更多重要著作。他最顯著的成就是發現馬來半島上的物種，有一條明顯的演化界線，線東和線西完全不同，就是著名的「華萊士線」，成爲動物地理學的開山祖師。

● 達爾文以提出演化論聞名。

● 華萊士是演化論的共同發表者，卻鮮為人知。

6.19 讓天賦自由

無論我們身在何處，都不應該被困在原地。

因爲我們是人，不是一棵樹！人生最重要的不是我們置身何處，而是我們將前往何處？

1997 年 6 月 19 日，音樂劇《貓》以 6138 場打破記錄，成爲百老匯公演最多場次的音樂劇。

《貓》的編舞者是吉莉安・琳恩（Gillian Lynne），她是當代最著名的編舞家，可是她小時候差一點被困在制式教育的牢籠。

吉莉安八歲時，父母收到學校的通知。老師認爲她有「學習障礙」，因爲她在教室注意力無法集中，常常亂動，影響同學，干擾上課。媽媽滿懷憂慮，帶她去看心理醫生。醫生讓她坐在大沙發上，小小的吉莉安雙腳懸空，她把雙手壓在大腿下，免得自己亂動。

醫生一邊詢問媽媽，一邊注意的觀察她。這樣過了二十分鐘，醫生對她說：「你很乖，謝謝你。不過我還要請你再乖乖待在這個房間，我要跟你媽媽單獨講幾句話。別擔心，我們一下就回來。」

然後，醫生把收音機打開，放音樂，便和她媽媽走出房間。他們到了房間外，醫生對她媽媽說：「我們可以從這扇窗看見她，她看不見我們，來觀察看看她會做什麼？」

吉莉安坐不到一會兒，便起身，隨著音樂擺動、走動、舞動。醫生轉過頭來說：「你知道了吧？琳恩太太，你的女兒沒有病，她是個跳舞的天才！讓她去學跳舞吧！」

媽媽照著醫生的指示，帶吉莉安去上舞蹈課，當她走進舞蹈教室看到裡面一堆人，都是跟她一樣的孩子，他們坐不住，必須舞動身體，才會思考，她感覺如海豚找到了大海！

她學芭蕾舞、踢踏舞、爵士舞、現代舞……除了上課以外，每天在家跳。後來考進英國皇家芭蕾舞校，畢業進入皇家芭蕾舞團，很快升到獨舞主角。之後，她自己成立音樂劇場和舞蹈公司。結識了安德魯・韋伯（Andrew Lloyd Webber），他要把艾略特的詩，寫成《貓》的音樂劇，由吉莉安負責編舞，合力創造這齣最受歡迎的傳世之作。

你不能不說，吉莉安運氣好，遇到了生命中的貴人。那位在她八歲時，看出她天賦的好醫生。當時是 1934 年，還沒有過動症 ADHD 這種病，幸好沒有，否則吉莉安很可能被判定有過動症，給她吃藥，她就不動了。

《貓》的記錄一直到 2006 年 1 月 9 日才被打破，超越它的是《歌劇魅影》，這齣音樂劇的編舞者是誰？對，也是吉莉安・琳恩。

●編舞家琳恩和作曲家韋伯，一同締造音樂劇《貓》和《歌劇魅影》的傳奇。

6.20 植物大盜

有一種獵人不獵動物，而是獵取「植物」。

他們到其他國家去，找到本國沒有的植物，帶回來作爲研究、收集、觀賞用。

歷史上影響最大的植物獵人，可能是羅勃．福瓊（Robert Fortune）。他 1812 年生於貝里克郡，小時候在地主的菜園當園藝學徒，便早早顯露出他對植物的天份。1842 年他進入愛丁堡植物園，被任命爲溫室部主管。他傑出的表現，讓上級決定賦予他一項艱難的任務，要他走出溫室到中國去尋找、獵取珍貴的植物。

1843 年 2 月 26 日，福瓊登船出發，開始他的尋奇之旅。四年間，他總共去了中國四次，還去了一次日本。工作辛勞不說，還差點丟了性命。他的成果非常豐碩，總共引進一百二十多種觀賞植物回英國，讓英國人大開眼界。他卓越的表現，引起了英國東印度公司的注意。

二百年前，中國有一樣全世界都想要，卻只有中國人會種的植物，就是茶葉。茶葉在那個年代等於是綠色的黃金。

東印度公司因爲擁有英國進口茶葉的獨占利益，所以賺進金山銀山。1834 年東印度公司失去了壟斷權，他們經不起這樣大的油水流失，便想要在印度栽種自己的茶葉。這個想法比登天還難。

一，要先突破重重關卡，從中國偷出樹種。

二，偷出來的樹種如果不合印度的土質氣候，千辛萬苦偷出來也是白搞。

三，不只樹種要對，還要懂得培植，否則也是白費。

這就需要一個有知識、富機智、敢冒險的傑出「植物獵人」，福瓊正是這最佳人選。

1842 年中國因鴉片戰爭失敗，和英國簽定南京條約，割讓香港，開放五口通商。其中英方堅持要開放「福州」，就是看重武夷山的紅茶貿易。當時清廷的大臣梁章矩一直反對開放福州，就是怕將來出現漏洞，讓英國人把武夷山的茶種偷出去。

1848 年 6 月 20 日，福瓊因東印度公司的推派，從英國啓程往香港，他到達前還不知道自己眞正的任務。7 月 3 日他得到明確的指令：「你必須從中國產茶的地區，挑選最好的茶樹和茶種親自運到加爾各答，再運到喜馬拉雅山地區。還要盡一切努力招募有經驗的種茶工人和製茶工人，沒有他們，我們是無法在喜馬拉雅生產茶葉。」

福瓊第一站到上海，他弄了整套的中國服裝，剃頭，加了一條辮子，打扮成中國人的樣子。雖然他有一百八十公分高，但內地的中國人也沒看過洋人，不知道他是歐洲來的。他帶著中國跟班和一個苦力，三個人前往產綠茶的黃山。

當時中國雖然開放五個通商口岸，但內地不准外人進入。如果被官兵抓到，必死無疑。過去只有葡萄牙人稍稍深入中國。所以他靠著葡萄牙人錯誤百出的地圖，一路摸索，不只渡過急流危灘，深山險道，還要小心官兵耳目，更要提防強盜。

他走過每一段路，都詳細記錄天候、風土，以及觀察到的所有植物，作爲未來栽種茶樹的依據和參考，前後共寫十四部見聞手札。他從黃山轉到寧波，因爲他人體面、出手闊，很受歡迎。很多茶園主人都大方提供他優良的茶種。

1849 年 2 月他終於到了武夷山，趁著借住在寺廟的機會，向和尚探聽許多茶道的技巧，特別是有關水質的要求。接著他向印度送去第一批茶種，結果失敗。因爲茶種的休眠期很短，海上長時間的運送，使種子喪失發芽的能力。

1850 年，福瓊繼續留在中國，更勤奮的收集茶種。同時想出先把茶種種在箱子裡，等茶種長成苗，再移植，結果成功育種。

1851 年 2 月 16 日，他帶著六個種茶、製茶的工人，和 23892 株茶樹，17000 顆茶種，大批的製茶工具，離開中國。在 3 月 26 日到達加爾各答。沿途他成功躲避清廷管制，完成史無前例、最大規模的商業間諜工作。

中國從此不再是茶葉的獨霸，印度開始生產紅茶。我們現在喝的錫蘭紅茶、大吉嶺，都是福瓊的傑作。

英國的成功，也引起美國的投入。福瓊受美國的雇用，花了四年時間在中國，收集適合美國種植的茶樹。1859 年他備妥 32000 株茶樹，正要運往美國時，剛好南北戰爭爆發，計畫告吹。否則今日的美國也是茶園遍地呢！

6.21 燒國旗

國旗代表國家，是一個國家的象徵。

如果你對自己的國家不爽，可不可以燒國旗呢？

1984 年，共和黨在德州舉行全國代表大會。有一群人去抗議雷根的政策，其中有個叫格里高利・詹森（Gregory Lee Johnson），激動之餘，扯下會場外一家銀行門前懸掛的美國國旗，然後點火，燒了國旗。結果他被起訴，被判有罪。

他上訴，德州上訴法院改判無罪，認爲這是他言論表達的自由，受憲法保障。官司一路打到聯邦最高法院，最後在**1989 年 6 月 21 日**，最高法院以五比四，判決詹森勝訴，認定燒國旗是言論表達自由，無罪。

判決出爐後，在保守團體推動下，美國國會通過「國旗保護法」，後來打官司，被最高法院認定違反美國憲法第一條修正案：「美國國會不得制定法律限制公民的言論自由。」所以這個法律違憲，燒國旗是憲法保障的自由。

美國國會裡不可能全是保守派，但在這種「愛國旗」的壓力下，哪個自由派敢說可以燒國旗？所以要通過有民粹色彩的法律，不是難事。但這類法律直接、間接會傷害人民的自由，尤其是言論的自由。這樣積沙成塔，自由、民主就被埋葬在沙塵中。

所以美國的法院有「違憲審查權」的權力，不是最高法院才有，第一級的法院就有，因爲違憲的大問題可能在任何一個小案子裡。有了這個「安全閥」的設計，即使國會無異議通過的法律，最高法院只要有五個大法官不以爲然，那麼再多人贊成也不能成立。這是使民主不流於民粹，或被野心家操弄的安全設計。

最高法院大法官安東尼・甘迺迪（Anthony Kennedy）說得好：「國旗是一個能表現美國人共同理念的標誌：法律、和平、人類精神中的自由信念。因此，這面國旗同時也保護那些蔑視它的人！」

● 年輕的詹森和他的老律師

6.22 告白

孟德爾頌是浪漫樂派的代表人物，最有名的「結婚進行曲」就是他的創作。他有一個富爸爸，是富有的銀行家，本身非常熱愛音樂，又娶了一個彈琴一流的富家千金。有如此得天獨厚的家境，加上孟德爾頌的天賦，所以他的音樂之路可說是陽光大道。

這麼好的爸爸哪裡來？當然是有個好爺爺！

他的爺爺叫摩西．孟德爾頌（Moses Mendelssohn），他是一個思想敏銳的才子，人稱「柏林的蘇格拉底」。1762年有一天，他到漢堡富商亞伯拉罕．古根漢（Abraham Guggenheim）家中作客，古根漢有個叫芙洛梅特（Frumet Guggenheim）的女兒，長得美若天仙、氣質高貴。摩西一見到她，哪能不愛上她？

芙洛梅特呢？她見到心儀已久的柏林才子，整顆心掉進冰水裡，她沒想到摩西是個「駝子」！

摩西因爲小時候生了一場大病，脊椎因此彎曲，外表有了缺陷，儀表無法堂堂。當時人們被他的才學所折服，當然不在意他的外表。可是男女相戀，外貌當然在學問之前。

摩西感覺到芙洛梅特的失望，再有自信的男兒也會心酸。當兩人獨處時，摩西鼓起勇氣輕聲問芙洛梅特：「你悶悶不樂，是因爲我的駝背嗎？」

芙洛梅特默默點頭。摩西講了一個意味深長的故事：

你知道，每一個猶太男孩在出生前，上帝會告訴他，未

來的妻子是誰。我在出生前，上帝告訴我，未來會娶到一個絕頂美麗、眞情善良的女孩。她如此完美，只有一樣可惜，她是個「駝子」！我聽了心痛不已，便向上帝祈求：「上帝啊，求你把美麗留給她，把駝背賜給我吧！」於是我便帶著駝背來到人間……

芙洛梅特聽完這段故事，淚水溢滿眼眶。她的眼中只有摩西的眞情，看不見他的駝背了。怎麼樣？不愧是柏林的蘇格拉底吧！而且芙洛梅特的父親，本來就看上摩西出眾的才華和人品，所以刻意安排他們見面。

1762 年 6 月 22 日，芙洛梅特嫁給摩西，兩人婚姻美滿幸福，總共生育六個子女，其中一個叫亞伯拉罕的兒子，後來成了大銀行家。不錯，他就是大音樂家菲利克斯．孟德爾頌（Felix Mendelssohn）的爸爸。

不錯，摩西是很會講話。但再深刻、再感人、再動人的講話，也感動不了膚淺的人！

● 摩西．孟德爾頌是音樂家孟德爾頌的爺爺

● 摩西美麗的妻子芙洛梅特

6.23 習慣

人眞的很奇怪，有時明明知道是錯的路，但還是很白癡的走過去。爲什麼這樣？因爲已經成爲「習慣」。

現在我們用的打字鍵盤，上面英文字母的排列很不合理。因爲它既不照 ABCD 的順序排，更把常用的字母距離拉遠分開，所以使用起來其實很不方便，但爲什麼會這樣呢？

原來在 1860 年打字機剛發明時，是照 ABCD 的字母順序排列，但一使用就出現問題。因爲當時打字機是用「按鍵連桿」來打字，就是你按下字母鍵，它會連著一根有刻字母的桿子，沾上油墨，桿子跳出來，打在白紙上，印出字母。眞的是「打」字機。

但是只要你打字速度稍快，桿子彈回來和下一個桿子彈上去，交錯間很容易卡住。

發現這個情況之後，打字機的原發明人克里斯多福．蕭萊斯（Christopher Sholes）便加以改良，把最常用的字母故意盡可能排開。這樣打字的速度再快，這些常用字母桿，也不致近距離交錯，就不會發生卡鍵。

1868 年 6 月 23 日，蕭萊斯設計的打字機得到美國的專利。從此打字機的字母就是如此排列，一直沿用到今天。

但是以現在的眼光來看，這種排列很白癡，因爲它把英文最常用的十個字母，有八個放在邊邊，讓手指增加移動的距離。還有一般人是慣用右手，而鍵盤上要用左手打的常用字母排放過多。

從以前的電動打字機，到今天的電腦打字，根本沒有字母桿交錯卡住的問題，所以「應該」改變字母的排列才對。

有沒有人想到去做？有，1930年奧格斯·德沃克（August Dvorak）將九個最常用的字母放在中間列，老式的排列熟練打字員可以一分鐘者打50～80字，新設計最高紀錄可以打212字。效果很明顯，爲什麼不用？我也不知道，唯一的原因是它跟原來的不一樣！

好像現在PC要按Alt, Ctrl加Delete三個鍵來終結電腦異常狀態，比爾蓋茨承認這是一個白癡設計，根本可以改，可是呢？

我們現在還是白癡的三個鍵一起按！

●蕭萊斯發明的打字機

6.24 團結分裂的強力膠

說到做到，不只是信用問題，也不只是意志問題，還要有方法！

曼德拉坐了二十七年的黑牢，獲釋後當選南非的新總統。全世界都在看他下一步要怎麼做？他利用總統的就職典禮，用一個簡單卻震驚世界的舉動，來傳達他的訊息。

總統就職儀式結束，曼德拉開始致詞。他先介紹來自世界各國的領袖，並向他們致意。他說他對有這麼多政要親自前來，深感榮幸。

但他接下來要介紹的，是他今天最高興接待的三位客人，這三個人是他在羅本島監獄坐牢時的獄警。他請他們三個站起來，曼德拉緩緩的、恭敬的向關過他的獄警致意。

那一刻，在場的來賓、南非、全世界看著電視的觀眾，全都安靜下來，彷彿進入深深的思考！

曼德拉說，他年輕時脾氣很差，容易暴躁。而牢獄生活的磨練，使他學會控制情緒，學會處理痛苦，學會寬容！他說到出獄當天的心情：

當我走出囚室，邁過通往自由的監獄大門時，我很清楚，自己如果不能把悲痛與怨恨留在背後，那麼我其實仍在獄中！

好，曼德拉要傳達的訊息很清楚，他不會報復，而是選擇和解與原諒！

但是，黑人長期受到白人的壓迫，許許多多仇恨如何化解？很多白人並沒有參與其中，有的還支持黑白平權，但現在政權在黑人手中，身爲少數的白人如何安心？

如何讓一個黑白分裂的南非，眞正團結起來，黑白不分而且交融？

曼德拉的解答是「運動」。

他在坐牢的時候，就曾爲囚犯爭取「踢足球」的權利，過程漫長曲折，終於得到獄方讓步，允許囚犯每天有三十分鐘踢足球的時間。大家有了足球踢，活著多了一份希望，傷痛容易撫平。囚犯之間產生互動，緊張自然消失，變得和諧而歡樂。所以曼德拉想用體育作爲解開黑白心結的第一步。

南非當時最流行的兩種運動，也是黑白分明。橄欖球是白人玩的，是白人中產階級的運動。足球才是黑人踢的，是黑人窮苦人的娛樂。南非橄欖球的國家代表隊，清一色全是白人。所以當南非與其他國家比賽橄欖球，南非的黑人都幫其他國家加油，他們希望看到壓迫他們的白人被痛宰。

1995年世界盃橄欖球賽在南非舉行，曼德拉知道這是天賜良機。他不斷向大家表達支持南非國家橄欖球隊的決心，召見國家隊的靈魂球員——隊長弗朗索瓦·皮納爾（Francois Pienaar），爲他打氣，激勵他打出好成績。果然南非隊不負眾望，過關斬將一路打到決賽，要與紐西蘭爭冠。**6月24日**決賽當天，曼德拉親臨球場加油。當所有人看到他穿著南非國家隊的球衣，戴著南非國家隊的帽子，先是一驚，立刻轉化爲歡呼，全場六萬五千位觀眾，不論黑人、白人全都起立高呼他的名字 Nel–son!Nel–son!Nel–son!

比賽開始，兩隊勢均力敵，打完全場，分數平手。進入延長賽，南非隊在隊長皮納爾的帶領下，終於突破紐西蘭的防線，奪下世界冠軍！

穿著國家代表隊球衣的曼德拉親手把冠軍盃，交到了南非隊長皮納爾手中，當時曼德拉對他說：「謝謝你爲這個國家所做的一切！」

「不，馬帝巴，」皮納爾說的是曼德拉的族名，「我應該感謝你爲南非所做的一切！」

全南非陷入高昂的歡樂情緒，橄欖球不再是白人專屬的運動，而是全南非的榮耀。

賽後，曼德拉說：

運動有改變世界的力量，
運動有激發靈感的力量，
運動有團結社會人群的獨特功效，是無可取代的。
運動是用一種年輕人能夠明白的語言，去和年輕人交流。
運動能在絕望的地方創造希望。
在打破種族隔閡上，運動比政府更有用！

所以，南非奪得橄欖球世界冠軍前，他已經在做什麼？他盡全力去爲南非爭取世界盃足球賽的舉辦權。從 1994 年一直爭取到 2003 年才成功，2010 年世界盃在南非開踢，再一次激勵了南非的國家意識。

曼德拉去世後，皮納爾接受訪問時說：「納爾遜．曼德拉是最神奇，也最不可思議的人。不只是因爲他把『團結南非這個幾乎無法團結的國家』視爲己任，而是透過他獨特的謙虛、誠懇、坦白，讓世界千萬人走到一起！」

改變，要有改變的心、改變的勇氣、改變的毅力，還有改變的方法！

●曼德拉親手把冠軍獎盃，交到隊長皮納爾手中。

6.25 殘殺

起初他們追殺共產主義者，
因爲我不是共產主義者，我不說話；

接著他們追殺猶太人，
因爲我不是猶太人，我不說話；

後來他們追殺工會成員，
因爲我不是工會成員，我繼續不說話；

此後，他們追殺天主教徒，
因爲我不是天主教徒，我還是不說話；

最後他們奔向我來，
再也沒有人站起來爲我說話了！

這是德國的詩人馬丁．尼莫拉所寫的《沉默的代價》。尼莫拉是個牧師，是德國的宗教領袖，他在成爲牧師前，曾經支持希特勒。後來因爲反對納粹屠殺猶太人、箝制教會，被希特勒親自下令送進集中營。戰後，他爲了讓世人永遠不忘納粹屠殺猶太人的血腥恥辱，在波士頓樹立了一塊紀念碑，碑上就刻著這首詩。

1949 年 6 月 25 日，八千多個山東「流亡學生」，由煙台中學校長張敏之帶領，在這一天晚上，乘船來到澎湖。所謂流亡學生，是因爲國共內戰，山東煙台中學、濟南一、二、三、四、五聯中、昌維中學、海岱中學，這八所中學的師生，爲了安全，由校長帶領大家集體行動。一來躲避戰禍，二來流亡期間不荒廢學業，教育部當時決定讓這批流亡學生去最安定的地方——台灣。

但是，當時兵荒馬亂，教育部無力護送這批學生。想到當時駐守在澎湖40軍，軍長李振清也是山東人，所以希望他看在同鄉之情的份上，照顧流亡學生。先讓他們到澎湖，再想法子轉到台灣。國防部和在台灣的東南軍政長官公署也同意，而且講好學生到達澎湖後，年滿十七歲的男生，編入臨時的「青年教導總隊」，半天接受軍訓，半天上原來的課。其他的男女生都編入「澎湖防衛司令部子弟學校」，全部先在馬公開課上學，等情勢穩定，再想辦法轉到台灣安置。

這樣學生的生活經費就由軍方來出，也不會耽誤功課。所以山東省教育廳便遵照這個指令，派煙台中學校長張敏之爲總帶隊，帶學生到澎湖，暫住在馬公國小。

剛開始，軍方和校方就按約定，半日軍訓，半日上課。沒過多久，情況發生變化。原來40軍的軍長李振清，在與共軍作戰時，全軍覆沒，自己也成了俘虜，後來趁亂逃跑，輾轉跑到台灣，然後被任命做澎湖防衛司令。他來到澎湖，手上一個兵也沒有，是個光桿司令。底下只有韓鳳儀的39師，39師也是被打得七零八落，全師不到五百個兵。因此他們兩個就決定，要讓這八千個流亡學生全部「當兵」。

1949年7月13日，李振清和韓鳳儀把全部的流亡學生集合在操場。接著下令凡是身高比步槍高的男生，通通要入伍當兵。圍在學生四周的士兵，子彈上膛，槍上刺刀，氣氛陰森恐怖，他們想逼迫學生乖乖就範。這時，有兩個學生大喊，「我們要上學！要當兵，我們不幹！」話音還沒落地，兩個學生就被刺刀捅了！

張敏之校長憤而站出來，對學生說：「你們跟我回學校去！」李振清不敢對他動手，於是李振清離開現場，放任韓鳳儀指使士兵對學生開槍、動刺刀，這下操場成了人間地獄！老師也無力抵擋，爲了不要造成更多傷亡，只好叫學生蹲下，希望場面能冷靜下來。學生手無寸鐵，只好屈服，被士兵分組帶開。

第二天，學生頭髮都被剃光，換穿軍服。課表上雖有國文、英文、數學⋯⋯但沒有老師上課，實際上全都是軍事操練，不然就是做工。李振清還想叫張敏之來當新學校的指導員，張敏之不但拒絕，還不斷寫信給人在台北的山東籍高官，要他們主持公道。李振清斷了他與台北的通信，張敏之便決定親自去台北，李振清就把他軟禁了起來，時間有一個月之久。

這段時間，韓鳳儀沒閒著，他自己跑到台北，向坐鎮台灣的陳誠打報告。回來以後，李振清被調到台北受訓，韓鳳儀便和政工陳後生中校編織了張敏之的罪名，是什麼？「匪諜」！共抓了一百多名師生，嚴刑拷打後，送到台北的保安司令部，就是現在台北市西寧南路三十八號。

爲了落實張敏之的罪狀，韓鳳儀夥同陳後生、尹殿甲、劉蒼惠等親信的政工，組成專案小組，在澎湖以肅清匪諜爲名，逮捕不知道多少學生？恐怖就在這個「不知道多少」！毆打、灌水、電擊，樣樣來。逼迫他們承認自己是匪諜，而他們的首領就是張敏之校長。死不肯承認的，就裝入麻布袋，直接丟進大海！可恨的還有藉著「查匪諜」，闖入女生宿舍，動手動腳，動淫念，逞獸慾！

這時有個學生被裝入麻布帶，幸好裝他的麻布袋有破洞，剛好他又擅長游泳，運氣好倖存下來，透過他的回憶，我們才知道這件事。估算被裝入麻袋投海的有兩百多人，莫名失蹤的有三百多人。

而被關在台北的張敏之，也不是沒人救。他的老師崔唯吾願做保人，請陳誠放人。另外他還邀集了山東籍的十三名國大代表、三名立委、一名監委，山東省參議會的前議長、山東省政府委員，還有學者教授二十人，聯名向台灣省保安司令部司令彭孟緝要求放人。這陣仗也不小，結果反而嚇到陳誠和彭孟緝，他們兩人怕夜長夢多，便決定快刀斬亂麻。在 1949 年 12 月 11 日星期天，在台北馬場町槍決張敏之校長（43 歲），還有鄒鑑校長（43 歲）、學生劉永祥（23 歲）、譚茂基（20 歲）、明同樂（19 歲）、張世能（19 歲）、王光耀（19 歲）。另外兩個學生王子莽、尹廣居死在牢裡。前後共六十人被送到綠島管訓。

這是台灣「白色恐怖」第一件大案！白色恐怖就從這件「七一三事件」，應該說慘案、冤案，拉開序幕！

這每一個無辜犧牲的名字，我們都不能忘記！這每一個殘害人命的兇手，也不能忘掉！

張敏之讀高中時就加入國民黨，畢業後，由山東省黨部保送「中央黨務學校」，是黨校第一期的畢業生。在蔣介石眼中，他的子弟兵，武的是黃埔，文的就是黨校。張敏之的太太王培五，是北京師範大學英語系的學生。她所以認識張敏之，是因爲參加了張敏之辦的「黨義教育訓練班」。王培五因測驗成績第一，張敏之送給她兩本書當獎品，一本是《三民主義》，一本是《建國大綱》。兩人後來相戀結婚，張敏之還對她說：「我很窮，沒有什麼聘禮，當初當獎品的那兩本書，就算我的聘禮吧！」

張敏之考上上海復旦大學經濟系，畢業後國民黨有意延攬他做黨務工作，他不想搞政治，想做教育家，所以被派去做濟南第一師範學校訓育主任，後來升任煙台中學的校長。

抗日戰爭期間，他帶著一千五百個學生躲避日軍的砲火，第一次流亡。流亡中除了要照顧學生的安全、生活，還要上課，不荒廢學業。沒想到，戰後還沒回到煙台復校，國共內戰又打得天昏地暗，他因此帶領八千山東子弟追隨國民政府來到澎湖，竟然含冤慘死，死時才四十三歲，正值壯年有為！

看出來了吧？張敏之其實是眞正「忠黨愛國」的人啊！屠刀所向，是不分本省、外省，黨外、黨內。恨只恨，該死的殘殺該活的！

那活著的人呢？張校長的遺孀王培五女士，雖然遭逢巨變，但仍含悲忍辱把六個子女培養成人，後來都在美國事業有成。而且她一再教育子女，要本著基督的精神「愛你的仇敵」。而王女士最小的兒子張彤，在努力奔走二十年後，終於為張校長和其他人平反。

政府在 2011 年 7 月 13 日，慘案六十二周年時，在澎湖馬公觀音亭七一三紀念公園立碑。而王培五在 2014 年 6 月 24 日於美國過世，高壽一百零六歲！她能在死前親眼看見丈夫沉冤昭雪，算是這悲慘事件後，小小令人安慰的事。

有人說，這是大時代中小人物的悲劇！對嗎？

錯！這是黑暗時代惡人暴政，濫權、濫殺無辜的慘劇。

悲劇是到今天，我們仍然漠視。

原諒，是受難人和家屬才有資格說的話！國家的責任，不容逃避。個人的罪惡，也不容逃避。這不是仇恨，而是要彰顯正義。否則今日我們罔顧正義，明日不正義就來找到你。

就是如同馬丁．尼莫拉所寫的《沉默的代價》！

什麼時候，我們能像德國人那樣「正視」屠殺猶太人的歷史，不掩飾、不漠視過去的罪孽？什麼時候我們民主自由才能眞正被確保！

● 張敏之校長在澎湖七一三事件時，為保護學生而被誣陷為匪諜，成為「白色恐怖」犧牲的第一人。

6.26 皇帝與囚犯

你知道美國人生活中最不可或缺的東西是什麼？手機？汽車？個人電腦？都不是。根據麻省理工學院（MIT）發明指數研究，第一名是「牙刷」。

有人認爲發明牙刷的人是威廉．阿迪森（William Addison），他是英國人，1770 年因爲煽動騷亂被關進監獄。他在獄中用一塊骨頭，在上面鑽了幾個小孔。他跟獄卒要了一把豬鬃，切成小段塞進骨頭上的小孔，發明了牙刷。我還曾經以他爲例，寫文章告訴讀者，人倒霉時不必失志、喪氣，搞不好這正是上帝給你的機會。

而根據美國牙醫學會和美國牙科博物館的資料，眞正的世界第一把牙刷，是中國明朝的孝宗皇帝朱祐樘在 **1498 年 6 月 26 日**發明的。他用一枝骨頭當手把，再把粗硬的豬鬃插進孔中，發明了牙刷。

明孝宗朱祐樘是誰？他有什麼文治武功？歷史課本爲何從來沒提過他？

其實歷史很少提到的皇帝，可能才是好皇帝。像朱祐樘在位十八年，國家很平靜，沒發生什麼事。可見事事都在軌道上，人民生活都安定平常。他還有個紀錄，他是中國歷史上，唯一實行一夫一妻的皇帝，只有一位皇后，並無其他嬪妃。這樣好的皇帝，我們都不知道，可見現在的歷史觀有很大的問題。

●歷史上很少提及的好皇帝明孝宗朱祐樘，
美國人說，牙刷是他發明的。

6.27 我的行爲是藝術

如果要分離，有沒有羅曼蒂克的方式？

要創造美麗的分離，是不是要先創造更美的相會？

瑪莉娜．亞伯幕薇克（Marina Abramović）1946 年生於南斯拉夫的貝爾格勒，她的父母都是二戰英雄，戰功顯赫的共黨游擊隊員。戰後，她的母親不但擁有少校軍階，也是貝爾格勒革命藝術博物館的館長。

瑪莉娜從小受到藝術的薰陶，但也承受母親嚴格的軍事管理。在她的記憶中，母親從來不曾給她一個親吻。她的行爲完全受到母親的控制，所以她極力在精神尋求擺脫。

因此當她走上藝術之路時，她選擇走向打破傳統藝術形式，在當時看起來不像藝術，比較像發瘋的「行爲藝術」。她在學校做的第一個藝術，就是在地上點燃一個五芒星的火燒圖，而她伸開雙手雙腳，躺在火燒星圖案的中間。夠驚駭、夠刺激的吧？但她差點因爲在火焰中，缺氧而死。她抽打自己、割傷自己、奔跑撞牆⋯⋯自殘的動作都是在表達，人如何突破身體、環境的極限，而達到自由。這些創作動力，其實來自她對「控制」的厭惡和恐懼。當然她的母親深深不以爲然。

1976 年，瑪莉娜在阿姆斯特丹遇到另一個來自德國的藝術家烏雷（Uwe Laysiepen，簡稱 Ulay）。

「一個藝術家不應該愛上另一個藝術家」。瑪莉娜這樣告訴自己，但她對烏雷的愛，令她無法堅守原則，兩人愛得「死去活來」。烏雷也是行爲藝術家，他開啓瑪莉娜更寬、更廣、更前衛的藝術視野和企圖。兩個人一起創作許多行爲藝術的經典作品，「關係」系列和「空間」系列。

他們兩個曾經全身脫光，站在一般尺寸的門兩邊，互相面無表情地對望。觀眾呢？要從他們兩人的身體中間穿過，才能走過這道門。觀眾一定會碰觸、擠壓到他們的裸體，既幽默又新奇。

還有像「死亡的自我」，兩人把嘴巴對在一起，互相吸入對方呼出的氣。這樣對呼對吸十七分鐘後，因爲吸進過多的二氧化碳，兩人昏迷倒地。這意涵一個人「吸取」另一個人的生命時，也吸進毀滅自己生命的力量。很聳動，但也很有意思。所以我說，他們愛得眞的是死去活來。

十二年的同床共枕、同生共死的相愛加共同創作，兩人的愛情走到了盡頭。他們兩個決定要把「分手」變成一件創作。創作的舞台呢？他們選定中國的萬里長城。烏雷從嘉峪關向東，瑪莉娜從山海關向西。兩人各自在長城上走。

三個月後，**1988 年 6 月 27 日**，他們在二郎山的長城上交會。這樣的相會夠美吧！交會的這永恆一刻，轉瞬間，他們揮手告別，宣告分離，完成這件《情人——長城》的藝術。

兩人分手後，瑪莉娜剛好趕上流行的浪潮。世界各大流行品牌爭奇鬥豔，無不花費心思搞創意。這時瑪莉娜的行爲藝術，正好爲想不出新奇創意的流行界，提供一種新的製造話題的表演形式。瑪莉娜的藝術事業，不但得到更大的舞台發揮，也獲得可觀的收入。行爲藝術就不再是「神經病」、沒有價值的冷門藝術。瑪莉娜成了「行爲藝術的祖師奶奶」。

2010 年 5 月 31 日，她在紐約現代美術館 MoMA，做了一次回顧展，並提出一個新創作「藝術家在現場」。瑪莉娜坐在展場中的一張椅子，不動。對面有另一張椅子，觀眾可以預約去坐，與瑪莉娜對望，想坐多久就坐多久。讓觀眾和藝術家透過眼神交會，產生心靈交流。果然再一次掀起話題，製造轟動。其中來和她眼神相交的有女神卡卡、莎朗史東、艾倫瑞克曼等名人。有的觀眾才接觸她眼神十秒鐘，就崩潰大哭。在三個月的展覽期間，共湧進八十五萬人次，與她對坐交會的有一千五百人。而最大的高潮是與她分手二十二年的烏雷，坐上椅子的那刻。原來似雕像不動如山的瑪莉娜，頓時淚崩，兩人在桌上十指交扣，再度交會，宣告和解。

藝術本來就在不斷創新，打破過去的框框。而欣賞者也可以一再提升，開展我們的視野，學習用新的角度來看待世界、體驗人生。

當然，保守、封閉的土壤，是長不出創意的種子。

問題是那片土就在你心中，是惡土？是樂土？都是你一念之間。

● 行為藝術家瑪莉娜

●2010 年瑪莉娜在 MoMA 舉辦回顧展，邀請觀眾與藝術家眼神交會。

6.28 改錯的勇氣

「知錯能改」這句話，說的容易，要做很難。

而且是地位越高，越難做到！

拳王阿里原名叫克萊（Cassius Marcellus Clay Jr.），他在1964年奪得世界重量級拳王的寶座，從1966年到1967年他更創下了一年間，連續七次衛冕成功的空前記錄。

就在克萊拳擊人生最高峰時，他改信伊斯蘭教，改名叫穆罕默德·阿里（Muhammad Ali）。然後阿里以宗教信仰的理由，拒絕國家兵役的徵召，他不去越南打仗。結果阿里不但被摘掉拳王的頭銜，被禁賽，還被法院判了五年的徒刑。

阿里說他不要去打越戰，理由很簡單：「越共又沒有叫我黑鬼，我跟他們無怨無仇，爲什麼要和他們打仗？」還說，「我寧願在美國坐牢，也不要死在越南！」

這件官司打了三年，打到美國最高法院。最高法院當時的首席大法官華倫·伯格（Warren E. Burger）是尼克森總統的親近好友，標準保守主義右派共和黨，當然是以維護國家權威爲優先考量。最高法院有九個大法官，大法官瑟古德·馬歇爾（Thurgood Marshall）是非洲裔，爲避免黑白種族的爭議，主動退出判決。

在伯格的強力運作下，八位大法官以五比三判決阿里以宗教信仰的理由，拒絕服兵役不成立，有罪。判決書由另一位傾向保守主義的大法官約翰·哈倫（John Marshall Harlan）來寫。哈倫回到辦公室，說明判決要點，並指派他的助理凱文·康納利（Kevin Connolly）起草判決書。

康納利當時剛進最高法院，是資淺的菜鳥，這麼受矚目的案子交給他主筆，等於是給他表現的機會，應該高興都來不及，好好秉承旨意擬稿，寫出一篇精采的判決文，回報哈倫大法官的賞識。

但是康納利越寫越感覺不對，加上他本身是個自由主義者。於是他挖出了一個少見的判例，在「西古雷拉對美國」一案中，法院對於參加「耶和華見證人」團體的被告，接受他以宗教信仰反戰的理由，可以不必服兵役。而且這個被告是白人。

所以如果白人參加耶和華見證人，拒服兵役無罪；卻判「黑人穆斯林」的阿里有罪，那不只是種族歧視，也是宗教歧視。所以康納利寫了一份完全相反的判決書交了上去。結果呢？沒錯，哈倫把他叫來狠狠修理一頓，叫他回去重寫。他只好照著法官的意思，乖乖寫一份規矩的判決書。同時也寫好辭職信。

沒想到，第二天早上他要交差時，哈倫大法官對他說，他回家後仔細研究康納利的觀點和他舉的判例，並且研讀了阿里所說的穆斯林書。他認爲康納利是對的，阿里有權因他的信仰拒服兵役、拒打越戰。因爲他反對所有的戰爭，並不是只選擇性的反對越戰。所以哈倫決定改變立場，這下就從五比三變成四比四，平手，案子得重投。

伯格當然氣得跺腳，按規距，他只能重開會。結果沒想到其他人也倒戈，贊成應該判阿里無罪，比數成了七比一。伯格是個全身充滿政治細胞的人，他知道如果他一個人和全體大法官意見不一致，那對他的地位非常不利。

1971 年 6 月 28 日，最高法院以八比〇全數通過判決阿里無罪。當時大家都看到阿里被平反，出現戲劇性大逆轉。其實判決的背後更戲劇性，更令人拍案叫絕！

康納利敢賭自己的前程，違逆上司，當然勇氣可嘉。而哈倫大法官能承認自己有錯，知錯改錯，更是要有崇高的道德勇氣！

阿里在事後的表現也很出乎意料，本來大家以爲他會控告拳擊協會惡意剝奪他拳王的寶座，求取一大筆賠償。沒想到阿里說：

> **我做了我相信對的事。那些剝奪我拳王頭銜的人，其實也是做了他們相信對的事。如果我現在去指責他們，那就太僞善了！**

所以他沒有求償，他靠著自己的雙拳一路挑戰，又奪回原本屬於他的王冠！

●改變立場支持判決
阿里無罪的大法官哈倫

6.29 都是爲了買鞋

「蝴蝶效應」是美國氣象學家勞倫咨(Edward Norton Lorenz)提出的著名理論。簡單的說就是在亞馬遜雨林中，有一隻蝴蝶偶然拍動翅膀，可能兩個禮拜後，在美國的德州會引起一場龍捲風。所以起初非常微小的變化，經過不斷連帶擴大，就會對未來造成巨大差別。

歷史上有許多大事，爲什麼會發生？爲什麼在這裡發生？起因像蝴蝶拍翅膀一樣微小，還常常比腳踩到大便還荒謬。而荒謬的引線，有時候會製造改變歷史的大爆炸。

1863 年 6 月 29 日，美國正在打南北戰爭。這一天，有一份在賓夕法尼亞州發行的小報紙，上面登了一則廣告。是一間叫 R. F. 麥克亨利的商店所登的。內容是：「男仕耐穿美觀的小牛皮鞋、男仕有帶鞋、男仕威靈頓鞋、國會綁腿，以及耐磨短筒鞋。各式鞋類，本店應有盡有。」

南軍第三軍團的三位將軍安布洛・希爾(Ambrose Powell Hill)、亨利・赫茲(Henry Heth)、強斯頓・培提格魯(James Johnston Pettigrew)，不知道誰先看到這則廣告？確定的是他們三個都被這則廣告吸引。因爲南軍是各路人馬臨時成軍，裝備、補給都不夠齊備，經過長年征戰，第三軍團的士兵很多鞋子都爛掉，赤著腳走路行軍。所以他們急需要鞋子，現在將軍們知道去哪裡給士兵找鞋子了。

鞋店就在十三公里外，不算遠，培提格魯將軍集合一旅的部隊，大約二千四百名步兵，立刻在第二天一大早，往鞋店行進。快到鞋店所在的城鎮時，他看到遠遠有一小隊北方的騎兵。培提格魯將軍手上沒有騎兵，沒辦法去偵查敵情。他只能從對方的鼓聲，來猜測對方有多少步兵。他不想以士兵的生命做賭注，決定退回來。所以士兵們在酷熱的夏天，赤腳來回走了二十六公里的路，卻一雙鞋子也沒買到。

希爾將軍是第三軍團的統帥，他聽了培提格魯將軍的報告，大不以爲然。他和南軍統帥羅伯特・李將軍（Robert Edward Lee）都相信鞋店所在的那個城鎮，並無北軍的重兵。

培提格魯遭遇的騎兵很可能就是一小隊敵兵，不值得大驚小怪。這時候，赫茲將軍說話了。他願意第二天帶領他的師去買鞋子。希爾將軍說好，所以第二天換赫茲將軍出發去買鞋。

沒想到赫茲碰上北軍的騎兵，不是一小隊，而是兩個騎兵旅。北軍根本沒有多少步兵，不知道是從哪兒聽見步兵行軍的鼓聲？反正雙方就這樣槓上了。

當時的兵力南軍有一萬八千人，北軍有二萬五千人。第二天南方增兵，北方也增兵，雙方同時集結官兵，向遭遇點移動、布陣，南軍加到七萬五千人，北軍加到八萬三千人。

接著展開三天的大戰，其實更像三日大屠殺，南軍傷亡二萬八千人，北軍傷亡二萬三千人。這是南北戰爭中死傷最慘重的一戰。

你現在知道那個麥克亨利鞋店在什麼地方了吧？

對的，鞋店就在「蓋茲堡」。

蓋茲堡因此成爲歷史上最重要的地名。林肯爲了紀念蓋茲堡戰役，發表著名的「蓋茲堡演講」，「民有、民治、民享」這偉大的名句，也從中誕生。

蓋茲堡是兵家必爭之地嗎？我不知道。我知道的是蓋茲堡有一家鞋店，鞋店在 6 月 29 日登了一則廣告。

不知道的東西要去探索，「蝴蝶效應」如果完全確實，那還得了？你看見每一隻在飛的蝴蝶，豈不都成了暴風的元凶？所以這是一種理論，確實有可能性，但環環連結不可能那麼準。

所以有人詳細考證，發現這場戰役之所以在蓋茲堡開打，是因爲周遭的道路系統，和鞋子無關。蓋茲堡這座城市當時的人口有二千人，有三家報社、兩間高等學校，還有一些教堂和銀行，但就是沒有製鞋工廠和倉庫。士兵們就是從在蓋茲堡會合的十條公路進來的。

關於鞋子的傳說可以追溯到 1870 年代晚期，由南軍的赫茲將軍發表的聲明而來。

赫茲將軍是蓋茲堡戰役的當事人，他是在編故事？還是眞有其事？但他沒理由騙人！是後代的人考據出錯？那我就眞的不知道了！但爲了買鞋打了一場大戰，這樣的故事比較有趣，對吧？

6.30 機會

機會，很少在你沒準備好就來敲門。

很少人眞正準備好時，還沒有等到機會向他招手。

有人年紀輕輕就有絕佳的機會，不是他走少年運，而是他早就準備充分。

1886年6月30日，巴西里約熱內盧的義大利歌劇節上演《阿依達》。巴西的觀眾熱情如火，但銅板的另一面就是他們也不會放過不好的表演者。

「天啊，怎麼會演奏得這麼亂？」

「對啊，這個指揮是豬頭，到底在搞什麼？」

「是啊，我們花錢不是來看醉鬼在空中亂劃，他以爲我們也喝醉了嗎？」

「什麼指揮？你沒睡醒嗎？回去你媽的搖籃睡覺吧！」

「對，下去！下去！」

樂團的指揮受不了觀眾的叫罵，在噓聲中憤而下台，不幹了。這下樂團沒有頭，不知道該怎麼辦？

「怎麼辦？」

「讓阿圖洛來指揮！」

「他大提琴拉的好，但能指揮嗎？」

「他才十九歲，鎭得住這些瘋狂的觀眾嗎？」

「他記憶奇佳，我知道他從來不用看譜，就能記得所有人的樂譜和劇本。」

「沒錯，我可以證明。他是天才，現在不靠他，也沒人可靠！」

十九歲的大提琴手在大家的推舉下，臨危受命，上場接下指揮的棒子。接下來兩個半小時的演出，他完全不用看譜，從容自信的完成演出。演出結束後，全場觀眾起立叫好，掌聲久久不停。這個一鳴驚人的年輕音樂家，就是阿圖洛·托斯卡尼尼（Arturo Toscanini）。

他從這天戲劇性的上台，開創了六十八年的指揮生涯，公認是最偉大的指揮。他指揮最大的特色，就是從來不用看譜。所有的樂譜都記在他的腦中，應該說他的指揮棒一動，樂譜裡的音符就一個個自己跳出來。在他的指揮下，自然完美的組合。他的指揮棒如同魔法棒，在他的揮舞下，創造一個令觀眾沉醉的音樂幻境。

一次大戰結束後，1920 年代義大利興起了法西斯主義，以墨索里尼為頭的法西斯黨統治義大利。他們不只要控制政治，還要控制人民的思想。所以黑手伸進文化、藝術、生活各個領域，音樂當然也要抓牢。

但托斯卡尼尼從不屈服，他拒絕指揮演奏法西斯的歌曲。威脅利誘他都不甩，軟的硬的他都不吃。結果法西斯暴徒在歌劇院外，圍毆他和他太太，然後沒收他的護照，把他軟禁起來。雖然所有的媒體都保持沉默，幸好有一群不怕死的學生跑出來示威，高喊「托斯卡尼尼萬歲！」、「打倒法西斯主義！」。學生當然被驅散，但墨索里尼當時想討好英國、法國的文化人士，他顧慮托斯卡尼尼的聲望，最後在軟禁一個月後，放他出國，才免於受到更嚴厲的迫害。

1954 年 4 月 4 日，已經八十七歲的托斯卡尼尼，指揮 NBC 交響樂團在紐約的卡內基音樂廳，演奏華格納的《唐懷瑟》序曲。演奏到一半，托斯卡尼尼的右手在半空突然停頓，指揮棒凝結在空氣中。他左手捏著緊蹙的眉心。啊，他的記憶出現縫隙，顯然他想不起來接下來的段落。

但他一手調教的 NBC 交響樂團，沒有顯露一絲慌亂，完整無誤的把這首曲子演奏完畢。那天當音樂會演奏最後一曲華格納《紐倫堡的民歌手》，到結尾鐘鼓齊鳴剛一結束，殘響還迴盪在音樂廳時，托斯卡尼尼默默的走向後台，從此不再指揮。

戲劇性的爲六十八年指揮生涯揮出最後的休止符。

● 意外開始指揮家生涯的托斯卡尼尼

圖片來源

●0101 圖片提供：達志影像
●0102 圖片提供：達志影像
●0106 Courtesy of the Maria Montessori Archives, held at AMI, Amsterdam
●0107 圖片提供：達志影像
●0109 Photo Credit: Peanuts
●0111 "The elephant house" by Nize Nicolai Schäfer http://commons.wikimedia.org/wiki/File:The_elephant_house.jpg#mediaviewer/File:The_elephant_house.jpg
●0112 Photo Credit: Getty Images / "Joshua Bell" by Alexduff http://commons.wikimedia.org/wiki/File:Joshua_Bell.JPG#mediaviewer/File:Joshua_Bell.JPG
●0116 Photos courtesy of Free The Children.
●0124 "Brian Epstein 1965" by Koch, Eric / Anefo http://commons.wikimedia.org/wiki/File:Brian_Epstein_1965.jpg#mediaviewer/File:Brian_Epstein_1965.jpg
●0125 "David von Michelangelo" di Rico Heil (User:Silmaril) http://commons.wikimedia.org/wiki/File:David_von_Michelangelo.jpg#mediaviewer/File:David_von_Michelangelo.jpg
●0206 "Center building at Saint Elizabeths, August 23, 2006" by User:Tomf688 http://commons.wikimedia.org/wiki/File:Center_building_at_Saint_Elizabeths,_August_23,_2006.jpg#mediaviewer/File:Center_building_at_Saint_Elizabeths,_August_23,_2006.jpg
●0211 Photo Credit: Getty Images
●0212 Photo Credit: http://photography.ratishnaroor.com/tag/nick-vujicic-married/
"Nick Vujicic speaking in a church in Ehringshausen, Germany - 20110401-02" by Christliches Medienmagazin pro http://www.flickr.com/photos/41251841@N08/5597958598
●0215 圖片提供：達志影像
●0226 圖片提供：達志影像
●0228 Photo Credit: http://www.flickr.com/photos/42612410@N05/
●0229 圖片提供：達志影像
● 0302 "Sixto Rodriguez Live in Zürich. March 2014" by B0rder http://commons.wikimedia.org/wiki/File:Sixto_Rodriguez_Live_in_Z%C3%BCrich._March_2014.JPG#mediaviewer/File:Sixto_Rodriguez_Live_in_Z%C3%BCrich._March_2014.JPG
●0308 圖片提供：達志影像
●0310 "Elwha Dam under deconstruction" by Ben Cody http://commons.wikimedia.org/wiki/File:Elwha_Dam_under_deconstruction.jpg#mediaviewer/File:Elwha_Dam_under_deconstruction.jpg
●0311 Photo Credit: Getty Images
●0314 Photo Credit: Getty Images
●0316 圖片提供：甲仙國小
●0319 Photo Credit: Bridgeman / "Madonna michelangelo" by Elke Wetzig http://commons.wikimedia.org/wiki/File:Madonna_michelangelo.jpg#mediaviewer/File:Madonna_michelangelo.jpg
●0320 圖片提供：達志影像
●0321 "Alan Turing photo" by the National Portrait Gallery, London http://www.ieee.org/portal/cms_docs_sscs/sscs/08Spring/KFig6_turing.jpg. http://en.wikipedia.org/wiki/File:Alan_Turing_photo.jpg#mediaviewer/File:Alan_Turing_photo.jpg
"Bletchley Park Bombe4" by Antoine Taveneaux http://commons.wikimedia.org/wiki/File:Bletchley_Park_

Bombe4.jpg#mediaviewer/File:Bletchley_Park_Bombe4.jpg
● 0324 圖片提供：達志影像
● 0328 Copyright © Plant-for-the-Planet
● 0331 "Aung San Suu Kyi" by World Economic Forum from Cologny, Switzerland - Klaus Schwab and Aung Sun Suu Kyi http://commons.wikimedia.org/wiki/File:Aung_San_Suu_Kyi.jpg#mediaviewer/File:Aung_San_Suu_Kyi.jpg
● 0401 "Oprah Winfrey at 2011 TCA" by Greg Hernandez from California, CA, USA - Oprah Winfrey at 2011 TCA. http://commons.wikimedia.org/wiki/File:Oprah_Winfrey_at_2011_TCA.jpg#mediaviewer/File:Oprah_Winfrey_at_2011_TCA.jpg
● 0402 "Murakami Haruki (2009)" by Galoren.com http://commons.wikimedia.org/wiki/File:Murakami_Haruki_(2009).jpg#mediaviewer/File:Murakami_Haruki_(2009).jpg
● 0403 "2007Computex e21Forum-MartinCooper" by Rico Shen - Rico Shen. http://commons.wikimedia.org/wiki/File:2007Computex_e21Forum-MartinCooper.jpg#mediaviewer/File:2007Computex_e21Forum-MartinCooper.jpg
● 0406 Picture Licensed by "Platon"
● 0408 "Jim Abbott Cannons" by John Traub / Albuquerque Isotopes Baseball Club - John Traub / Albuquerque Isotopes Baseball Club. http://commons.wikimedia.org/wiki/File:Jim_Abbott_Cannons.jpg#mediaviewer/File:Jim_Abbott_Cannons.jpg
● 0412 Photo Credit: Getty Images
● 0413 "Jamie Oliver cooking" by Scandic Hotels - http://www.mynewsdesk.com/uk/scandic_hotels/images/jamie-oliver-cooking-at-scandic-257406.
● 0416 Photo Credit: Getty Images
● 0418 "Oskar Schindler enamel factory in Kraków" by Noa Cafri http://commons.wikimedia.org/wiki/File:Oskar_Schindler_enamel_factory_in_Krak%C3%B3w.jpg#mediaviewer/File:Oskar_Schindler_enamel_factory_in_Krak%C3%B3w.jpg
● 0420 "Team Hoyt in Wellesley" by Ericshawwhite http://commons.wikimedia.org/wiki/File:Team_Hoyt_in_Wellesley.JPG#mediaviewer/File:Team_Hoyt_in_Wellesley.JPG
● 0421 "RicOBarryJun09" by Kathy A. McDonald at http://kathyamcdonald.blogspot.com/ - http://www.flickr.com/photos/41012922@N06/3774927091.
● 0423 "New Coke can" by The Coca-Cola Company and Jetijonez (talk · contribs). http://en.wikipedia.org/wiki/File:New_Coke_can.jpg#mediaviewer/File:New_Coke_can.jpg
● 0425 "Romeo Dallaire signing"
http://www.flickr.com/photos/comingupforair/144110671/. Licensed under Creative Commons Attribution 2.0 via Wikimedia Commons -
● 0426 Photo Credit: Getty Images
● 0430 Photo Credit: Getty Images
● 0501 Photo Credit: Getty Images
● 0503 "Make-A-Wish-Ranger" by soldiersmediacenter
http://www.flickr.com/photos/35703177@N00/419973424/
● 0505 "1.20.10HobokenBen&Jerry'sByLuigiNovi3" by Nightscream http://commons.wikimedia.org/wiki/File:1.20.10HobokenBen%26Jerry%27sByLuigiNovi3.jpg#mediaviewer/File:1.20.10HobokenBen%26Jerry%27sByLuigiNovi3.jpg
● 0510 Photo Credit: Martha Payne
● 0511 "Eagle and Child (interior)" by Tom Murphy VII http://commons.wikimedia.org/wiki/File:Eagle_and_Child_(interior).jpg#mediaviewer/File:Eagle_and_Child_(interior).jpg

● 0517 "Goethe 1774" by Foto H.-P.Haack. - Sammlung H.-P.Haack > Antiquariat Dr. Haack Leipzig > Privatbesitz. http://commons.wikimedia.org/wiki/File:Goethe_1774.JPG#mediaviewer/File:Goethe_1774.JPG
● 0518 "Eric Schmidt at the 37th G8 Summit in Deauville 037" by Guillaume Paumier
http://commons.wikimedia.org/wiki/File:Eric_Schmidt_at_the_37th_G8_Summit_in_Deauville_037.jpg#mediaviewer/File:Eric_Schmidt_at_the_37th_G8_Summit_in_Deauville_037.jpg
● 0524 圖片提供：達志影像
● 0525 "Erik Weihenmayer presenting on stage." by Everest Author http://commons.wikimedia.org/wiki/File:Erik_Weihenmayer_presenting_on_stage..jpg#mediaviewer/File:Erik_Weihenmayer_presenting_on_stage..jpg
● 0526 "Susan Sontag, Miami Book Fair International, 1994" by MDCarchives http://commons.wikimedia.org/wiki/File:Susan_Sontag,_Miami_Book_Fair_International,_1994.jpg#mediaviewer/File:Susan_Sontag,_Miami_Book_Fair_International,_1994.jpg
● 0527 "RobbenIslandSteinbruchA" by Rüdiger Wölk http://commons.wikimedia.org/wiki/File:RobbenIslandSteinbruchA.JPG#mediaviewer/File:RobbenIslandSteinbruchA.JPG
"Physiological needs" by Witstinkhout http://commons.wikimedia.org/wiki/File:Physiological_needs.jpg#mediaviewer/File:Physiological_needs.jpg
● 0528 "Evstafiev-vedran-smailovic-sarajevo1992w" by Evstafiev Mikhail
http://commons.wikimedia.org/wiki/File:Evstafiev-vedran-smailovic-sarajevo1992w.jpg#mediaviewer/File:Evstafiev-vedran-smailovic-sarajevo1992w.jpg
● 0529 圖片提供：達志影像
"Bundesarchiv Bild 102-13805, Hermann Göring" by Deutsches Bundesarchiv
http://commons.wikimedia.org/wiki/File:Bundesarchiv_Bild_102-13805,_Hermann_G%C3%B6ring.jpg#mediaviewer/File:Bundesarchiv_Bild_102-13805,_Hermann_G%C3%B6ring.jpg
"Van meegeren trial"
http://homepage.mac.com/schuffelen/vermeer.html.
● 0531 Photo Credit: Getty Images
● 0603 圖片提供：達志影像
● 0604 圖片提供：達志影像
● 0608 圖片提供：達志影像
● 0612 "The Diary of a Young Girl at the Anne Frank Zentrum" by Rodrigo Galindez - Flickr: Anne Frank Zentrum. http://commons.wikimedia.org/wiki/File:The_Diary_of_a_Young_Girl_at_the_Anne_Frank_Zentrum.jpg#mediaviewer/File:The_Diary_of_a_Young_Girl_at_the_Anne_Frank_Zentrum.jpg
● 0619 Photo Credit: Getty Images
● 0621 "William Kunstler and Gregory Lee Johnson" by Joel Seidenstein http://commons.wikimedia.org/wiki/File:William_Kunstler_and_Gregory_Lee_Johnson.jpg#mediaviewer/File:William_Kunstler_and_Gregory_Lee_Johnson.jpg
● 0624 圖片提供：達志影像
● 0627 "Marina Abramović - The Artist Is Present - Viennale 2012" by Manfred Werner / Tsui http://commons.wikimedia.org/wiki/File:Marina_Abramovi%C4%87_-_The_Artist_Is_Present_-_Viennale_2012.jpg#mediaviewer/File:Marina_Abramovi%C4%87_-_The_Artist_Is_Present_-_Viennale_2012.jpg
"ArtistIsPresent" by Shelby Lessig http://commons.wikimedia.org/wiki/File:ArtistIsPresent.jpg#mediaviewer/File:ArtistIsPresent.jpg